ELMAR

GAY LONGWORTH

DE KLEUR
VAN
JALOEZIE

UITGEVERIJ ELMAR

Voor mijn moeder
Die moeilijk te evenaren is.

DE KLEUR VAN JALOEZIE
is een uitgave van
Uitgeverij Elmar BV, Rijswijk, 2006
Oorspronkelijke titel: *Dead Alone*
Oorspronkelijke uitgever: HarperCollins*Publishers*, Londen
Copyright © 2002 by Gay Longworth
Nederlandse vertaling: Uta Anderson
Copyright Nederlandse vertaling:
Uitgeverij Elmar BV, Rijswijk, 2006
Omslagontwerp: Wil Immink/Marianne Morris
In deze uitgave wordt de spelling gevolgd zoals die in 1995
door de Nederlandse Taalunie werd vastgesteld.

ISBN 90 389 1640 X
NUR 330

Tegenwoordig beschouwt iedereen zichzelf als een ster. Dat is zowel een cliché als een onontkoombare waarheid. Duizenden jonge mannen en vrouwen beschikken over het uiterlijk, de kleding, de haarstijl, de drugs, het persoonlijke charisma, het zelfvertrouwen en de winnaarsmentaliteit die een ster kenmerkt. Het enige wat ze missen — talent — is precies wat die andere, vrijwel identieke jonge mensen die de wereld tot sterren heeft uitgeroepen ook missen. Nooit eerder in de geschiedenis van de showbusiness was de kloof tussen amateur en beroeps zo klein. En nooit eerder in de geschiedenis van de wereld was exhibitionisme zo populair. De vraag is daarom, wat moeten we beginnen met al die prachtige pseudoberoemdheden?

Albert Goldman, *Disco.*

VOORWOORD

Jessie Driver hield haar dijen geklemd om het been van een man aan wie ze niet was voorgesteld. Ze hing ondersteboven en voelde hoe het zweet door haar korte stekeltjeshaar stroomde. Uit haar ooghoek zag ze twee mannen elkaar de hand schudden. Een kleine enveloppe met opgevouwen loterijbriefjes gleed van de ene handpalm in de andere. Jessie werd weer rechtop getrokken en rondgewerveld. Het werd tijd om weg te gaan uit deze club. De jongens uit de buurt waren talrijker dan de dansliefhebbers en de sfeer werd steeds vijandiger. Jessie kon er niet meer van genieten. Ze liet haar hand langs de gladde biceps glijden van de man met wie ze had gedanst, kneep met tegenzin in zijn hand en verliet de dansvloer. Maggie Hall, het meisje met wie ze een flat deelde, stond handtekeningen uit te delen bij de bar. Allemaal mannen, bedacht Jessie terwijl ze in haar richting liep.

'Jasses, je bent drijfnat,' zei Maggie, en keek vol afkeer naar Jessie.

'Grondig gezuiverd.' Jessie leunde naar haar over. 'Zullen we gaan?'

Maggie knikte, schonk haar bewonderaar die ze ogenblikkelijk weer zou vergeten een stralende, veelbelovende glimlach en liep met Jessie mee naar de garderobe. Maggie was presentatrice. Ze had zich met nietsontziende ambitie door de moordende concurrentie heen gewerkt tot haar naam een begrip was geworden. Het was vreemd om een oude vriendin zo bekend te zien worden. Natuurlijk was het voor Maggie, die nu dertig was, allemaal niet snel genoeg gegaan. Mensen vroegen Jessie wel eens of Maggie was veranderd. Het antwoord was nee. Ze was altijd ambitieus geweest.

Ze hadden juist de parkeerplaats voor motoren bereikt toen Jessie het geluid van de terugslag van een bestelauto hoorde. Tweemaal. Kort na elkaar. Ze draaide zich abrupt om in de richting van het lawaai dat alle andere geluiden in de omgeving liet

7

verstommen, als een harde klap in een volle kamer. Eventjes. Toen begonnen er mensen te gillen. Een man rende de straat over en stapte in een wachtende auto. Uit de smalle deur en de twee nooduitgangen stroomden de bezoekers van de club naar buiten. Jessie gooide haar helm naar Maggie.

'Nee, Jessie!' schreeuwde Maggie, maar Jessie hoorde haar al niet meer. Ze rende recht op de zee van tegemoetkomende angstige gezichten af. Ze dook, manoeuvreerde en duwde zich een weg door de massa heen en worstelde tegen de stroom in de smalle trap af. Aan de voet ervan lag een jonge man op de grond. Hij was neergeschoten. Met twee kogels. Naast hem stonden twee meisjes gillend op en neer te springen. Jessie gooide een van hen haar mobiele telefoon toe.

'Bel de politie en een ambulance,' blafte ze. Haar bevelende stem bracht hen net zo snel tot zwijgen als de schoten hen aan het gillen had gebracht. 'En laat iemand die muziek uitzetten!'

Toen maakte alleen de man nog geluid. Hij was niet dood, maar hij bloedde hevig.

'Hoe heet je?' vroeg Jessie.

'Carl,' kreunde hij.

'Carl,' zei ze, 'de ambulance is onderweg. Ondertussen moet ik proberen het bloeden te stoppen. Blijf wakker en concentreer je op mij.'

Jessie scheurde de broek en het T-shirt van de man open en bekeek de verschroeide, bloederige gaten.

'Misschien moet je eens nadenken over een andere carrière,' zei Jessie. 'Kleinschalig dealen op andermans terrein is een feilloze manier om te worden vermoord.' Ze glimlachte hem toe. 'En dat zou toch jammer zijn. Een knappe jongen zoals jij.' Een van de kogels was in zijn rechterdijbeen blijven steken. De andere was dwars door zijn linkerzij gevlogen. Jessie vermoedde dat de jongen door de kracht van de eerste kogel was rondgedraaid en door de tweede in zijn been was geraakt. Een betere schutter en die knul had niet meer geleefd.

'Nou, Carl, ik geloof dat het je geluksdag is,' zei Jessie.

De jongen knipperde met zijn ogen en staarde haar gehypnotiseerd aan. De meisjes stapten naar voren om het beter te kunnen zien. Jessie haalde een paar extra grote tampons uit haar tas, scheurde het plastic eraf met haar tanden en duwde er voorzichtig een in het kogelgat in zijn been. Het ding zwol direct op van het bloed. Carl klemde zijn tanden op elkaar en rilde. De tweede tampon duwde Jessie in zijn zij.

'Carl,' vroeg ze, 'ben je er nog?'

'Joh,' zei een van de meisjes, 'ze heeft net een Tampax in je been gestoken.'

Carl kreunde en verloor het bewustzijn.

De meisjes schrokken op toen twee geüniformeerde agenten de trap af kwamen.

'Ga uit de buurt van dat lichaam,' brulde een van de agenten.

'Laat je handen zien, en langzaam,' schreeuwde de ander.

Jessie draaide zich om. 'Rustig aan. Waar blijft de ambulance?'

'Ga opzij,' beval de politieman.

Jessie deed wat haar werd opgedragen.

Ze staarden naar de schotwonden. 'Wat betekent dit, verdorie?'

'Maak je niet ongerust, ze zijn steriel. Dit leek me het beste, gezien de tijd die ambulances nodig hebben om in dit deel van de stad bij een schietpartij te komen.'

De agenten konden haar sarcasme niet waarderen. 'En wie ben jij dan wel – Florence Nightingale?'

Jessie stak haar hand in de achterzak van haar strakke spijkerbroek en hield een leren portefeuille omhoog. 'Ik ben inspecteur Driver van West End Central – recherche – en als jullie willen weten wie er op deze man heeft geschoten, hij is zo'n één meter vijfenzeventig lang, normaal postuur, van gemengd ras en hij droeg een rood hardloopshirt. Hij is weggereden in een blauwe Audi 80, kenteken T33 X9R.' Jessie wendde haar blik naar de meisjes. 'Klinkt dat bekend?' vroeg ze.

Ze zeiden niets.

'Dacht ik al,' zei Jessie en kwam overeind.

Nu verschenen er twee ambulancebroeders. Jessie stapte opzij. De twee geüniformeerde agenten staarden haar na toen ze de trap weer op klom.

'Jullie weten waar jullie me kunnen vinden,' zei ze tegen hun verbijsterde gezichten.

Een van de ambulancebroeders keek op. 'Bedankt dat u alvast eerste hulp hebt verleend,' zei hij en vouwde een brancard uit.

'Graag gedaan,' antwoordde Jessie en vertrok.

Buiten op straat stond Maggie met de twee helmen in haar handen te wachten. Ze glimlachte tegen Jessie.

'Oké, Mad Max. Ben je klaar met je levensreddende fratsen?'
'Ja, dank je, Anne Robinson.'
'Zeker weten? Geen brandende gebouwen waar je naar binnen moet rennen of kettingbotsingen waarmee je je moet bemoeien?'

Jessie zwaaide haar been over het leren zadel van de zwart-met-chromen Virago, en zette de motor aan.

'Kunnen we?' vroeg Jessie, terwijl ze achteruit de parkeerplaats af reed.

'Ja.'

'Stap op dan.'

Maggie glimlachte. 'Ik vind het heerlijk wanneer je zo bazig doet.'

'Gaan we nog ergens een kebab eten?' vroeg Jessie.

'Nee,' antwoordde Maggie. 'Ik moet naar Istanbul en dat betekent bikini en een cameraploeg op mijn lip. Geen kebab dus.'

'Ik heb honger,' klaagde Jessie, en gaf gas bij.

'Rare. Breng me maar naar huis en haal die harde muziek uit je oren, ik word er nerveus van. Je hebt een kostbare lading aan boord.'

Gehoorzaam stopte Jessie de minidiscspeler weer in haar zak en zette de motor in de versnelling. Het ding sprong vooruit. Jessie reed de doodlopende straat uit en stoof langs Goldhawk Road op het moment dat de politieversterking arriveerde.

West End Central was een ouderwets natuurstenen gebouw in het hart van Mayfair. Jessie was niet lang daarvoor ingedeeld bij de hoofdinspecteur van dat bureau, een man met de naam Jones, een politieman met een legendarische reputatie. Ze hing dan ook aan zijn lippen om ieder woord van zijn zachte stem op te vangen. Zijn onderzoeksteam was verantwoordelijk voor een groot gedeelte van centraal Londen en met ruwweg tweehonderd Londense moorden per jaar hadden ze hun handen redelijk vol.

Ze was dol op haar nieuwe baan. Ze vond het heerlijk weer terug te zijn in Londen na vier jaar in de provincie. Ze had het ene examen na het andere gedaan om de benodigde bevoegdheden te verkrijgen en nu was ze de jongste inspecteur van het team. Haar broers, ouders en vrienden waren trots op haar, maar anderen waren minder blij met de positie die ze had bereikt. Jessie hing haar leren jasje over de rug van een stoel en ging aan haar bureau zitten. Iemand had een grote doos Tampax midden op het vloeiblad gezet. Heel subtiel. Ze legde haar kin in haar handen en staarde naar de doos. Ze kon de humor er ook heus wel van inzien – als het ding maar niet was neergezet door collega Mark Ward. Beroepsmatig haar gelijke in rang, op het persoonlijke vlak haar tegenstander.

Een klein, weelderig gevormd meisje liep heen en weer in de gang buiten de openstaande deur van haar kantoor. Jessie keek hoe het haar vaag bekend voorkomende schepsel liep te wiegelen en te draaien en theatraal te zuchten. Puppyvet op hoge hakken.

'Kan ik je helpen?' vroeg Jessie beleefd.

Het meisje bleef in de deuropening staan, schatte Jessies functie in en concludeerde dat ze secretaresse was. 'Ik wacht op meneer Ward. Hij is een vriend van mijn vader. Kunt u even in zijn agenda kijken, hij zou hier moeten zijn.'

'Waarom wil je hem spreken?'

'Iemand wil me vermoorden.'

11

'Oh.' Jessie knikte op een manier die naar ze hoopte meelevend was. 'En je naam is...?'

'Jami,' schreeuwde het meisje. 'Met een "i". Ik ben zangeres. Een of andere man heeft me deze brieven gestuurd.'

'Hoe weet je dat het een man is?'

'Dat is altijd zo.'

Net toen Jessie de 'doodsbedreigingen' van haar aanpakte, verscheen Mark Ward. De achtenveertigjarige man gluurde omlaag, niet in staat weerstand te bieden aan de aantrekkingskracht van de weelderige boezem die zich daar vertoonde. Jessie kon het speeksel in zijn keel horen gorgelen toen hij begon te praten.

'Het spijt me dat ik je heb laten wachten. Je moet wel erg overstuur zijn.' Hij griste de brieven uit Jessies hand en wierp haar een waarschuwende blik toe voordat hij het meisje de kamer uit leidde. Jessie wachtte een paar minuten en volgde hen toen naar de overkant van de gang. De grote scheidslijn.

'Ik dacht dat je misschien een DNA-monster wilde nemen,' zei Jessie terwijl ze haar hoofd de kamer in stak. 'Degene die deze dreigbrieven heeft gestuurd, is misschien al in het bezit van persoonlijke spullen van Jami.'

'We hebben je hulp niet nodig, dank je,' antwoordde Mark zuur.

'Nee, dat klinkt juist goed. Mensen zullen vragen wat u doet om me te beschermen,' zei Jami.

'En bovendien kunnen we het vergelijken met het speeksel op de enveloppe,' zei Jessie. De jonge zangeres bleef glimlachen tot de betekenis van Jessies woorden goed tot haar doordrong. 'Dan weten we het zeker wanneer we de schuldige hebben gevonden,' vervolgde ze.

'Neem me niet kwalijk, Driver,' kwam Mark er woedend tussen, 'maar dit is mijn zaak.'

'Sorry, ik wilde alleen maar helpen. Ik heb een paar wattenstaafjes meegebracht...' Ze liet Jami het witte spateltje in de grijze plastic verpakking zien. 'We gaan even langs de binnenkant van je wang en dat is alles.'

'Ik...' Jami keek de kamer rond op zoek naar een ontsnappingsmogelijkheid. 'Ik kan niet tegen vreemde voorwerpen in mijn mond. Ze zouden mijn stembanden kunnen beschadigen. Ik ben zangeres!'

'Ze zijn volkomen steriel,' verzekerde Jessie haar, en deed een grote stap in de richting van het terugdeinzende meisje.

Jami begon achteruit de kamer uit te lopen, bereikte de deur-opening en ging steeds sneller lopen. 'Ik moet er eerst met mijn manager over praten. Ik kom wel terug.' Haar vijftien centimeter hoge hakken klikten als castagnetten toen ze maakte dat ze weg-kwam.

Jessie wendde zich met een glimlach tot Mark.

'Waar denk je in jezusnaam dat je mee bezig bent?'

'Kom nou, je wilde toch niet...'

'Ga weg, Driver. Doe ons allemaal een lol en breng dat strak-ke kontje van je zo snel mogelijk terug naar school! Laat het echte werk maar over aan de echte politiemannen. En steek je neus en andere verleidelijke lichaamsdelen niet langer in zaken die je niet aangaan en waarbij je niet nodig en ook niet gewenst bent.'

Ah, dacht Jessie, over die zin had hij nagedacht. Best leuk gevonden, verleidelijke lichaamsdelen, het had iets poëtisch. Ze schonk hem een stralende glimlach. 'Vertel me eens, Mark, speel je net zo veel met jezelf als je je ten koste van anderen amuseert?'

Mark greep de telefoon. 'Ik moet het bureau persvoorlichting bellen en vertellen dat ze hun fotosessie niet krijgen.'

'*Hun* fotosessie. Ja, ja.'

Hij trok zijn wenkbrauwen op. 'Ja, inderdaad, hun fotosessie.' Hij zweeg even veelbetekenend. 'Stel je voor, Driver, je blijkt toch niet alles te weten.'

Toen ze Marks kantoor uitkwam, liep Jessie hoofdinspecteur Jones, hun baas, tegen het lijf. Hij was een onopvallende man met grijs haar en bijpassende pakken. Voorzover Jessie kon beoorde-len, was zijn enige fout het idee dat Mark en zij van elkaar kon-den leren. Ward zat al bijna dertig jaar bij de politie. Hij was begonnen als geüniformeerd agent en was opgeklommen tot hij het zo'n twaalf jaar geleden tot rechercheur had gebracht. Hij had lichamen uit brandende auto's, rivieren en greppels gesleept, de restanten van slachtoffers van bomexplosies van gebouwen geschraapt en uiteengescheurde lijken van treinrails geplukt – een politieman die te veel dronk, altijd een opschrijfboekje bij zich droeg en wiens type langzaam aan het uitsterven was. Zij was drieëndertig, bezat dezelfde rang en al haar ervaring was tweedi-mensionaal. Ze behoorden tot compleet verschillende soorten die hetzelfde ecosysteem bewoonden. Dat kon op den duur niet goed gaan.

'Jessie! Precies degene die ik zocht. Kom met me mee, alsjeblieft,' zei Jones.

'Ik moet naar de afdeling persvoorlichting.'

'Toch niet naar dat stelletje vervelende bemoeials?'

'Ik heb een...'

'Dit is belangrijk. Je kunt het dossier onderweg wel lezen.' Plotseling verstrakte Jones.

'Alles in orde, chef?'

'De oude dag. Ik zie je beneden.'

Toen ze haar jasje van haar stoel wilde gaan halen, verscheen Mark in de deuropening van haar kamer.

'Is het je weer gelukt je uit de moeilijkheden te draaien?'

Ze nam niet de moeite hem aan te kijken. 'Rot op, Mark.'

'Ik dacht dat jouw soort lange woorden hoorde te gebruiken.'

Jessie ritste haar leren jasje dicht en stapte achteruit. 'Het spijt me dat ik je voyeursspelletje heb bedorven. Als ik had geweten dat dit het dichtst was dat je bij vrouwelijke vormen kon komen, dan had ik me er niet mee bemoeid.'

Mark keek uit het raam van zijn kantoor toen Jones en Jessie de parkeerplaats overstaken. Toen ze door de uitgang waren verdwenen, belde hij de chef van dienst.

'Wie doen de volgende paar diensten?'

'Ik draai een dubbele,' antwoordde de man. 'Ik ga trouwen, ik heb overuren nodig.'

'Geef de eerstvolgende melding die binnenkomt van een smerig lijk aan inspecteur Driver. Hoe smeriger hoe beter. Ik wil die omhooggevallen tante eens een lesje leren over ouderwets politiewerk.'

'Ja, chef.'

'En geef de boodschap ook door aan de volgende wanneer jouw dienst erop zit.'

'Ja, chef.'

'Ik zal een potje laten rondgaan, voor je huwelijk.'

'Bedankt, chef. Dat waardeer ik heel erg.'

'Dit blijft tussen ons.'

'Natuurlijk.'

Mark legde de telefoon neer en bad om een dode bejaarde waar de maden uit kropen.

Jessie stond naast Jones toen hij tweemaal hard op de deur klopte. De flat bevond zich op de derde verdieping van een blok gemeentewoningen met uitzicht op een slecht onderhouden binnenplein diep in het hart van Bethnal Green. Het aanhangsel van de City, net zo arm als de naastgelegen wijk welvarend was. In lange gewaden gehulde vrouwen liepen achter kinderwagens, de mannen stonden in groepjes op de straathoeken en verveelde kinderen schopten een lekke voetbal tegen een muur. Jessie voelde overal om zich heen de grimmige sfeer van bedrogen verwachtingen. Ze hoorden het onmiskenbare geschraap van een ketting en toen keek een groot bruin oog hen aan. Jones hield zijn politiepasje omhoog. Clare Mills, de vrouw voor wie ze waren gekomen, trok de deur open. Ze was mager, lang en opvallend gerimpeld. Ze had een diepe, gegroefde frons tussen haar wenkbrauwen. Een permanente zorgelijke plooi. Haar lichtbruine haar was kort en werd al dunner. Jessie ontdekte er grijze lokken tussen. Deze vrouw zag eruit alsof ze al haar hele leven lang in de zorgen zat en volgens het verhaal van Jones was dat ook zo.

Vierentwintig jaar geleden werd een onschuldige voorbijganger neergeschoten tijdens een roofoverval. Die man was Clares vader, Trevor Mills. Hij was op weg naar huis na een sollicitatiegesprek. In zijn hand droeg hij een ongevaarlijk zakje van bruin papier. Snoep voor zijn kinderen – hij had de baan gekregen. De verdwaalde kogel was afgeschoten door een man met de naam Raymond Giles, in die dagen een beruchte gangster. Aanvankelijk dacht de politie dat Giles naar Spanje was gevlucht, maar na een anonieme tip werd hij gevonden in een hotel in Southend, waar hij zich schuilhield. Uiteindelijk werd Raymond Giles wegens doodslag tot zestien jaar veroordeeld. De straf was hoog, want de rechter kende mannen als Raymond Giles, ook al kon de aanklager niet aantonen dat er opzet in het spel was. Opzet viel niet te bewijzen, maar dat maakte uiteindelijk niet uit. Zijn arrestatie was een succes voor alle betrokkenen.

Voor Clare Mills was het echter slechts het begin van de nachtmerrie. Haar grote bruine ogen stonden argwanend, ze knipperden onafgebroken en nerveus. De gescheurde huid rond haar nagels was afgebeten tot de eerste knokkel van haar lange, dunne vingers. Jessie volgde Clare naar de verrassend lichte, heldergele keuken en probeerde het ijs te breken terwijl Clare thee zette. 'Ik slaap niet veel,' was het antwoord op de meeste vragen.

Dat was niet verbazingwekkend, bedacht Jessie toen ze terugkeerden naar de kleine zitkamer. De dag waarop Clare haar vader het graf in zag zinken, was ook de dag waarop haar moeder zelfmoord pleegde. Ze was acht jaar oud toen ze haar moeder vond die zich had opgehangen aan de achterkant van de garderobekast, de met mascara besmeurde tranensporen op haar wangen nog maar nauwelijks droog. En zelfs dat was nog niet het ergste wat Clare Mills zou overkomen.

Jessie probeerde het opnieuw. Hoe slaagde ze erin zoveel diensten te draaien op haar werk en ook nog voor de oudere dame die naast haar woonde te zorgen? Hoe vond ze de tijd om te tekenen en te schilderen? Het antwoord draaide altijd op hetzelfde neer. 'Ik slaap niet veel.'

Het veranderde toen ze over Frank begonnen te praten.

'Mijn kleine broertje. Vijf jaar jonger dan ik. Hun wonderkind, zoals pappa en mamma altijd zeiden. Ze waren zo gelukkig met hem. Wij allemaal. Hij was een geweldig kind, gewoon fantastisch. Ik speelde elke dag met hem, elke dag totdat...' Clare wendde zich van hen af en staarde uit het rechthoekige raam. De dag nadat haar moeder was gestorven, werden de kinderen per auto naar een tehuis gebracht. Het probleem was dat er twee auto's kwamen. De een nam Clare mee en de ander Frank. Dat was de laatste keer dat ze hem zag.

Jarenlang werd er niet naar Clares smeekbeden geluisterd. Tot ze zichzelf vastketende aan het hek van de begraafplaats van Woolwich, waar haar moeder begraven lag. De kwestie was een nachtmerrie voor de autoriteiten geworden. Ten slotte was de zoektocht naar Frank aan de politie toegewezen en had Jones de zaak gekregen. Nu praatte hij tegen Clare op verontschuldigende toon en probeerde de juiste woorden te vinden.

'...en hoe dan ook, we zullen uitzoeken wat er met Frank is gebeurd en we zullen degenen die verantwoordelijk zijn voor de gebeurtenissen laten boeten...'

'Dat is er slechts één, en die hebben jullie vrijgelaten.'

Clare spuwde de woorden haast uit. 'De man die mijn vader heeft doodgeschoten. Die smerige klootzak, die banjert nu weer rond...'

Jones leunde naar haar over. 'Hij heeft lange tijd in de gevangenis doorgebracht, Clare. Hij heeft zijn tijd uitgezeten. Laten we ons nu concentreren op Frank en op de mensen die voor hem moesten zorgen. En op jou.'

'Pappa en mamma moesten voor ons zorgen.'

'Clare...' zei Jones overredend.

Clare wendde zich tot Jessie. 'Mijn moeder heeft drie weken in het ziekenhuis naast het bed van mijn vader gezeten. Ze sliep niet, ze at niet, ze zat daar maar en wachtte tot hij wakker werd. Hij heeft gevochten, ik heb de papieren gezien, ik heb met een van de verpleegsters gesproken die erbij is geweest, zij herinnerde zich nog hoe mijn moeder naast hem zat en voor hem bad. Mam weigerde weg te gaan, ze liet ook verder niemand toe, behalve haar vriendin Irene natuurlijk. Ze weten nog hoe pappa heeft gevochten voor zijn leven. Hij vocht zo hard dat hij een paar keer bij bewustzijn is geweest, alleen maar om mamma te vertellen dat hij van haar hield, en van ons, maar het was een verloren strijd. Verdwaalde kogel? Verdwaald? Hoe kan een verdwaalde kogel iemand recht in zijn hart raken, vertel me dat eens?'

'We kunnen de wet niet veranderen,' zei Jones. 'Hij heeft negen jaar achter de tralies gezeten. Dat is een hele tijd.'

De man die Clares leven had verwoest was dus weer vrij, bedacht Jessie. Een vrij man. Jessie geloofde in je schuld aan de maatschappij betalen. Ze geloofde ook dat je tijd uitzitten een schone lei betekende. Ze deed bewust haar best haar team af te leren elke keer wanneer er een lijk opdook naar de lijst met ex-criminelen te grijpen. Maar nu zag ze in Clares schoteltjesgrote ogen dat ze nooit meer van deze misdaad zou loskomen. Háár vonnis was levenslang.

'Niet lang genoeg voor drie moorden.' Ze trilde. 'Nee, maak er maar vier van.'

Clare had verder geen familie. De ouders van haar vader waren al voor haar geboorte gestorven. Veronica, Clares moeder, had al jaren geen contact meer met haar familie. Clare had hen nooit ontmoet en haar moeder had nooit over hen gesproken. Alle informatie die Clare had, kwam van Veronica's beste vriendin Irene. Een kapster die altijd in de buurt was blijven wonen.

'Ze veranderden mijn naam. Die mensen van de kinderbescherming. Bescherming! Laat me niet lachen. Ik wist best dat ik niet Samantha Griffin was, ik was Clare. Ik zei steeds weer: "Ik heet Clare." Ze zweeg even. 'En dan werd ik gestraft omdat ik loog.' Clare sloot een moment haar ogen. Haar zenuwen vraten haar op.

Jessie en Jones wisselden een veelbetekenende blik. De jaren

17

zeventig waren niet het tijdperk waar de kinderbescherming met trots op terugkeek.

'We beginnen met zijn geboortedatum en met de dag waarop hij bij de kinderbescherming terechtkwam. Ik weet niet wie je hierbij heeft geholpen, maar de waarheid is dat je bij elke bocht de verkeerde kant op bent gestuurd en dat spijt me oprecht,' verklaarde Jones. 'Ik geef je mijn woord dat we hem zullen vinden.'

Clare leek zich in zichzelf terug te trekken. 'Dood of levend?'

Jones knikte. 'Dood of levend.'

Het tijdmechanisme van de videorecorder sprong automatisch op opnemen. Clare staarde met grote ogen naar het lege televisiescherm. 'Normaal gesproken ben ik om deze tijd niet thuis,' zei ze afwezig. 'Maar sommige programma's wil ik niet missen.'

Jessie vroeg zich af welk dagprogramma zich in Clares aandacht mocht verheugen. Kilroy. Oprah. Trisha. Vanessa. Ricki. Springer. Kies er maar een. Maakt niet uit welke. 'Het verbaast me dat je de tijd kunt vinden om televisie te kijken,' merkte ze op.

Clare beet op haar wijsvinger. 'Ik slaap niet veel.'

'Trekken. Trekken. Trekken. Nummer drie, recht blijven.' De punt van de boot sneed door het diepe koude water en trok een scheiding in de mist. 'Nummer drie, hoor je me?' Roeispanen botsten tegen elkaar. Er werd lang en hard op een fluitje geblazen. De boot begon uit zijn koers te drijven, meegetrokken door de stroming. Het modderige bruine water klotste heftig tegen de polyester romp. Koude druppels bedekten de naakte roze meisjesdijen, die vlekken van inspanning vertoonden.

'Wat is er in vredesnaam aan de hand?'

'Ik dacht dat ik iets zag op de oever. Sorry, het zag eruit als...' het meisje zweeg en de andere roeiers keken in de richting van haar uitgestoken vinger, '...botten.'

'Mijn God,' zei de stuurvrouw. 'Wat jullie niet verzinnen om even te pauzeren. Het is gewoon zielig – en nu roeien.'

'Nee, ik zweer het. Ik vind dat we moeten omkeren.'

Ze keerden de boot en roeiden terug naar het modderige stuk oever. Het werd eb en ze moesten worstelen om stil te blijven liggen. De vijf meisjes staarden over het water waarboven nog steeds flarden mist kleefden.

18

'Daar,' schreeuwde het meisje.

Er lag iets op de dikke, zwarte, slijmerige oever. Vreemde uitgestrekte vingers die uit de modder staken als de overblijfselen van een houten scheepsromp.

'Het is gewoon hout,' zei de stuurvrouw.

'Wit hout?'

'Ja. Kom, we gaan.'

Het meisje achter in de boot was er het dichtst bij. 'Ik geloof dat ik een bekken en benen kan onderscheiden.'

De meisjes begonnen weg te roeien van de oever. Ze wilden er niet dichterbij komen. Ze wilden het niet beter zien.

'Wat doen we nu?' vroeg een beverige stem achter uit de boot.

'Roeien. We zullen in het botenhuis de politie bellen. Zoek een markeringspunt, zodat we kunnen uitleggen waar het precies is.'

'Het is net onder het natuurgebied. We kunnen ons maar beter haasten, want dadelijk gaat het open.'

'Oh shit. Oké, oké... uh, trekken, trekken – ach, laat ook maar zitten, jullie weten best wat jullie moeten doen...'

Er was een volledig kaal skelet aangetroffen in de modder op de oever van de Theems. Geen schedel. Geen handen en voeten. Waarschijnlijk een vergeten zelfmoord. Een plaatselijke politieagent was ter plekke. De recherche hoefde er niet meer heen te sturen dan een rechercheur van de laagste rang. De situatie was perfect. Jessie was vroeg op het werk – zoals gewoonlijk – en toen ze vroeg wat er was binnengekomen – zoals gewoonlijk – hoefde ze alleen maar op de melding te reageren.

'Lijk zonder hoofd op een jaagpad,' zei de chef van dienst en kruiste zijn vingers. Haar in leer gestoken achterwerk haalde haar stoel niet eens.

Jessie parkeerde haar motor op Ferry Road in het zuidwesten van Londen. Verstopt tussen een door mensenhand gemaakt natuurgebied en een basisschool bevond zich hier een weinig bekende doorsteek naar de Theems. Toen de bestrating plaatsmaakte voor modder en plassen water en de bebouwing veranderde in bomen en braamstruiken, kreeg Jessie het sterke gevoel dat ze terugging in de tijd, naar een Londen uit de dagen van Dickens. Ze vreesde het ergste. Een jonge vrouw, aangerand op dit afgelegen, overwoekerde en onverlichte pad, gewurgd en gedumpt. Onthoofd.

Ze stapte verder door de plassen, de snelstromende Theems diep beneden haar. In de verte zag ze rechercheur Fry staan met een beker koffie in zijn hand. Hij praatte met vijf vrouwen die allemaal hetzelfde trainingspak droegen. Jessie vermoedde dat hij met zijn rug naar het lichaam stond en zijn ogen op de meiden had gericht.

'Goede morgen,' zei ze luid.

Fry draaide zich om en keek naar Jessie.

'Morgen, chef. Wat doet u hier?'

Een tweede agent, die ze niet kende, stond niet ver van hen vandaan. Jessie wenkte Fry naar zich toe. 'Waar is het lijk op het jaagpad?'

'Is er nog een lijk?' vroeg hij opgewonden. Botten in de Theems waren te gewoon om je druk over te maken.

'Hoe bedoel je, nog een? Waar is het eerste?'

Hij wees over de rand van de muur. 'Voorzichtig, het is daar glad,' zei Fry. Jessie stapte van het pad af, stak de paar meter met braamstruiken en andere lage begroeiing over en ging op de stenen muur staan. Hij was bedekt met een laag algen, zo dik als ijs. Jessie voelde de zolen van haar schoenen wegglijden, greep een tak en keek over de rand. De afstand tot de modder aan de voet van de steile helling van groenige stenen was minstens zeven meter. Een stukje voorbij de voet van de muur lag een strandje. Een verraderlijk strandje. Het was laagtij, zodat er een breed stuk diepe, gevaarlijke modder zichtbaar was. Meeuwen liepen er kriskras overheen met hun van zwemvliezen voorziene poten op zoek naar lekkere hapjes, zoals bloedzuigers, wormen en andere ongewervelde schepsels. Omdat de muur met algen was bedekt, vermoedde Jessie dat het water bij vloed niet zelden steeg tot het punt waar ze op dat moment stond. Ze keek weer naar de glinsterende modder. Er stak een nog half bedekte ribbenkast uit. Was dit het lijk zonder hoofd op het jaagpad?

'Is dit het?' riep ze achterom naar Fry. Hij knikte. De melding was overdreven. Zwaar overdreven. 'Wie zijn die meisjes?'

'Roeisters. Zij zagen de botten liggen en hebben het gemeld.'

'En die agent?'

'De eerste politieman ter plaatse. Iemand uit deze buurt.'

'Hoe heet hij?' vroeg Jessie, die ongeduldig begon te worden. Fry haalde zijn schouders op. 'En, is er nog een lijk?'

'Nee,' antwoordde ze. 'Ik ben' – de klootzak – 'verkeerd ingelicht.' Ze draaide haar gezicht weer naar de rivier en keek naar beneden. 'Dus wat hebben we hier, Fry?'

Rechercheur Fry liep naar haar toe en ging naast haar op de muur staan. 'Het verbaast me dat er niet vaker mensen in de rivier vallen. Dit is levensgevaarlijk,' zei hij, terwijl hij zijn voet over de gladde laag liet glijden.

'Zou je dit alsjeblieft iets serieuzer willen nemen?'

'Staan we niet gewoon te wachten tot de begrafenisondernemer komt om dit geval mee te nemen?'

'Ben je daar beneden geweest?'

'U maakt een grapje, hoop ik. Hebt u die modder gezien?' Fry gaapte.

'Je bent zelfs nog niet beneden geweest?'

Hij overhandigde haar een kleine verrekijker. 'Ik kan vanaf hier zien dat het een volkomen kaal skelet is dat daar ongetwijfeld al jaren ligt. Wanneer we in de dossiers gaan zoeken, vinden we waarschijnlijk dat het een of andere dronken idioot was die tien jaar geleden op oudejaarsavond uit een boot is gevallen en werd onthoofd door de schroef.'

Jessie keek naar het volmaakt gevormde skelet, de grijswitte botten die dezelfde kleur hadden als de grijswitte hemel. 'Misschien,' zei ze. Ze zocht met de verrekijker de oever, het water en de tegenoverliggende oever af. Een fietser was blijven staan tussen acht hoge lariksen. Er bevond zich daar een of andere opslagplaats, maar er waren geen tekenen van enige activiteit. Rechts begon een klein eiland in het water dat de naam Richmond Eyot droeg. De bocht in de rivier maakte een breed uitzicht over het strand aan haar voeten onmogelijk. Ze zou naar beneden moeten gaan. Ze keek weer naar de tegenoverliggende oever: de fietser reed alweer verder. Ze liet de verrekijker zakken en wendde zich tot Fry.

'Maar misschien ook niet.'

'Er is hier niets wat interessant voor u is, chef. U kunt teruggaan naar het bureau, ik handel dit wel verder af.'

'Nee, dat doe ik.' Als Mark haar er onder valse voorwendselen

21

op uit stuurde, dan zou zij alle anderen er onder valse voorwendselen in meeslepen. 'Oké, heb je laarzen bij je?'

'Nee.'

Ze keek naar de keurige leren veterschoenen van rechercheur
Fry. 'Zonde.'

'Oh, toe nou...'

Ze pakte de koffie uit Fry's hand. 'Zet een cordon af rond het
lichaam. Laat die agent daar er een oogje op houden. Ik wil dat er
precies wordt genoteerd wie er komt en gaat. Laat zo snel mogelijk de technische recherche komen en ook een patholoog, als je
er een kunt vinden. Ik wil dat ze het lijk *in situ* zien. Daarna mag
je met me meelopen en aantekeningen maken. En zeg tegen de
technische recherche dat ze een videocamera meebrengen. Het
wordt weer hoog water en we hebben niet veel tijd.'

De frons tussen Fry's wenkbrauwen werd dieper. 'Haalt u
daarvoor de hele cavalerie erbij?'

'Dit is een verdacht sterfgeval en daarom behandelen we het
ook als een verdacht sterfgeval.' Ze wierp hem een boze blik toe.
'Waarom sta je hier nog?'

'Hoe moet ik in jezusnaam daar beneden komen? Dat is een
afgrond van tien meter.'

'Mannen en afstanden,' zei Jessie. 'Altijd overdrijven.'

Fry was woedend, maar Jessie was zijn meerdere. Ongetwijfeld zou hij later in de pub zijn gram spuien en iedereen vertellen
wat een kreng ze was.

'Zo'n honderd meter terug zitten er treden in de muur.'

Fry keek. Op sommige plekken kwam het water tot aan de
voet van de muur. 'Maar...'

'Kijk uit voor de afvoerbuizen in de muur. We willen je niet
kwijtraken door een plotselinge golf rioolwater.'

'Dit meent u toch niet serieus, chef?'

Jessie kneep haar ogen halfdicht tegen de lage, scherpe spiege-
ling van de zon. 'Bloedserieus.'

Fry liep driftig weg. Wat een eikel, die Mark Ward. Wel, hij had
het verkeerde meisje uitgezocht om de strijd mee aan te gaan. Ze
zou wel zorgen dat hij er spijt van kreeg dat hij niet gewoon een
emmer water boven de deur had gehangen en het daarbij had
gelaten. Jessie belde de rivierpolitie, het onderwaterteam en de
helicopterbrigade en liep vervolgens naar de agent die het eerst
ter plaatse was geweest. 'Hallo, ik ben inspecteur Driver van West
End Central, recherche.'

'Agent Niaz Ahmet.' Hij was slungelachtig en hij had zware handen die als peddels langs zijn zij bengelden. Zijn smalle hoofd rustte op een lange nek, maar zijn ogen stonden helder en alert. 'Waren er sporen toen je hier aankwam? Van banden bijvoorbeeld, of voetafdrukken?'

'Er waren ontelbare sporen op het pad, maar de modder was net zo vlak als nu. Behalve waar het water in stroompjes van de oever af loopt.' Jessie vond hem direct sympathiek. 'Maar daar beneden absoluut geen voetafdrukken of bandensporen.'

'Iets gezien wat op een schedel leek?' vroeg Jessie.

'Nee, dat heb ik niet gezien, maar net als rechercheur Fry ben ik niet beneden geweest. Ik wilde niets verstoren.'

Jessie blies op haar handen en wreef ze tegen elkaar. 'Verder nog iets gezien?'

'Nee. Wat rommel, een gebroken fles, een stukje metalen pijp, een wiel, een dode kwal, maar geen voetafdrukken, daar heb ik speciaal op gelet.'

'Kom met me mee. Ik wil dat je de verklaringen van die meisjes noteert. En van wie er verder maar opduikt.'

'Ja, chef.'

Ze volgde het voetpad tot waar de meisjes nog altijd verwachtingsvol in elkaar gedoken stonden met koude koffie in hun handen. Hun adem vormde witte wolken. Hun donkerblauwe trainingspakken waren versierd met gouden letters. Jessie stelde zich voor en begon met de routinevragen.

Jessie klom tegen het met rijp bedekte grastalud aan de andere kant van het pad op en keek over de ijzeren leuning. Het zogeheten natuurgebied leek nog het meest op een volgelopen kalkput of een ongebruikt waterreservoir. De rechthoekige watervlakte werd omringd door steile oevers. De plek zag er verlaten uit, zonder de voorzieningen die de term natuurgebied deed vermoeden. Ze keerde zich af en liep terug het pad af tot waar Fry de stenen traptreden was afgedaald. Ze waren net als de muur overdekt met algen. Het slijm van de rivier. Fry worstelde zich vloekend en met heftige bewegingen door de modder. Het was de vernedering haast waard om hem zijn weg te zien zoeken als een meisje in Jimmy Choos. Jessie deed een stap omlaag tot op de eerste glibberige trede. De geringste druk op haar hiel en ze zou het beetje houvast dat ze had verliezen. Er was niets waaraan ze zich kon vasthouden en de trap was buitengewoon steil. Als de overblijfselen naar de rivier waren gebracht, dan was dat niet via deze weg gebeurd. Boven haar hoofd welfde een laag en breed baldakijn van takken. Het pad boven haar had geen verlichting, er stond niets aan de overkant van het water en het dichtstbijzijnde woonhuis was honderden meters ver. Voor het hart van Londen was dit een opvallend eenzame plek. Volmaakt. Verdacht volmaakt.

Ze zocht haar weg tot de voet van de muur en ontdekte de ingang van een tunnel. En kwam geen rioolbuis uit de zwarte mond van de tunnel, maar er lag een laagje slib in. Betekende dat dat de tunnel in gebruik was, of had de rivier het slib achtergelaten na hoog water? Jessie haalde een smalle zwarte zaklantaarn uit haar rugzak en wees ermee in de duisternis. Enkele verstoorde duiven fladderden langs haar heen. Aan de rechterkant lag een verhoogd stenen pad. Jessie beklom de glibberige treden, bukte zich onder de ingang van de bedompte tunnel door en begon heuvelopwaarts te lopen met haar rug naar het daglicht. Onder haar, op de vloer van de tunnel die uit kiezels en slib bestond, lag de aangespoelde, levenloze oogst uit de rivier. Een winkelwagentje. Een roestig frame van een fiets. Twee volle plastic zakken. En iets wat eruitzag als een kledingstuk, vastgeraakt onder een houten plank. Jessie sprong van de ruim een meter hoger liggende richel. Het kledingstuk was een damesjas. Ze trok een plastic handschoen aan, pakte de jas beet en trok hem voorzichtig los. Ze staarde in de oneindige duisternis voor haar uit. Waar zou zo'n steile, droge tunnel heen leiden?

'Chef,' schreeuwde Fry. Ze kon het silhouet van de onderkant van zijn lichaam onderscheiden bij de ingang van de tunnel. Hij klonk gespannen. 'Chef, wat doet u daar?'

Ze liep de tunnel weer uit. De grond werd zachter naarmate ze lager kwam. Ze overhandigde de jas zonder iets te zeggen aan Fry, zocht een hooggelegen richel uit en liep de hellende oever af naar het skelet. Met elke stap werd de grond zachter. Ze boog zich over de botten terwijl ze langzaam wegzakte. En nadacht. Wat haar al was opgevallen toen ze door de verrekijker naar de botten keek, intrigeerde haar nu nog sterker. Ze keek achterom naar de gapende opening van de tunnel, die haar aanstaarde als een eenogig monster. Slapend. Maar gevaarlijk. Haar ogen gleden weer naar het skelet. Het was niet wat Jessie verwachtte dat een rivier zou ophoesten. Lichamen die uit de Theems werden getrokken, waren normaliter van het ergste soort. De huid vorm-

24

de net als bladeren die lang in het water liggen een doorzichtig vlies over volgelopen aderen. De lijken waren opgezwollen van het rivierwater en spatten bij de minste aanraking uit elkaar, zodat de inhoud naar buiten stroomde als de vangst van een vissersboot. Er was iets aan de blankheid van deze ribbenkast die als een reusachtige krab oprees uit de bruinzwarte modder, dat haar deed vermoeden dat de rivier niets met dit lichaam te maken had. Dat mensenhanden het daar hadden neergelegd. Zo netjes was de natuur niet.

Uiteindelijk arriveerde het team van de technische recherche. Zonder veel haast kuierden ze langs het streepje land in haar richting. Een lachende, grapjes makende groep. Allemaal met onregelmatige werktijden. Lijken hadden de vervelende gewoonte op de raarste tijden op te duiken en dus zat een baan van negen-tot-vijf er niet in. Ze keken verbaasd toen ze de stapel botten zagen waarvoor ze waren opgeroepen.

'Ik wil dat alles op dit stuk wordt opgeraapt. Film het, fotografeer het en doe het dan in een zak. Ik heb de rivierpolitie gewaarschuwd. Over vijftig minuten is het tij op z'n laagst, daarna stijgt het water weer snel. Neem monsters van de modder, van het water en meet de temperatuur van het water en van de lucht.'

Ze keken haar aan met dezelfde blik als rechercheur Fry. *Wat? Daarvoor?*

Ze voelde zich onzeker tegenover deze mannen. Ze wisten meer over het wezen van de dood dan zij ooit zou weten. Ze probeerde haar zenuwen uit haar stem te houden. 'Het hoofd, de handen en de voeten ontbreken. Kijk ernaar uit,' zei ze.

'Waarschijnlijk zijn die er tijdens het ontbindingsproces af gevallen. Misschien is het hoofd nu al in Calais.'

'Precies,' antwoordde Jessie. 'Dus waarom is de rest van die arme drommel niet ook in Calais? Het tij is zo sterk. Dit skelet zou helemaal in stukken gebroken moeten zijn, en niet zo netjes en compleet in de modder moeten liggen.'

'Waar denkt u aan?' vroeg een van hen, direct al veel toeschietelijker.

'Dat weet ik nog niet. Maar botten die jarenlang in de modder begraven zijn geweest, komen daar niet schoon en wit uit te voorschijn zonder dat er zich miljarden micro-organismen in hebben genesteld. Omdat het een skelet is, is het nog geen oud nieuws.'

Ze liet hen achter in de modder.

'Dit is pesterij,' zei een van hen.

'Ze klinkt alsof ze weet waar ze het over heeft,' zei een ander.

'Geloof me maar,' antwoordde de eerste. 'Ik heb het gehoord van een maat van me die op hetzelfde bureau werkt als zij. Ze proberen haar een toontje lager te laten zingen.'

Rechercheur Fry keek omhoog naar de lucht. 'God bewaar me, u hebt de vliegende brigade in actie laten komen!'

Jessie keek niet omhoog.

'Ze filmen de waterkant en het omliggende gebied. In mijn opdracht.' Was ze krankzinnig? Ze had zich hier nooit toe moeten laten verleiden. Jones zou woedend zijn.

'Dat zijn niet onze mensen daarboven, chef, dat is de pers.' Agent Ahmet wees ernaar onder het lopen, terwijl zijn lange gestalte bijna tot de hemel leek te reiken.

'Wat?' Nu keek ze wel omhoog. Er hing een helicopter boven hun hoofd. Ze kon de telelens die op hen was gericht haast voelen.

'Ze hebben een geweldige neus voor bloed, net als haaien,' merkte de agent somber op.

'Zorg dat er iets over dat skelet heen wordt gezet,' schreeuwde ze tegen de groep van de technische recherche. 'Nu! Jezus Christus, hoe weten ze dat zo snel?' vroeg ze. 'Ik heb zelf pas een uur geleden de melding van dat lijk gekregen.'

'Hun technologie is geavanceerder en ze luisteren voortdurend mee met de politieradio.'

Deze jonge agent bleef haar verbazen.

'Oké,' zei Jessie en zocht haar geheugen af naar de juiste procedure. 'Fry, neem contact op met Heathrow en zorg dat je dat ding uit de lucht haalt.'

'Op grond waarvan?'

'Op grond van het feit dat de propellers een plaats delict verstoren.'

'Met alle respect, chef, u weet niet of het een plaats delict is...'

'En jij weet niet dat het niet zo is.' Ze keek Fry recht aan en liet haar stem zakken tot een gefluister. 'Tenzij er iets is dat je me niet hebt verteld.'

Hij schudde zijn hoofd. Ze voelde dat er iets niet klopte, maar op dat moment kon ze daar niets aan doen.

Jessie keek toe hoe de helicopter zich terugtrok tot de rand van het gebied waar hij niet mocht komen. Het water begon te stijgen en een patholoog van het ministerie van Binnenlandse Zaken was haar geweigerd. Men had lucht gekregen van het circus dat ze opvoerde aan de oever van de Theems. Mark stond waarschijnlijk ergens toe te kijken hoe ze haar hoofd in de strop stak en Jones was nergens te bekennen.

'De patholoog is er, chef,' zei rechercheur Fry. Haar onwillige schaduw.

Een knappe vrouw met roodbruin haar stak haar hand naar haar uit. Ze leek haast te fijn gebouwd voor dit werk, maar haar handdruk was ferm en haar laarzen waren bedekt met de modder van vorige gruwelijke expedities.

'Sally Grimes,' zei de patholoog.

Jessie wendde zich weer tot rechercheur Fry. 'Ik wil dat die roeisters een formulier met hun persoonsbeschrijving invullen.'

Fry keek geschokt door de massa's papierwerk die Jessie aan het kweken was, maar hij hield zijn mond. De twee vrouwen liepen naar het skelet. Het waterpeil was duidelijk aan het stijgen. 'Persoonsbeschrijvingen?' vroeg Sally Grimes.

'Daarop beschrijven ze zichzelf voor de database op het bureau,' zei Jessie en dook onder het zeildoek.

'Ik weet wat je bedoelt. Ik vroeg me alleen af waarom je dat doet.'

'Omdat ik geen flauw idee heb wie deze persoon is of waarom hij of zij hier terecht is gekomen en ik moet toch ergens beginnen.'

'Lijken uit de rivier worden meestal gewoon opgehaald en dan wordt er iemand die vermist is bij gezocht.'

Jessie keek de bleke vrouw onderzoekend aan. 'Ik heb me laten vertellen dat je geen forensisch patholoog bent.'

'Dat ben ik ook niet. Nog niet. Dus wat denk je dat we hier hebben?'

'Eerlijk gezegd heb ik geen idee. Ik vermoed dat mijn collega me heeft opgezadeld met een nepmelding, want hij vindt dat ik hoog nodig een toontje lager moet gaan zingen. Ik wilde wraak op hem nemen door alles volgens het boekje te doen en hun de modelrechercheur te geven waarop ze zitten te wachten.'

De politiehelicopter kwam weer voorbij, zijn schaduw gleed over het melkwitte zeildoek. Het begon warm te worden onder het plastic.

'Met alle toeters en bellen,' zei Sally.

Jessie haalde haar schouders op. Ze wilde niet toegeven dat ze ten onrechte de politiehelicopter had laten komen. Nog niet.

'En dus hebben ze mij hierheen gestuurd in plaats van een patholoog van het ministerie van Binnenlandse Zaken, want ze geloven niet dat je echt iets hebt,' vervolgde Sally.

'Zoals ik al zei, ben ik het slachtoffer van een complot. Het vreemde is dat dit skelet me sinds ik hier beneden ben toch niet lekker zit.'

Sally schonk Jessie een samenzweerderige glimlach. 'Wel, laten we dan eens kijken of we die grijns van de gezichten van je collega's kunnen vegen. Wat is het dat je aandacht heeft getrokken?'

'De geur.'

'Die is sterk, dat moet ik toegeven.'

'Ik bedoel niet de stank van de rivier. Er is nog iets anders. Het is me pas opgevallen sinds het doek eroverheen ging. Het is niet iets natuurlijks, het lijkt haast op bleekwater.'

Sally ging op haar knieën in de modder zitten en rook aan de beenderen. Jessie maakte een aantekening in haar hoofd om deze vrouw uit te nodigen voor een drankje. De patholoog herhaalde de handeling op twee andere plekken van het skelet, knikte toen zwijgend en kwam weer overeind. Ze haalde een wattenstaafje uit haar tas en gleed ermee langs het blootliggende sleutelbeen. Met een tweede staafje wreef ze langs het dijbeen.

'Ik kom er niet aan totdat ik de uitslag hierover heb van het laboratorium.'

'Wat is er?'

'Dit lijk is te schoon en te gaaf om hier jaren te hebben gelegen en het is te sterk vergaan om recent te zijn, tenzij iemand het met een oplosmiddel heeft behandeld. Hoever zou die collega van je gaan om je voor gek te zetten?'

Daar had Jessie geen antwoord op. Ze was te nieuw in het team om dat te kunnen beoordelen. 'Hij mag me niet.'

'Zou hij een pas schoongemaakt laboratorium-skelet halen, het hier neerleggen en jou er dan heen sturen, zodat je wordt ontslagen?'

Jessies gezicht vertrok van hevige schrik. 'Een laboratorium-skelet?'

Sally knikte. 'Ik weet vrijwel zeker dat deze botten ergens mee zijn behandeld.' Ze stapten de tent uit. Sally boog zich naar achteren om haar ruggengraat te strekken. Jessie was te veel in de war om iets te zeggen. 'De begrafenisondernemer is er. Laat hem de overblijfselen naar het ziekenhuis brengen. We zullen afwachten wat deze monsters opleveren, dan weten we wat we hebben. Als je collega dit lijk heeft geleend van een medisch laboratorium, dan hebben we hem. Zo niet, dan doen we morgen een autopsie om uit te zoeken wat er aan de hand is. Oké?'

Nee, het was niet oké. Ze was recht in Mark Wards valkuil getuimeld.

'Zeg tegen alle mensen van de begrafenisonderneming dat ze beschermende kleding moeten dragen,' zei Sally.

Jessie tilde haar hoofd op. 'Hoezo beschermende kleding?'

'Die geur zou een schoonmaakmiddel gemengd met formaldehyde kunnen zijn, maar het kan ook erger zijn. We weten het niet en daarom nemen we geen risico's. Plastic handschoenen beschermen hen tegen bacteriën, maar niet tegen zuren.'

'Zuren?'

'Dat is een mogelijkheid. Zuur wordt nog altijd gebruikt als een middel om mensen te laten verdwijnen. Geen schedel betekent geen gebitsgegevens. Deze botten zijn vrijwel niet te identificeren.' Sally greep Jessies arm. 'Ik weet niet of je er iets aan hebt, maar ik vind dat je het goed hebt aangepakt. Als je het lichaam door de begrafenisondernemer had laten ophalen zonder het eerst te laten onderzoeken, had je misschien iemand tekortgedaan.'

'Denk je dat?'

'Ja. Er klopt hier iets niet. Sta achter je keuze, inspecteur. Wie deze dode vrouw ook is, ze is hier niet per ongeluk terechtgekomen.'

'Het is dus een vrouw?'

'Ja, maar dat is dan ook alles wat we weten.'

De twee vrouwen worstelden zich de hoogte weer op. De modder zoog aan hun laarzen. Jessie keek achterom naar het afgezette gedeelte. De buitenste twee paaltjes werden al omspoeld door het stijgende rivierwater.

'Gaan we?' vroeg rechercheur Fry hoopvol.

'Zodra je hebt gecontroleerd of dat stelletje alles heeft opgeraapt en gefotografeerd. Ik geef jou de verantwoordelijkheid voor de bewijsstukken, dus stel me niet teleur.'

'Toe nou, chef. U bent toch niet van plan hier verder mee door te gaan?'

'Door te gaan met *wat*, Fry?'

Hij gaf geen antwoord. Niet rechtstreeks. 'Ik dacht alleen... ik dacht dat u iets speciaals met hoofdinspecteur Jones deed.'

Het had geen zin er verder op in te gaan. Jessie negeerde zijn zelfgenoegzame houding. Mark Ward had Fry zo stevig in zijn zak, dat de man wel een afspiegeling van hem leek.

Agent Ahmet was nog altijd bezig met de verklaringen van de roeisters. 'Kun je hier blijven en de plek bewaken tot deze helemaal door het water is bedekt en dan terugkomen wanneer het tij weer zakt?' vroeg Jessie.

'Beginnen de overuren dan op de normale tijd?'

'Uiteraard.'

'Dan voldoe ik graag aan uw verzoek.'

'Bedankt. Hier is mijn kaartje... mocht er iets vreemds gebeuren of mocht er iemand vragen komen stellen, schrijf dan alle persoonlijke gegevens op en bel me. Duidelijk?'

'Ja, chef.'

'Dank je, agent Ahmet. Je bent geweldig.'

Clare Mills stond bij haar vaders graf en luisterde naar de geluiden van de voorbijrollende bussen. Auto's toeterden, brommers ronkten en jongens vloekten hardop. Niet bepaald een vredige rustplaats, daar in Whitechapel. Ze knielde en veegde de dorre bladeren van het graf. *Hier ligt Trevor Mills. Liefhebbend echtgenoot en vader. Geboren 13 mei 1933. Gestorven 27 april 1978. Hij ruste in vrede.* Toen Clare voor de eerste keer bij het graf kwam, was ze boos omdat er niet op stond dat hij was vermoord. 'Gestorven' suggereerde dat haar vader iets te maken had gehad met zijn eigen dood. Dat hij een zwak hart had gehad, of slechte genen, dat hij niet genoeg groente had gegeten of dat hij was gevallen op zijn werk. Of dat hij was verdronken of zoiets. Clare keek toe hoe een dronken man tegen een ooit majestueuze grafsteen pieste. Het hoofd van de engel ontbrak nu. Vandalisme was een geweldige nivelleerder.

Ze keek weer naar de vierkante platte steen waaronder het gebeente van haar vader lag. 'Goed nieuws, pap,' zei ze zachtjes. 'De politie neemt ons eindelijk serieus. Ik zal Frank vinden.' Haar moeder lag begraven in Woolwich. Nog een grote ramp in een leven dat geheel werd beheerst door de fouten van anderen. Zelfs in de dood mochten ze niet bij elkaar zijn. Clare voelde zich altijd schuldig dat ze vaker bij het graf van haar vader dan bij dat van haar moeder kwam. Ze had altijd een naar gevoel wanneer ze de begraafplaats van Woolwich binnenliep en de verse gele rozen zag die Irene daar plichtsgetrouw neerlegde. Irene was haar moeders beste vriendin geweest. Irenes familie had Veronica opgenomen toen haar eigen moeder was weggelopen. Wanneer ze er over nadacht, was Irene eigenlijk ook de enige echte vriendin van Clare. Irene zei nooit dat zij de bloemen neerlegde. Clare wist dat het haar nog altijd pijn deed erover te praten. Irene miste haar vriendin net zo erg als Clare haar moeder miste. Ze waren door die gemeenschappelijke factor met elkaar verbonden. Dat was hun fundament. Irene had haar tijdens de hele zoektocht naar Frank bijgestaan en haar waardevolle aanwijzingen gegeven. Ze had haar ook gesteund wanneer het voor de zoveelste keer op niets uitdraaide.

Er stond een man bij de bank achter haar. Ze keek op haar horloge. Het was tijd, ze moest naar haar werk. Ze wierp een geluidloze kus naar de grond en draaide zich om. Er verschenen twee mannen van achter een met klimop begroeide boom. Een van hen rolde een kleedje op, de ander friemelde aan zijn gulp. Ze gruwde van wat er zich allemaal op de begraafplaats afspeelde, maar ze had nooit iemand bij haar vaders graf gezien. Met een kleine platte steen konden ze niets. Met de graftombes was het een ander verhaal. Clandestiene seks: nog zo'n gelijkmaker van het leven. Rechters of metselaars, met hun broek op de hielen zagen ze er allemaal hetzelfde uit.

Clare nam de bus naar haar werk, trok een overall aan voor de ochtenddienst en begon te vegen. Ze hield van de herfst. Rode bladeren waren een welkome afwisseling van sigarettenpeukjes en bierblikjes.

Op de binnenplaats van het politiebureau spoelde Jessie de modder van haar laarzen en keek toe hoe het vuile water zich vermengde met de zeepbellen in de afvoer. Boven haar bevond zich het raam van de doucheruimte, waaruit de woorden van de mannen die zich stonden te wassen naar buiten dreven, omhuld door stoom en de geur van dure zeep. Jessie wenste dat ze rookte, want ze had meer tijd nodig om na te denken over hoe ze Mark moest aanpakken. De mannen hadden het over voetbal, iets over transfers. Plotseling hoorde ze echter iets dat haar aandacht trok.

'Dat was goed smerig, vind je niet?'

'Deze stomme klus is al erg genoeg zonder dat we ook nog rottende kwallen over ons heen krijgen.'

'Ingewanden is één ding, maar van kwallen word ik niet goed.'

Jessie zette het op een rennen.

'Denk je dat het een deel van de grap was?'

'Wat, een of andere verwijzing naar een stinkende vis?'

Ze lachten.

'Jezus, chef!'

'Welke kwal?' vroeg Jessie op bevelende toon.

De jongens van de technische recherche kronkelden zich op de natte tegels in een wanhopige poging hun eerbaarheid te beschermen.

'Jezus Christus...'

'Pas op je woorden...'

'Dit is de doucheruimte voor *mannen*.'

'Welke kwal, verdomme?'

Een dappere knul legde zijn handen op zijn heupen. Jessie bleef hem strak aankijken.

'De kwal die uit de torso van dat skelet viel.' Hij schonk haar een tartende halve glimlach.

'Heb je het beest meegebracht.'

'Absoluut niet.'

Jessie draaide zich om om weg te gaan. Haar boosheid ontging hen niet.

'Het was maar een rottend stuk vis. Het stelde niets voor.'

'Dat geldt misschien voor één kwal, maar niet voor twee, niet in de Theems.' Ze haastte zich naar de ruimte waar het bewijsmateriaal werd bewaard, waar rechercheur Fry de buit van die ochtend controleerde en van labels voorzag. 'Waar is de kwal?'

'Wat?' vroeg hij en keek op.

'Ik heb je gevraagd alles in zakken te doen wat zich rond het lichaam bevond. Er lag een kwal. Waar is die nu?'

'Ik dacht niet dat u die ook bedoelde. Het ding was dood en slijmerig en het lag op een flinke afstand van de botten.'

'Toen ik alles zei, bedoelde ik ook alles.'

'Sorry.'

'En die kwal die uit het lichaam is gevallen?'

Hij keek haar niet-begrijpend aan. 'Je bent toch wel gebleven tot de anderen helemaal klaar waren, zoals ik je had gevraagd?'

Hij keek zenuwachtig de kamer rond.

'Verdomme!' Ze keek op haar horloge. 'Het is nu inmiddels weer hoog water. We krijgen geen tweede kans.'

'Sorry.'

Ze negeerde de toon in zijn stem. Als hij niet tegen kritiek kon van iemand van zijn eigen leeftijd, dan moest hij zorgen dat hij geen fouten maakte.

Jessie trok een paar lieslaarzen en lange rubberen handschoenen aan. Het tij was gekeerd en overspoelde het stuk strand waar het lichaam was gevonden. Kleine stukken afval die de rivier mee-voerde dobberden op het ritme van het water: een condoom, een plastic flesje en een pas weggegooid chipszakje, kaas-uiensmaak. Er was een paal in de modder geslagen om de plaats van het lijk te markeren. Ze kon nu niet het risico nemen om de traptreden af te dalen en zo'n honderd meter door het water te waden. Dat was al erg genoeg geweest toen het water zijn laagste stand had. Ze was bang dat ze onder deze omstandigheden in een rioolbuis zou stappen, haar evenwicht zou verliezen en zou worden meege-sleurd door de stroming.

Ze haalde een touw uit haar rugzak en ze was dankbaar voor de vele uren die ze door haar broers was meegesleurd de bergen op. Ze wikkelde het touw om een boomstam en legde er een schuifknoop in. Ze trok eraan en toen ze tevreden was, gooide ze de touw in zijn volle lengte over de kademuur van de rivier. Lieslaarzen waren niet bepaald handige bergschoenen. Haar armen moesten haar hele gewicht dragen terwijl ze op de zolen van haar laarzen langs de muur naar beneden gleed tot ze uiteindelijk landde in een laagje water van enkele centimeters. Het water verdween, maar spoelde direct weer terug. Ze had nooit beseft dat de Theems zo machtig was. Elke keer dat ze achterom keek, leek het water weer verder te zijn gestegen langs de muur.

Bij iedere stap dieper wegzinkend waadde Jessie door de modder tot ze de paal bereikte. Elke keer dat de golven terug-spoelden, legde ze haar handen plat op de grond en voelde op de plek waar ze vermoedde dat de borstholte had gelegen. Het was zinloos. Alles voelde hetzelfde aan door het dikke rubber.

Aarzelend trok ze een van de handschoenen uit en boog zich weer voorover. De glinsterende bovenlaag van de modder voelde aan als dik snot. Ze trok haar hand terug en wachtte tot het water werd teruggezogen door de kracht van de Theems. Toen groef ze haar nagels en vingers diep in de grond en vond steun op de vastere rivierbedding eronder. Met één hand werken had geen zin, het water kwam te snel. Daarom trok ze ook de andere handschoen uit en begon te graven. Ze stapte in het gat dat was achtergebleven van de zoektocht naar de schedel, maar ze vond niets.

Jessie ging rechtop staan en keek om zich heen. Meer condooms, chipszakjes en colablikjes. Ze dacht dat ze verderop langs de oever iets zag bewegen. Ze zwoegde er zo snel ze kon heen, maar ze besefte dat ze in gevaarlijk diep water raakte. Veel vissers verdronken in ondiep water, vastgehouden door hun met water volgelopen laarzen. Ze voelde het koude water tegen het rubber duwen. Toen zag het opnieuw. Een half ondergedompelde kwal. Ze keek toe hoe het ding meedeinde met de rest van de rommel en stak haar handen uit naar de glibberige prop. Ze onderdrukte de neiging haar handen weg te trekken, sloeg haar vingers er omheen en hield vast toen een inkomende golf tussen haar onderarmen door stroomde. Het water stond nu tot boven haar knieën en de modder had haar in een vacuüm gezogen. Een van haar laarzen zat vast. Jessie keek omhoog naar de oever, maar zelfs al had er iemand op het pad gelopen, dan had hij haar pas kunnen zien wanneer hij op de kademuur stond. Dit was geen kijksport. Als ze onder water werd gezogen, zou niemand het weten, tot ze een week of twee later kwam bovendrijven, opgezwollen door rivierwater en methaangas.

Ze probeerde haar been weer uit de modder te trekken, maar ze bereikte alleen maar dat haar andere voet dieper wegzonk. Jessie haalde diep adem, ademde uit, vestigde haar ogen op de paal tot ze haar evenwicht had gevonden en trok toen langzaam haar ene been helemaal uit de laars. De kracht van de vloed smeet haar bijna omver, maar ze stak haar voet naar achteren en haar armen naar voren met de druipende kwal tussen haar vingers geklemd en wonder boven wonder slaagde ze erin overeind te blijven. De modder maakte een zuigend geluid tussen haar tenen toen ze terugliep.

Het gedeelte dat agent Ahmet haar eerder had laten zien, stond onder zestig centimeter water en de verzadigde modder was nog gevaarlijker. Als ze viel, zou ze binnen enkele seconden onder water worden getrokken en stroomafwaarts worden meegesleurd. Ze had één kwal, dat moest maar genoeg zijn. Water stroomde de tunnel in en uit. Het werd te gevaarlijk nog langer beneden te blijven. Met stinkende, jeukende, ijskoude armen en een smerige, gevoelloze voet droeg Jessie de kwal terug naar de muur. Ze schudde haar rugzak af en legde de kwal in de bak die ze had meegebracht. Daarna gooide ze de rugzak weer over haar schouder en greep het touw. Het was nat geworden van de doorweekte stenen. De eerste paar keer gleden haar handen er finaal weer af. Ze begon het inmiddels heel koud te krijgen. Jessie wreef haar handen, schopte de andere laars uit, peuterde haar natte sokken uit, wrong ze uit en wikkelde ze om haar handpalmen. De katoenen badstof absorbeerde het vocht en gaf haar houvast. Ze trok zich omhoog uit de modder en werkte zich met brandende armspieren en bevroren voeten naar boven langs de glibberige muur. Bij de uitstekende rand boorde ze haar knie in een richeltje en sleurde zich over de rand. Ze bleef zwaar ademend op de muur liggen en keek naar de plek waar ze de kwal had gevonden. De rivier had zich al meester gemaakt van haar laars.

Jessie legde haar helm op de houten vloer bij de deur en bad dat haar pieper niet zou afgaan. De flat werd bewoond door twee vrouwen die het veel te druk hadden om ook maar iets aan de inrichting te doen. Het enige wat zich op de muren bevond, was de verfkeuze van de vorige bewoners. Ook de vloeren waren kaal en de kamers verrukkelijk leeg. Maggies enige bezittingen waren kleren en make-up, voor het grootste deel gestolen uit de make-upruimtes en garderobes van televisiestudio's door het hele land. Dat was heel normaal, had ze Jessie verzekerd.

Het licht was aan, maar het was stil in de flat. Jessie herkende de signalen. Maggie had slecht nieuws gehad. Ze duwde de deur van de woonkamer open en zag Maggie met gekruiste benen op de grond zitten. Ze keek niet op, maar stak een stuk krant naar haar uit.

'De hufter,' fluisterde ze.

Jessie pakte de krant aan en begon te lezen.

Lieve God, geef me kracht. Een intelligente presentatrice voor een intelligent programma – is dat te veel gevraagd? Kennelijk wel. Afgezien van een enkele uitzondering is televisie de vergaarbak geworden van alles wat hol, ordinair en ijdel is. De aanwezigheid van suikerzoete blondines was al erg genoeg, maar nu vallen ze ons aan met banale brunettes, die vermoedelijk door hun haarkleur althans de indruk van enige intelligentie moeten wekken. Laat u niet voor de gek houden. Deze vrouwen staan in feite nog lager op de evolutionaire ladder dan hun zielige voorgangsters. Dit zijn de nieuwe blondines. Valse blondines. Blondettes. En ze duiken op als onkruid. Als kippenmuur om precies te zijn. Een weelderig groeiende plant die zich vooral op rijke grond moeilijk laat uitroeien. Ik schrijf dit als een waarschuwing aan al die beïnvloedbare producenten, popsterren en spelers. Net als de blondines voor hen zullen ze jullie American-Express-card leegplunderen.

Ik zou hen allemaal bij naam kunnen noemen, maar ik vrees de wrekende hand van de altijd waakzame advocaten. Er is er echter één die ik niet onbesproken mag laten. Ik zou niet met mezelf kunnen leven wanneer ik haar zonder commentaar liet passeren. Vorige week kon u kijken naar 'De Olijfolierevolutie', een programma over de veranderende eetgewoonten van de Britse bevolking. Een redelijk interessant onderwerp, dacht u misschien. Ten onrechte, zoals is gebleken. Het was verschrikkelijk en uitgesproken saai. Ik moet toegeven dat de presentatrice met vrij treurig materiaal moest werken, maar toch slaagde ze er nog in de zaak verder omlaag te halen. Maggie Hall schudde haar manen, waarmee ze alle L'Oreal-meisjes direct achter zich liet, en verklaarde dat we graag Italiaans eten omdat het zo 'yummie' is. Kom terug Anthea – alles is vergeven.

Jessie keek naar haar huisgenote, die treurig haar hoofd schudde. Het had geen zin haar te vertellen dat het niet uitmaakte, dat toch niemand dergelijke columns las en dat het papier waarop het was gedrukt morgen zou worden gebruikt om schoenen te poetsen en gebroken glaswerk in te pakken. Dat had ze al eerder geprobeerd en woorden haalden niets uit.

'Het wordt nog erger,' zei Maggie, terwijl Jessie naar haar over leunde en een arm om haar heen sloeg. 'Gisteren zat hij in een of ander praatprogramma.'

'Wie?'

'Joshua Cadell, de engerd die deze troep schrijft.'

'Heeft hij je afgekraakt?'

Maggie schudde haar hoofd. 'Hij heeft alleen zijn invloeds-sfeer met zo'n tweeduizend kilometer vergroot. Wanneer mensen hem op de televisie hebben gezien, gaan ze ook zeker zijn column lezen.'

'Ik heb nog nooit van hem gehoord,' zei Jessie.

Daar hoefde Maggie niet op te reageren. Als je Jessie vroeg hoelang het duurde voordat een man van 1 meter 90 lang en negentig kilo zwaar was doodgebloed, kon ze je dat zonder haperen vertellen. Als je echter een pistool tegen haar hoofd hield en haar vroeg wie er nummer één stond in de hitparade, dan moest ze zeggen: 'Schiet maar.'

'Van hem heb je dan misschien nooit gehoord, maar van zijn moeder vast wel. Dat is vrouwe Henrietta Cadell.'

'De schrijfster?'

'Koningin van de literaire intelligentsia, nestor van alle historische biografen. Hij is haar zoon.'

'En?'

'Daarom is hij plaatsvervangend beroemd. Ook al lezen mensen zijn column alleen maar om erop te kunnen afgeven, ze lezen hem dan toch.'

'Luister, Maggie, je zei zelf dat het materiaal armzalig was. Hij heeft dat "yummie" uit zijn context gehaald.'

'Dat weet ik wel, maar dat verandert er weinig aan, vind je niet?'

Jessie stond op. 'Wil je wat drinken?'

'Er is nog een fles open,' antwoordde Maggie.

Die was er altijd.

'Er was vandaag tenminste ook nog goed nieuws,' zei Maggie toen Jessie terugkwam in de kamer, schoenen uit en een glas in haar hand. 'Ik heb mijn eerste stalker-post gekregen. Dat is een goed teken.'

Jessie hoopte dat Maggie het sarcastisch bedoelde. Ze wilde haar huisgenote niet onder dezelfde noemer hoeven scharen als de wanhopige Jami Talbot.

Maggie gooide haar de enveloppe toe. 'Niet het fraaiste proza dat je ooit hebt gelezen, maar beter dan al die dweperige handtekeningenjagers.'

'Nog niet zo lang geleden was elk dweperig woord welkom.'

Maggie haalde haar schouders op.

Jessie keek naar het enkele velletje goedkoop blauw schrijfpapier. *'Ik weet dat je net zoveel naar mij verlangt als ik naar jou, ik wacht op je op ons speciale plekje.'*

Jessie keek op. 'Dat is niet leuk meer. Weet je wie dit heeft gestuurd?'

'Natuurlijk niet.'

'En wat is dat "speciale plekje"?'

Opnieuw haalde Maggie haar schouders op.

'Moet ik het voor je uitzoeken?'

'Mijn hemel, nee, het is toch maar een of andere idioot. Iedereen heeft een stalker nodig.'

'Maggie, je moet dit wel serieus nemen...'

Jessie voelde een kussen tegen de zijkant van haar gezicht bonzen.

'Het is maar een grapje!' riep Maggie hard. 'Jezus, soms maak ik me echt zorgen om jou.'

En ik om jou, dacht Jessie.

'Kom op, Miss Marple, laten we naar deze video kijken, dan merken we wel of die klootzak me de grond in boort.'

Maggie stopte de videoband in de recorder en ze keken toe hoe de klok de seconden aftelde. Het was een van tevoren opgenomen programma. Een vriend bij de redactie had het voor Maggie gekopieerd. *Ray Vandaag.*

'Dit is gewoon een of andere waardeloze kabelzender,' zei Jessie. 'Daar zou ik me echt niet druk om maken.'

'Mensen kijken ernaar.'

'Wie? Wie kijkt hiernaar?'

'Mensen,' antwoordde Maggie strijdlustig.

Het had geen zin te proberen redelijk met Maggie te praten als ze zo'n bui had. Relativeringsvermogen en ambitie gingen niet samen. Jessie zag een man met lichtblauwe ogen op het scherm verschijnen. Zijn haar was wit en heel kort geknipt, zijn gezicht was sterk gerimpeld, maar hij kon het hebben, net als Clint Eastwood. Zijn schedel was gebruind waar zijn haar dun werd en de hals van zijn overhemd stond open – een blauw overhemd dat paste bij zijn fletse ogen. Een gouden kruisje rustte tussen de witte haren op zijn borst. Het kleurde fraai bij de kroon op een van zijn snijtanden.

'Wie is die ex-bajesklant?' vroeg Jessie. 'Dat staat over zijn hele lijf geschreven.'

'Ssttt,' zei Maggie en zette het geluid harder. 'Daar zijn Joshua Cadell en zijn moeder.'

Jessie staarde naar de in een lang gewaad gehulde vrouw die in beeld verscheen. Ze was ongeveer 1 meter 90 lang en minstens twintig kilo te zwaar. Ze had weerbarstig roodbruin haar dat tot op haar schouders hing. Haar sieraden pasten bij haar haar en de vorm ervan paste bij haar figuur. 'Ze is vet...'

'Sssttt, luister nou.'

'...en nu naar de bloeddorstige wereld van het veertiende-eeuwse Engeland. Voor ons programma "Moeder en zoon" hebben we deze week vrouwe Henrietta Cadell in de studio, schrijfster van *Isabella van Frankrijk*, dat deze week is uitgekomen, samen met haar zoon Joshua, schrijver van de wekelijkse satirische column "De Wilde Eend". Henrietta, ik heb al uw biografieën doorgebladerd en ik ben nogal geschrokken van het gewelddadige karakter van de meeste ervan...'

'Klootzak,' zei Maggie weer. 'Satirische column, verdorie.'

'...denkt u dat het gewelddadige karakter van uw boeken heeft bijgedragen tot het verkoopsucces van de middeleeuwse biografie?'

De majestueuze vrouw lachte achter een met veel sieraden behangen hand, glimlachte naar de camera en begon te praten.

'Mensen zijn geïnteresseerd in geschiedenis. Dat moet ook. De toekomst kun je niet voorspellen, maar je kunt wel het verleden begrijpen. Inzicht. Eigenlijk is dat alles wat iemand nodig heeft. En inzicht komt voort uit de geschiedenis. Ik geloof dat al mijn boeken daarom zo succesvol zijn. Iedereen kan iets in het verleden vinden dat men kan invoelen, waaruit men troost kan putten...'

'Zoals ontrouw.'

De glimlach bleef vastgekleefd rond de zwaar opgemaakte mond van de schrijfster, maar haar ogen vertelden een heel ander verhaal. Vrouwe Henrietta Cadell vond zichzelf duidelijk veel te goed voor deze entourage. 'Absoluut. De lijst is oneindig. Verraad, verlies, liefde, oorlog... zelfs moord, meneer St. Giles.'

'Ja. U beschrijft de dood van Edward II buitengewoon bloemrijk.'

'U wilt me toch niet vertellen dat u overgevoelig bent voor geweld, meneer St. Giles?' Henrietta Cadell glimlachte kwaadaardig tegen de interviewer. 'Ik dacht eigenlijk dat gloeiend hete poken net iets voor u waren.'

St. Giles' mondhoek krulde even omhoog en daarop wendde hij zich tot Joshua. De columnist was lang, net als zijn moeder, maar heel dun en ziekelijk bleek. Hij had niets van mevrouw Henrietta's kleurrijkheid, niets van haar franje. Hij droeg een eenvoudig zwart pak en zijn zwarte haar was strak uit zijn gezicht gekamd. Zijn wangen leken hol onder de studiolichten. Joshua Cadell was een fletse afspiegeling van zijn moeder.

'Het moet heel bedreigend zijn geweest om tussen bloed en ingewanden op te groeien, Joshua,' zei de blauwogige interviewer.

'Ik ben opgegroeid tussen geschiedenis, zoals mijn moeder al heeft gezegd, en zo heb ik geleerd dat de mens altijd weer in herhaling vervalt. Bloed en ingewanden hebben daar niets mee te maken.'

'Wilde u zelf geen schrijver worden?'

'Ik schrijf wel.'

'Ja, maar geen boeken...'

'Wie is die vent?' kwam Maggie ertussen. 'Hij is geweldig, hij maakt gehakt van die klootzak.'

'Ray St. Giles,' zei Jessie rustig en stond op. Met één oog op het scherm gericht liep ze achteruit de kamer uit om haar volgepropte rugzak uit de gang te halen.

'Ik heb uw column gelezen – u bent nogal genadeloos,' vervolgde St. Giles.

Maggie vloekte luid.

'Wie niet verantwoordelijk wil zijn voor zijn eigen optreden,' antwoordde Joshua Cadell zonder in de camera te kijken, 'is geen knip voor zijn neus waard.'

'Dat is zo, maar denkt u niet dat mensen die anderen bekritiseren in elk geval zelf ook iets moeten hebben gepresteerd?'

Maggie klapte in haar handen. 'Verdomme, die vent is gemeen. Let op mijn woorden, voordat je het weet is hij hartstikke populair.'

'Gemeen,' herhaalde Jessie en pakte een papieren map uit haar rugzak. De camera zoomde in op het gezicht van de presentator. Jessie keek op van de geopende map en drukte op pauze.

'Hé, ik wil dit zien.'

De televisie flikkerde. Raymond Giles. Ray St. Giles. De ex-bajesklant die Clare Mills tot wees had gemaakt. De studiolichten weerspiegelden in zijn lichtblauwe ogen. Hij glimlachte, zijn scheve tand met de gouden kroon was het enige zichtbare bewijs van zijn criminele verleden.

'Wanneer is dit uitgezonden?' vroeg Jessie.

'Gistermiddag om drie uur. Hoezo?'

Precies op het moment dat Clare Mills' videorecorder automatisch was aangesprongen. Jessie dacht aan de lange rij videocassettes die op Clares planken stonden in plaats van boeken. Ray St. Giles, Clares ondergang, een presentator van een praatprogramma. Geen wonder dat het arme mens niet veel sliep.

Jessie duwde de deur van Jones' kantoor open. Ze was te opgewonden om de donkere kringen onder zijn ogen, de bleekheid van zijn gezicht en de gelige verkleuring van zijn vingers op te merken. Haar kwal was terug uit het laboratorium en haar vermoedens waren bevestigd. Haar modderbad was beloond.

'Oh fijn, u bent er weer. Kan ik u iets laten zien?'

Jones verhief zich zonder een woord van achter zijn bureau en volgde Jessie de gang door naar de ruimte met het bewijsmateriaal. Hij bleef een stuk bij haar achter.

'Is het zo dringend, inspecteur?'

Jessie kwam terug. 'Het gaat over die botten die we langs de Theems hebben gevonden. Ik denk dat ik ze kan identificeren.'

'Welke botten?'

'Hebt u nog niets gehoord over...' Jones fronste zijn voorhoofd. 'Voelt u zich wel goed, chef?'

'Hoe?'

'Wat?'

'Hoe kun je die botten identificeren?'

'Oh,' glimlachte Jessie, buitengewoon tevreden over zichzelf. 'Ik heb een kwal gevonden. Laten we zeggen dat ik die niet zo vond passen bij de smerige Londense wateren. En nu blijkt dat ik gelijk had.'

Jessie ging Jones voor naar een van de tafels waar haar kwal op een vierkante glazen plaat lag te druipen. Daarnaast stond een geleende microscoop. Jessie bracht de apparatuur in orde en stapte achteruit.

'Kijkt u maar.'

Jones liep hoofdschuddend naar de microscoop. 'Ik vind het

heel vervelend om je dit te moeten zeggen, maar dat is geen kwal.'

'Weet ik.'

'Wat is het dan?'

Jessie stapte achteruit en sloeg haar armen over elkaar. 'Een gedeeltelijk opgelost siliconenimplantaat.'

'Borsten?' vroeg hij vol ongeloof.

'Eén borst om precies te zijn. En om helemaal de puntjes op de i te zetten, een nepborst.'

Jones kneep een van zijn ogen dicht en boog zijn hoofd weer over de microscoop. 'Wat betekenen die letters en cijfers erop?'

'Dat is een deel van de barcode. Het is een Amerikaans merk. Een paar jaar geleden zijn plastisch chirurgen begonnen de siliconenimplantaten van een code te voorzien omdat er te veel verdwenen. Kunt u zich dat voorstellen – een zwarte markt in valse tieten? Afijn, om tot de de huidige skeletachtige staat te geraken, had het lichaam waar dit ding bijhoorde al achttien maanden voordat dit type implantaat zelfs maar was uitgevonden tot ontbinding moeten overgaan. Dit is dus geen gewoon rivierlijk.'

Jones fronste weer zijn voorhoofd.

'Aanvankelijk dacht de patholoog dat het lichaam was schoongemaakt of geconserveerd. Misschien zelfs daar neergelegd als een geintje.'

'Een geintje?' vroeg Jones achterdochtig.

'Van studenten van de medische faculteit,' zei Jessie snel. Ze was geen klikspaan. 'Inmiddels ben ik ervan overtuigd dat het een zuur was dat we roken. Dat verklaart ook dat misvormde implantaat en het feit dat de botten zo schoon waren. Dit gaat om een ernstige misdaad.' Ze overhandigde Jones de eerste foto's. Hij hield er een omhoog. Het was een luchtfoto genomen vanuit de helicopter. De witte boog van de ribbenkast stak omhoog uit de modder, de vuilere botten van de benen lagen breed uitgespreid, bedekt met slib.

'Maar dat wist je niet toen het lichaam werd gemeld. Wat deed je daar bij de rivier, Jessie? Dit was toch niet bepaald een lijk voor de moordbrigade, wel?'

De stilte duurde een fractie langer dan een seconde. Dat was te lang. 'Ik had niets anders te doen,' antwoordde Jessie. 'Ik dacht dat ik wel wat veldervaring kon gebruiken.'

'Niets te doen? En de zaak Mills dan?'

'Ik dacht dat u daarmee bezig was. Ik kon u de hele dag niet bereiken.'

Onwillekeurig wreef Jones met zijn hand over zijn kin op zoek naar baardstoppels. Jessie had hem nog nooit gezien met iets dat ook maar in de verste verte op stoppels leek. Hij was de gladst geschoren politieman die ze kende. Hij keek haar onderzoekend aan.

'Dus dit heeft niets te maken met die vijf telefoontjes van Mark Ward gisteren?' vroeg hij, en zwaaide de foto door de lucht.

Ze pakte de foto's bij elkaar en stopte ze weer in haar dossier.

'Ik dacht dat u zei dat u niemand had gesproken.'

'Dat is ook zo.'

'Oh, nou dan, nee, dat betwijfel ik.'

Hij knikte op de alziende, alwetende manier die zo karakteristiek voor hem was. Jessie sloeg haar ogen niet neer.

'En wat nu?' vroeg hij.

'Afwachten wat de resultaten van het laboratoriumonderzoek opleveren en dan proberen de fabrikant te vinden met behulp van het gedeelte van de code dat niet is vernietigd. Daar weten ze naar welke chirurgische praktijk het ding is gegaan en zo zoeken we verder.'

Jones zag er dodelijk vermoeid uit. 'En de zaak Mills?'

'Daar werk ik ook aan, chef. Wist u dat Raymond Giles nu een praatprogramma op de televisie heeft?'

Hij knikte. Jessie was teleurgesteld.

'We concentreren ons op Frank,' zei Jones streng. 'Niet op Raymond. Hij heeft zijn straf uitgezeten. Duidelijk?'

'Ja, chef.'

De deur van de kamer ging open. Het was de agent van de rivieroever. 'Morgen, mevrouw, meneer. Ik dacht dat u deze wel wilde hebben voordat ik mijn post bij de rivier weer opvat.' Agent Ahmet overhandigde haar de formulieren met de persoonsbeschrijvingen. 'Ik vermoed echter dat u hier meer aan zult hebben...' Hij stak een Tupperware-doos naar haar uit. 'Ik heb hem maar in mijn lunchtrommeltje gestopt.'

'Wat?' vroeg Jessie.

'De kwal die ik had gezien. Die kerels van de technische recherche hadden het beest laten liggen en daarom heb ik het maar opgeraapt. Misschien ben ik een zeurpiet, maar sinds wanneer zwemmen er kwallen in de Theems? Dat zijn toch zoutwaterbeesten – tentakeldragend en ongewerveld om precies te zijn.'

Jessie glimlachte tegen Jones, pakte het doosje aan van Niaz, legde het misvormde implantaat op een andere glazen plaat en plaatste de microscoop erboven. Ze glimlachte toen ze weer rechtop ging staan.

'Niaz, je bent geweldig.'

'Het is dus geen kwal?'

'Nee, het is de helft van een stel siliconenimplantaten. Nu we ze allebei hebben, beschikken we denk ik ook over de volledige barcode.' Ze haalde een pen uit haar achterzak en schreef het nummer van het eerste en daarna het nummer van het tweede implantaat op. De middelste drie cijfers overlapten elkaar. Ze stapte achteruit. 'We zullen spoedig weten wie ze is.' Ze wierp een blik op haar horloge. 'Hoe laat is het nu in Los Angeles?'

Jessies mobiele telefoon ging. Het was Sally Grimes, de patholoog. 'Zwavelzuur. De botten zitten er vol mee.'

'Jezus.'

'Zal dat de grijns van het gezicht van je collega vegen?'

'Ja.'

'Gefeliciteerd, inspecteur.'

'Dank je. Nog iets, Sally – lost zwavelzuur ook siliconen op?'

'Dat ligt eraan hoelang ze zijn blootgesteld aan het zuur.'

'Net zo lang als het lichaam.'

'Waarschijnlijk gedeeltelijk. Misschien helemaal, hangt van de kwaliteit af. Je wilt ongetwijfeld een *echte* patholoog van Binnenlandse Zaken om het onderzoek te doen bij de autopsie.'

'Kom jij daarbij assisteren?'

'Als je dat wilt.'

'Dat wil ik.'

'Laat het dan maar aan mij over.'

Jessie keek naar Jones. 'Zuur.'

'Dat dacht ik al. Maar betekent dat ook dat de botten en de implantaten bij dezelfde persoon behoren?'

'Een ervan viel uit de borstholte.'

Hij woog de zaak af in zijn hoofd. Jessie had deze zaak nodig om haar nagels op te scherpen en al die twijfelaars tot zwijgen te brengen. 'Wel, ze horen bij iemand, laten we dan maar uitzoeken bij wie.' Jessie sloeg hem gade, haar grote lichtbruine ogen vervuld van spanning en concentratie. 'Ik heb een vriend bij het politiekorps van Los Angeles, daar kun je beginnen,' vervolgde Jones.

Jessie glimlachte. 'Bedankt, chef.'

'Je kunt maar beter dingen op papier gaan zetten, inspecteur.

Het ziet ernaar uit dat je een moordonderzoek onder handen hebt.'

'Wil jij dat doen, agent Ahmet? Ik zal zorgen dat je tijdelijk wordt overgeplaatst.'

'Het zal me een eer zijn.' Hij grijnsde breed.

'Oké dan, kom maar mee.'

Voor de tweede keer die ochtend stormde Jessie zonder kloppen Jones' kantoor binnen. 'U zult het niet geloven.' Weer merkte ze niet dat Jones met moeite rechtop ging zitten. 'De implantaten zijn van Verity Shore.'

'Wie?'

'Verity Shore.'

'Ik vroeg wie dat is, niet wat je zei.'

'Sorry. Ze is een actrice. 'Wel, niet echt eigenlijk... weet u, ze is getrouwd met die popster, uhhh... hemel, ik ben zo slecht in namen. Hij heeft drie geweldige hits gehad, hij werkte vroeger samen met die band Spunk, toen is hij een solocarrière begonnen en nu is hij geweldig... P.J. Dean. Kent u hem?'

'Nee.'

'Verity ging uit de kleren voor een bandenadvertentie en later kreeg ze problemen omdat ze naakt voor de *Playboy* poseerde terwijl ze zwanger was.'

'Daar word ik niet veel wijzer van.'

'Ze had een doorzichtig stuk gaas aan naar een of andere filmpremière. Dat is u toch zeker niet ontgaan?'

Hij haalde zijn schouders op.

'U bent hopeloos. Waar is Trudi?'

'Boodschap doen.'

Jessie rommelde door de bureaulade van Jones' lankmoedige assistente en haalde er een beduimeld exemplaar van Hello! uit. 'Hier staat ze eeuwig in. Ze kan er misschien zelf niet eens iets aan doen.' Ze bladerde vluchtig door het tijdschrift. 'Kijk eens hier, "Bij Verity Thuis", een artikel over haar na haar verblijf op een gezondheidsboerderij.' Ze sloeg haar ogen op naar Jones. 'Ze leed aan uitputting,' zei ze, en overhandigde hem het blad.

'Dat hoor je vaak tegenwoordig,' luidde zijn droge commentaar.

45

'Je moet medelijden hebben met zo'n vrouw. Al die feestjes, al die fotosessies, daar raakt een mens opgebrand van.'

Jones bestudeerde de foto zorgvuldig. Een langbenige blondine hing kwijnend op een witte bank. Op de achtergrond was onduidelijk een sjofel uitziende man zichtbaar. 'Nu niet meer.'

'Het punt is, chef, dat ze niet als vermist is opgegeven. Ik wil niet iedereen de stuipen op het lijf jagen en dan merken dat ze boven ligt te slapen en dat Los Angeles zijn registratiesysteem niet helemaal op orde heeft. Ze heeft kinderen. Twee, geloof ik. Niet van hem – van twee andere mannen.'

'Leuk.'

'Ze heeft de neiging haar mannen te verlaten zodra er een langskomt die beroemder is.'

'En de kinderen?'

Jessie maakte een onverschillig gebaar. 'Ze heeft de voogdij over beiden, maar ik weet niet of de respectievelijke vaders dat erg fanatiek hebben aangevochten, als u begrijpt wat ik bedoel.'

'Denk je dat hij zijn vrouw kan hebben vermoord?'

'P.J. Dean?' Jessie schudde haar hoofd. 'Dat denk ik niet. Hij is een gerespecteerd man, maar natuurlijk weet je tegenwoordig nooit wat waar is en wat niet.' Jessie hield een fotopagina omhoog. 'Maar als het hier om Verity Shore gaat, dan werd ze onthoofd en in zwavelzuur gedompeld. Zoiets is niet hetzelfde als met een dronken kop een broodmes grijpen bij een huiselijke ruzie.'

'En wat wil je nu doen?' vroeg Jones.

'P.J. Dean een bezoek brengen. Eens kijken of zijn vrouw wordt vermist en of ze dat geheim proberen te houden. Ze wonen in een modern huis in Richmond.' Jessie hield het tijdschrift omhoog. 'Volgens dit blad in elk geval.' Het gesprek begon surrealistische proporties aan te nemen.

'Oké.' Hij stond op. 'Laten we gaan.'

Daar was ze blij mee. Het betekende dat hij mee zou gaan en haar zou ondersteunen met het gewicht van zijn veel hogere rang. Tenslotte waren die beenderen één ding, maar was P.J. Dean iets heel anders.

Jessie stopte bij een dichte, groengeschilderde houten poort van vier meter hoog. Vrij helder groen. Niet echt rock-'n'-rollgroen. Boven en naast de poort bevonden zich bewakingscamera's. Jessie leunde uit het raampje en drukte op de zoemer.

'Het huis van de familie Dean.'

'Inspecteur Driver en hoofdinspecteur Jones van het bureau West End Central. We zouden graag de heer Dean spreken.'

'Hebt u een afspraak?'

'Nee.'

'Helaas, dan...'

'Dit is geen verzoek.'

'Ik begrijp het. Kunt u zich identificeren?'

Jessie fronste haar voorhoofd.

'Houdt u het maar gewoon recht voor de camera. We kunnen niet voorzichtig genoeg zijn.'

'Natuurlijk,' antwoordde Jessie en hield haar politiepasje omhoog. Enkele seconden later zoemde de poort en schoof langzaam open. De zwartgranieten oprit zei alles. Jones en Jessie keken elkaar aan. De oprit was aan weerskanten afgezet met een verhoogde border met een witte houten rand waarin een overdaad aan witte winterrozen groeide. Daarachter strekten zich perfect gemaaide gazons uit. Ze zag enkele kleine voetbaldoelen staan en een tuinman was bezig graszoden te vervangen. Er hing een ontspannen sfeer, vond Jessie, niet als een huis waar iemand werd vermist. Misschien was het allemaal een uitgebreidere grap dan ze achter Mark Ward had gezocht.

Jessie reed de auto langzaam de oprit op en volgde de bocht naar links. Het huis was modern, eerst drie verdiepingen hoog, daarna twee en ten slotte één. Een architectonische bruidstaart. De muren waren wit, het houtwerk zwart. Aan de rechterkant bevond zich een enorme garage in het gedeelte dat één verdieping hoog was. Jessie had wel eens iets gelezen over P.J. en zijn auto's. Een lange jongen met zandkleurig haar stond een Ferrari te poetsen. Hij keek met zijn handen op zijn heupen toe terwijl ze langsreden, een toonbeeld van vooroordelen en testosteron. Grote-jongens-bravoure. Ze had het honderden keren gezien in de gezichten van de vrienden van haar broers. Die façade hoorde onlosmakelijk bij de puberteit, en bij deze jongen leek hij nog het meest op een losse hoes. Jessie drukte haar politiepasje tegen het raampje en keek hoe de jongen een onzichtbare dreun tegen zijn zonnevlecht te incasseren kreeg. Toen hij zich had hersteld, werkte hij zich van pilaar naar pilaar langs de garage, waarbij hij met grote stappen en wijdopen, ongeruste ogen de snelheid van

47

de auto bijhield. De laatste pilaar omklemde hij met beide handen. Het ding deed meer dan het platte dak overeind houden – het hield de jongen overeind. Jessie kon alleen maar vermoeden dat deze jongen iets wist dat de tuinman niet wist.

'Wat een verbijsterende verzameling auto's,' zei Jones.

'P.J. Dean staat bekend om zijn snelle auto's,' antwoordde Jessie.

'En om zijn losbandige vrouwen.'

'Ik denk dat hij een slechte smaak heeft op het gebied van vrouwen. Er stappen voortdurend ex-vriendinnen van hem naar de pers, sommigen van jaren geleden, met foto's van hem toen hij een jaar of achttien was en met verhalen dat hij zo slecht is in bed en dergelijke.'

'Ik betwijfel of de meeste tieners het er beter afbrengen.'

'Ik weet er alles van. Stel u dat eens voor, je wordt beroemd en dan grijnzen al die miskleunen die je ooit onder het tapijt hebt geveegd je plotseling aan vanaf de voorpagina van *News of the World* of een andere sensatiekrant.'

'Ik dacht eigenlijk niet dat jij het type was voor roddelbladen.'

'Zelfs ik moet af en toe naar de kapper, chef.'

'Dat zou je niet zeggen.'

Jones zag de uitdrukking op Jessies gezicht terwijl ze onwillekeurig met haar hand door haar korte haar streek. Drie weken voordat ze haar intrede deed in Jones' team had ze vijfentwintig centimeter van haar haar afgeknipt en er het stekeltjeskapsel van gemodelleerd dat ze passender vond voor een inspecteur. Ze wilde dat ze het lef had gehad het jaren eerder te doen, maar toch miste ze het gewicht van haar haar nog steeds, het voelde als een amputatie. Elke ochtend wanneer ze wakker werd, was ze weer verbaasd dat het weg was.

'Trek het je niet aan,' zei Jones. 'Voor een inspecteur is dat een compliment.'

Jessie parkeerde bij de zwarte dubbele deuren. 'Dat moet ik dan maar van u aannemen, chef.'

Een eigentijdse versie van een huisknecht opende de deur. Hij was lang, mager en kaal en hij staarde hen met ijskoude ogen aan. Hij bekeek hun politiepasjes opnieuw voordat hij hen binnenliet.

'Danny Knight,' zei hij. Jessie vroeg zich af of hij zichzelf beschouwde als een soort Richard O'Brian. De zwarte tegels liepen door op de begane grond van het huis. De meubels in de grote hal waren wit, maar daarmee hield het zwartwitthema op. De muren waren bloedrood geschilderd en het plafond was goudkleurig. Een jong uitziende vrouw gluurde even uit een zwarte zijdeur, maar verdween weer net zo snel toen Jessie haar blik onderschepte. P.J. Dean had een hoop personeel. En een hoop dure 'kunst'. Tegen de rode muren hing een Eve Wirrel, herkende Jessie, het enfant terrible van de hedendaagse kunst. Het werk maakte deel uit van een serie met de naam 'De Wirrel-Week', die bijna net zo beroemd was als het mens zelf. Jessie keek wat nauwkeuriger naar de tweeëneenhalve condoom in een perspex doos. Ze waren gebruikt. 'Een Gemiddelde Week' luidde de titel. Ernaast hing een zwart-witte naaktstudie van Verity Shore. Exhibitionisten verenigt u, dacht Jessie, maar toen herinnerde ze zich het skelet in het mortuarium weer. De actrice die een model werd die de vrouw van een beroemdheid werd, was nu niet meer zo fotogeniek.

Danny Knight ging hen voor door een andere hoge zwarte deur, deze keer geflankeerd door goudkleurige pilaren, naar een gigantische ontspanningsruimte. Tegen een van de muren hing een projectiescherm, een andere muur was geheel bedekt met dvd's en aan het plafond hing een digitale projector. Achter zacht gestoffeerde voetenbanken stond een gebogen zevenpersoons bank voor volmaakt kijkcomfort. Jessie voelde de eerste steek van jaloezie. Plotseling draaide een bar in de hoek rond, waardoor er een trap omlaag zichtbaar werd.

'Compleet Agatha Christie,' fluisterde Jones toen de huisknecht hen wenkte hem te volgen. 'Ik ga wel eerst.'

'Ouderdom eerst.'

'Je bent wel complimenteus.'

'Ik neem alleen maar wraak voor die opmerking over de kapper.'

'We kunnen te maken hebben met een gevaarlijke gek. Wie zegt dat hij zijn vrouw niet in zwavelzuur heeft gedoopt?'

'Te veel te verliezen.'

'Of een man die zich zo laat meeslepen door zijn rol van moderne godheid, dat hij denkt dat hij boven de wet staat.'

De muren waren behangen met ingelijste krantenkoppen en publiciteitsfoto's van Verity.

'Maar we kunnen natuurlijk ook te doen hebben met een buitengewoon groots opgezette publiciteitsstunt,' zei Jessie.

Danny Knight dook weer op. 'Probeert u me alstublieft bij te houden.'

'Ik houd niet van kerkers, daar word ik zenuwachtig van,' zei Jones terwijl ze de glimmende schedel van de huisknecht volgden. Aan weerszijden van de gang hingen elektrische nepfakkels. Toen ze naar de stukjes materiaal keek die flakkerden door de warmte van de gloeilamp bedacht Jessie dat Jones zich geen zorgen hoefde te maken. Met zwavelzuur rommelende moordmaniakken kochten hun spullen niet bij Christopher Wray.

De huisknecht klopte op een deur, een stem antwoordde en ze liepen naar binnen. Naar een kegelbaan. Jessie lachte van verbazing en P.J. Dean keek op.

Ze wist dat ze naar P.J. Deans huis ging en ze wist ook hoe P.J. Dean eruitzag. Ze kon zich zijn gezicht beter voor de geest halen dan dat van haarzelf. Zo groot als op een aanplakbiljet. Ze wist precies wat haar te wachten stond – maar ze had geen vermoeden gehad van haar eigen reactie daarop.

Deans donkere haar was kort geknipt, maar niet al te kort. Zijn ogen waren groot en zeegroen en werden geaccentueerd door dikke zwarte wimpers. Jessie en Jones liepen langzaam op hem en de twee jongetjes naast hem af. De oudste was blond, de jongste had donker haar. Ze hadden allebei een pyjama aan. Geen van beiden had het lichtblonde van hun moeder. Gebleekt blond. Peroxideblond. Ammoniablond. Jessie duwde de geur weg naar de achtergrond van haar geheugen. Ze stond op het punt deze kinderen tot halve wezen te maken.

'Spelen jullie maar door, jongens,' zei P.J., en woelde met zijn hand door hun haar. De oudste keek naar Jessie en probeerde zijn haar weer glad te strijken.

Jezus, dacht Jessie, die stem. P.J. Dean had ook een pyjama aan. Alleen de broek. En een oude gerafelde ochtendjas die openhing over zijn schouders, zijn borst en zijn buik. Jessie kon er niets aan doen. Ze keek omlaag. En toen opzij. En ten slotte naar haar voeten. Ze had vele uren doorgebracht in de sportschool met thaiboksen, hardlopen en yoga en al die tijd had ze nog nooit een buik als die van hem gezien. Het was een Fight-Club-buik, uitlopend in een strakke V die obsceen naar zijn laaghangende pyjamabroek wees. Toen hij naar hen toe liep om hen te begroeten, trok hij de ochtendjas dicht en bond het koord vast om zijn middel. Pas toen de knoop vastzat, keek Jessie weer op.

'Sorry voor mijn uiterlijk.' Hij schudde hen beiden de hand. 'P.J.,' stelde hij zich eenvoudig voor.

'Inspecteur Driver en hoofdinspecteur Jones,' zei Danny Knight en wees hen om beurten aan.

'Hoofdinspecteur?' P.J. kneep zijn ogen halfdicht. 'Danny, blijf jij zolang bij de kinderen. Wij gaan naar de studio.'

Een andere gang leidde naar zijn opnamestudio die onder andere geluiddicht was. Een van de ramen bood uitzicht op de kegelbaan, een tweede op een gecapitonneerde opnameruimte. Dean trok een paar stoelen bij, drukte vervolgens op een knopje op een telefoonpaneel en zei: 'Kunnen we verse koffie, sinaasappelsap en croissants krijgen, Bernie?'

'Komt eraan,' antwoordde de telefoon.

Grote mengpanelen strekten zich voor hun ogen uit, duizenden schuifjes, knopjes, lampjes, wijzers, schakelaars, stekkers, meters – als een reusachtige cockpit.

'Wat heeft ze uitgevoerd?'

'Pardon?' vroeg Jessie die de ongewone omgeving had staan bestuderen

'Verity. Ik neem aan dat u daarom hier bent. Om mij kan het niet gaan. Ik betaal mijn belastingen, ik heb de laatste tijd beslist geen hoeren opgepikt en hotels zijn tegenwoordig zo minimalistisch ingericht, dat er niets te vernielen valt. En dus moet het wel om Verity gaan. Mijn vrouw.' Het laatste woord spuwde hij uit, maar daarna leek hij uitgeput door zijn eigen venijn. Hij zuchtte diep en keek toen door het raam naar de kegelbaan. Hij zwaaide. De kinderen zwaaiden terug.

'Is ze thuis?' vroeg Jessie.

Hij keek haar aan. 'Nee. Het is een groot huis, maar ik geloof het niet. Je merkt het namelijk direct wanneer ze thuis is – dan gaat voortdurend de bel.'

'Krijgt ze zoveel bezoek?'

'Niet die bel. Ze heeft een bel voor het personeel en ze schijnt constant iets nodig te hebben.'

Dit waren duidelijk niet de woorden van een liefhebbende echtgenoot. 'Wanneer hebt u haar voor het laatst gezien?' vroeg Jessie en leunde naar voren.

'Vertelt u me maar gewoon wat ze heeft uitgespookt. Ik regel het wel, betaal de schade, wat dan ook. U hebt haar toch niet gearresteerd? Dat soort publiciteit kan ze op dit moment niet gebruiken.'

51

'Nee. De zaak is, meneer Dean...'

'Meneer Dean?' Hij keek van Jessie naar Jones. 'Oh shit. Dit is ernstig, nietwaar?'

Jessie wist niet wat ze moest zeggen.

'Er is iemand dood,' zei hij langzaam. 'Ik wist dat dit een keer zou gebeuren, verdomme,' vervolgde hij kwaad.

'Heeft uw vrouw ooit plastische chirurgie laten doen?'

'Wat?'

'Beantwoord de vraag, alstublieft.'

'Is er niemand dood? Godzijdank.'

'Beantwoord de vraag, alstublieft.'

'Beslist niet...'

'De waarheid alstublieft, geen publiciteitssmoesjes.'

P.J. Deans schouders zakten omlaag. Hij wreef over zijn voorhoofd en worstelde met de waarheid. 'Waar moet ik beginnen? Lippen, heupen, ogen, tieten. Natuurlijk ontkende ze dat allemaal en was ze fanatiek in de weer met haar diëten en gymnastiekvideo's. Maar waar slaat dit op?'

'Het spijt me dat ik u dit moet vertellen, maar er is een lichaam gevonden op de oever van de Theems. De siliconenimplantaten hebben we kunnen traceren naar uw vrouw.'

Hij staarde haar aan. Hij bewoog zich niet. Knipperde niet met zijn ogen. Ademde niet.

Jessie zette door. 'Het spijt me, ik begrijp dat dit moeilijk is, maar wanneer hebt u uw vrouw voor het laatst gezien?'

Heel langzaam liet P.J. zijn hoofd zakken. 'U zei dat er niemand... is ze...? Oh, mijn God, u denkt dat u Verity hebt gevonden.'

'Beantwoord de vraag, alstublieft,' zei Jessie.

'Uhh, vorige week woensdag was ik in Duitsland, donderdag ben ik laat thuisgekomen en toen was ze er niet. En nu is het uhh, woensdag. Een week geleden ongeveer dus.'

Jessie keek naar Jones.

'Dat is niet gunstig, zeker?' vroeg P.J. Dean. 'Ik begrijp niet wat u bedoelt. U hebt haar siliconenimplantaten gevonden, wat wil dat zeggen?'

'We hebben een lichaam gevonden, meneer. We proberen de identiteit te achterhalen. Heeft iemand hier in huis met haar gesproken – de kinderen bijvoorbeeld?'

P.J. stond op en tikte tegen het raam. Het viel Jessie op dat hij trilde. De kale man voegde zich bij hen. 'Wanneer is Verity voor het laatst thuis geweest, Danny – en probeer haar niet in bescherming te nemen, dit is ernstig.'

Danny keek naar de politiemensen. 'Ze is donderdagavond uitgegaan. Sindsdien hebben we haar niet meer gezien. Vrijdag overdag heeft ze nog gebeld, ze wilde met de jongens praten, maar ze klonk onsamenhangend. Ik ben bang dat ik de jongens niet aan de lijn heb geroepen.' Hij wendde zich weer tot P.J. 'Om u de waarheid te zeggen, ze heeft me ontslagen, ik wilde het u nog vertellen.'

P.J. wuifde met zijn hand, hij had er duidelijk geen boodschap aan dat zijn vrouw de man had ontslagen. Jessie kon er wel inkomen dat Verity Shore dat had gedaan. Ze vond Knight een beetje ongrijpbaar, alsof hij haast had om ergens heen te gaan en tegelijkertijd ook iets te graag wilde blijven hangen. Ze keek hem lang en indringend aan. 'Dus u hebt sinds vrijdag, toen ze u belde en er duidelijk iets aan de hand was, niets meer van haar gehoord of gezien?'

P.J. schoot Danny Knight te hulp. 'Zo zit het niet. Het is niet ongebruikelijk voor haar om een paar dagen te verdwijnen. Verity gaat graag uit en ik ben graag het weekend thuis met de jongens. We hadden een afspraak: ze mocht niemand mee naar huis brengen. Ik bedoel geen minnaars, ik bedoel... wel, verdorie, waarschijnlijk weet u het allang – ik bedoel de klaplopers, de feestbeesten, de cokegebruikers. Ik... ach, weet u, het was moeilijk voor mij om te volgen wat ze precies uitvoerde. Eigenlijk heb ik het min of meer opgegeven.'

Het klonk niet erg indrukwekkend.

'Wil je de jongens naar boven brengen, Danny. Ik denk dat ik mee moet gaan naar het politiebureau.'

'Wel, meneer Dean...' P.J. stak zijn hand op. Danny kwam niet in beweging, maar uiteindelijk snapte hij de hint en verliet de kamer.

'U mag me ouderwets vinden,' zei P.J. 'Ik vertrouw hem zoveel mogelijk, maar de meeste mensen hebben een prijs.' Hij kwam abrupt overeind. 'Moet ik haar officieel identificeren?'

'Gaat u zitten alstublieft, meneer Dean,' zei Jessie.

'Zegt u alstublieft P.J.'

'Het probleem is dat het lichaam niet in goede staat verkeert. Eerlijk gezegd is er niet veel om te identificeren.'

'Wat bedoelt u? Wat is er met haar gebeurd?'

'In dit stadium weten we nog niet eens zeker dat zij het is.'

53

Er werd even kort op de deur geklopt en de jonge vrouw uit de hal duwde de deur open met haar voet en droeg een groot blad vol koffie en broodjes naar binnen. P.J. haastte zich om het blad van haar over te nemen. Ze trok een opklaptafeltje te voorschijn van achter de deur en P.J. liet het blad erop zakken. Hij ging weer zitten terwijl de jonge vrouw koffie inschonk. Ze was klein en haar vuilblonde haar was samengebonden tot een paardenstaart. Ze had een goed figuur onder de sweater en de spijkerbroek, merkte Jessie op. Ze leek een jaar of achtentwintig. Jong voor een huishoudster. Jong en aantrekkelijk, zij het een tikje onverzorgd. Haar ogen hielden P.J. in de gaten terwijl ze op gevoel de koffie inschonk.

'Wat is er aan de hand?' vroeg ze.

Met P.J.'s eerdere instructies in gedachten bleven Jessie en Jones zwijgen.

'Ik weet het niet,' zei P.J. 'De politie vertelde me net...' Hij keek naar Jessie. 'Gaat u door...'

Jessie knikte naar de vrouw die nu koffie inschonk voor Jones. 'Misschien moeten we even wachten.'

'Hemel, gaat u vooral door. U kunt alles zeggen wat u wilt. Wat ik eerder heb gezegd geldt nu niet.'

'Weet u het zeker? Dit is nogal pijnlijk.'

'Wat is er gebeurd?' vroeg de vrouw. 'Is alles goed met Verity?'

'We hebben gisterochtend het lichaam van een vrouw gevonden op de oever van de Theems,' zei Jones.

De vrouw liet het lepeltje vallen waarmee ze bergen suiker in P.J.'s koffie schepte. Ze sloeg haar hand voor haar mond en staarde naar P.J.

'In dit stadium weten we de doodsoorzaak nog niet,' vervolgde Jessie. 'Om vier uur vanmiddag wordt er een autopsie verricht en u mag komen om het resutaat te vernemen.'

'Oh, mijn God, P.J., de jongens.' P.J. pakte de hand van de vrouw. Ze stond op terwijl ze zijn hand bleef vasthouden. 'Ik moet gaan kijken...'

'Houd dit nog even voor je. Ze weten nog niet zeker dat het Verity is.' Hij wendde zich weer tot Jessie. 'Toch?'

'Niet honderd procent, nee, maar ik vind het wel verontrustend dat niemand haar sinds afgelopen vrijdag heeft gesproken.'

'Vertel hun over de brieven,' zei de jonge vrouw. 'Vertel hun over de brieven...'

'Welke brieven?' vroeg Jones.

'Dat was niets.'

'Maar P.J....' De vrouw legde haar hand op zijn schouder.

'Ik geloof dat je nu naar de jongens moet gaan,' zei hij streng.

'Maar...'

P.J. wendde zich tot Jessie. 'De politie is hier al vaker geweest. De jongens zijn niet dom, ze begrijpen heus wel dat het iets met hun moeder te maken heeft. Dat is altijd zo.'

'Ja, sorry. Neem me niet kwalijk, ik moet, uhh...' De vrouw fronste haar voorhoofd en liep achterwaarts de kamer uit. 'Sorry...' Ze maakte haar zin weer niet af, maar maakte dat ze wegkwam.

'Wie was dat?' vroeg Jessie.

P.J. keek hoe de vrouw over de kegelbaan rende en de trap op ging waarlangs ze naar beneden waren gekomen.

'Wat bedoelt u precies met dat het lichaam niet in goede staat verkeert?' vroeg P.J. en negeerde Jessies vraag.

'Wie was die vrouw, meneer Dean?' herhaalde ze daarom.

'Noem me toch P.J. Mijn vader is meneer Dean. En ik ben niet mijn vader.'

'En het meisje?'

'Meisje?'

'De vrouw die de koffie binnenbracht?'

'Neem me nu toch niet kwalijk! U hebt me net verteld dat mijn vrouw misschien dood is en dus wil ik graag wat meer bijzonderheden weten, alstublieft. Ik wil weten wat er met Verity is gebeurd. Ik wil weten of ik die jongens moet vertellen dat hun moeder dood is!'

Ze drong niet verder aan. Het kon even wachten. 'Weet u waarom uw vrouw in Barnes was? Hebt u misschien vrienden die aan de rivier wonen?'

'Wat bedoelt u precies met "vrienden"?' Hij klonk boos. 'Het waren drugs, nietwaar? Ze was stoned en viel in het water, is dat het? Is ze geraakt door een boot? Is er daarom weinig van haar over? Ik kan er wel tegen, vertel me nu toch gewoon de waarheid.'

'Wat voor drugs gebruikte ze?'

'Dat weet ik niet. Ze was vaak een tijdlang clean en dan gooide ze plotseling weer de remmen los en ontspoorde volledig. Ik weet niet met wie ze omging of waar ze heen ging. Ik heb alles gedaan wat in mijn macht lag om haar te laten ophouden, maar ze wilde niet. Niet voor mij en zelfs niet voor de kinderen. Ze was niet tegen te houden.' P.J. Dean friemelde een poosje met het koord om zijn ochtendjas. Jones en Jessie zwegen. Het was altijd goed de naaste familie te laten praten. Mensen praatten vaak veel wanneer ze in shock verkeerden. Waarschijnlijk was dit het eerlijkste beeld van P.J. Dean en Verity Shore dat ze zouden krijgen voordat anderen zich ermee bemoeiden. Adviseurs. Persagenten. Imago-consulenten. Advocaten. Producers. Personeel.

'Ik heb altijd al verwacht dat het zo zou eindigen,' vervolgde hij zachtjes. 'Ik wist alleen niet wanneer. Hier in huis kon ze zichzelf niets aandoen, begrijpt u. Ik heb alle alcohol en drugs volledig uit huis verbannen. Geen scherpe voorwerpen. Zelfs de boodschappen werden gecontroleerd. Na zo'n uitspatting bleef ze een paar dagen in bed en ging door een soort zelfverkozen mini-cold-turkey. Daarna ging het dan weer een paar weken goed. Dan speelde ze met de jongens. Praatte tegen mij. Maar ten slotte begon ze zich weer opgesloten te voelen en ging ze "vrienden", fotografen bellen. Het begon altijd met winkelen. Er werden meer en meer pakjes gebracht, daarna ging ze drinken en uiteindelijk, wel, verdween ze een paar dagen. Ik kon haar niet achter slot en grendel stoppen, zoals ik dat doe met het bier in de studio. Ik controleerde zelfs de drankvoorraad, zodat ik het wist wanneer ze van de wodka had gestolen. Maar ze zou nooit in de rivier springen, dat weet ik zeker. Het moet een ongeluk zijn geweest.'

Hij zweeg een poosje.

'P.J., we weten vrijwel zeker dat die dode, wie het ook is, niet is verongelukt.'

'Geloof me maar, ze was veel te egoïstisch om zelfmoord te plegen. Hoe het er ook uitziet, het was een ongeluk.'

'En wat zijn dat nu voor brieven?'

P.J. zuchtte hardop. 'Gewoon de normale consequenties van beroemd zijn. Scheldbrieven, doodsbedreigingen, varkensbloed.'

'Aan u geadresseerd?'

'Wel, aan ons. Luister, dat betekent niets. Zulke brieven komen van vervelde, zielige, teleurgestelde mensen die kwaad zijn op iedereen die succes heeft op terreinen waar zij zijn mislukt. Er zijn er genoeg. Dat stelt niets voor. Het zou me niets verbazen als Verity er een paar aan zichzelf heeft gestuurd.'

'Hebt u ze bewaard?'

'Doe niet zo belachelijk,' zei P.J. ongeduldig.

'Wel,' antwoordde Jessie, 'misschien had u ze serieus moeten nemen.'

P.J. staarde haar aan. Zijn ogen vertoonden de kleuren van de regenboog. Karakteristieke ogen. 'Gaat u het me nu eindelijk vertellen, verdomme?'

Ze knikte kort. 'Het lichaam had geen hoofd.'

P.J. sloeg zijn hand voor zijn mond, zijn wangen gingen bol staan en hij slikte heftig.

'Het spijt me,' zei Jessie.

'Ik...' Hij worstelde naar adem. Jessie sloeg hem gade en wachtte. Hij stond op, wandelde de hightechruimte rond en ging weer zitten. 'Jezus, wat moet ik hun vertellen?' Hij keek naar de kegelbaan, hoewel de jongens naar boven waren gebracht. 'Het zijn geweldige kinderen, weet u. Paul is heel gevoelig en Ty...'

'Vertel hun voorlopig nog niets. Tot we meer weten. Hier is mijn kaartje, mijn mobiele nummer staat erop. Bel me als ze thuis mocht komen. Bel me ook als ze u belt. Als dat niet gebeurt, moeten we iedereen hier in huis verhoren, dus wilt u me nu vertellen wie hier allemaal wonen?'

'Ik, de jongens, Verity...' Hij boog zijn hoofd. 'Bernie is al twaalf jaar bij me. Ze heeft een zoon, Craig. Hij is zeventien.'

'En de jonge vrouw die het blad met de koffie heeft gebracht?'

'Dat is Bernie.'

Jessie was verbaasd. De vrouw zag er een stuk jonger uit dan zijzelf. 'Heeft *zij* een zoon van zeventien? Die jongen die ik in de garage heb gezien?'

'Ze ziet er jong uit voor haar leeftijd,' zei P.J. en kwam weer overeind.

'Hoe oud is ze dan?' vroeg Jessie achterdochtig.

'Dit heeft niets te maken met Verity,' zei P.J. die weer geïrriteerd begon te klinken.

'Hoe oud, meneer Dean?' vroeg Jones op zijn trage, bedachtzame manier.

'Tweeëndertig. Reken het zelf maar uit. Ze is een geweldige vrouw en een goede vriendin. Haar privé-leven heeft niets met Verity te maken. Begrijpt u?'

Nee. Jessie begreep het niet. Ze begreep niet waarom P.J. Dean zich meer opwond over zijn huishoudster dan over de dood van zijn vrouw.

'We moeten u ook ondervragen, meneer Dean,' zei Jones.

'Prima. Noem me de tijd van overlijden, dan noem ik u mijn alibi.'

'Wie heeft er iets gezegd over alibi's?' vroeg Jessie snel.

'Beledig mijn intelligentie niet, alstublieft. Ik weet best waar u het eerst op zoek gaat. Ik vind het prima, doe uw werk. Een motief had ik in elk geval wel. Ik zal er niet omheen draaien, ik begon een behoorlijke hekel te krijgen aan Verity. Ze was een monster, volslagen egocentrisch. Van alles wat ze had, wilde ze nog meer – meer aandacht, meer roem, meer handtassen, meer drugs, meer wat dan ook. Ik heb haar echter niet vermoord en ik zal u een alibi geven om het te bewijzen.'

'Hoe weet u dat zo zeker?' vroeg Jones.

'Geloof me, in dit werk ben je zelden alleen.'

'Weet u iets over Verity dat zou kunnen helpen haar te identificeren, P.J.?' Een of andere oude verwonding bijvoorbeeld...'

'Ze heeft een tatoeage, op haar...'

'Ik ben bang dat we daar weinig aan hebben.'

'Jezus. Wat is er toch met haar gebeurd?'

'Dat weten we echt nog niet.'

'Uhhh, blijft dit vertrouwelijk?'

'Absoluut.'

'Ze had zes tenen. Aan haar rechtervoet. Ze heeft de extra teen laten weghalen, maar er was een klein litteken achtergebleven. Ik weet zeker dat een expert dat kan zien.'

Jessie keek naar Jones, die een fractie van een seconde zijn hoofd schudde. P.J. Dean had al genoeg informatie om zijn verbeelding op hol te laten slaan, hij hoefde niet te weten dat zijn vrouws voeten ook ontbraken.

D e deur van de portakabin vloog open. 'Wel? Heb je me iets te zeggen?'

Tarek aarzelde. 'Dat was een geweldig programma, Ray,' zei hij timide.

'Lulkoek. Het was waardeloos, weer zo'n vette griet die maar doorjammert over haar magere vriendje die met haar beste vriendin in bed duikt. Je hoeft maar naar die beste vriendin te kijken om te weten waarom. En dan dat hoertje dat haar eigen vader als pooier had – Jezus, kun je verdomme niet wat fatsoenlijke gasten voor me vinden?'

Tarek kauwde op zijn ballpoint. 'Je hebt vrouwe Henrietta Cadell gehad.'

'Hoera, hoera. Intellectuele snobs, allebei. Geen flauw benul van het echte leven. Geen wonder dat haar man alles naait wat hij tegenkomt. Bij haar heb je een ladder nodig. Met dat soort mensen word ik niet populair bij het grote publiek. Elitaire hufters, ik wil beroemdheden, sterren.'

'Zo proletarisch zijn beroemdheden anders niet,' merkte Tarek op.

'Dat zeg je alleen maar omdat je er nog nooit een hebt ontmoet.' Ray staarde naar zijn spiegelbeeld in de scheerspiegel op zijn bureau. Hij hing het gouden kruisje recht.

'Luister, Tarek, als we dan toch schrijvers interviewen in dit programma, dan wil ik dat het Andy McNab is, gesnapt!'

Dat gaat je niet lukken, dacht Tarek.

'Waarom sta je me zo aan te staren?'

'Nergens om. Je agent heeft gebeld, Trevor MacDonald doet een special over Scotland Yard en hij heeft een deskundige nodig. Hij vraagt zich af of jij het wilt doen.'

'Tuurlijk doe ik dat, verdorie, daar zit die Carol Vorderman ook in. Zij ziet eruit alsof ze...'

'En er hangt iemand te wachten op lijn één.'

Lijn één was de enige lijn die er was, maar Ray vond het prachtig klinken. 'Hij wilde zijn naam niet zeggen.'

'Carol Vorderman, die wiskundige, dat lijkt er meer op. Ik zal haar laten kennismaken met de vreugden van uitgebreide vermenigvuldiging.' Hij nam de telefoon op en luisterde. 'Wacht even. Tarek, wil je alsjeblieft koffie voor me halen? En niet van die instanttroep – koffie uit het koffiezetapparaat. In een echte beker graag met een beetje...'

'Ja, ja, ik weet het.' Het was altijd hetzelfde wanneer Ray met een van zijn – Tarek zocht naar de juiste term – kompanen wilde praten. Kompanen was een goed woord. Criminelen was een ander. Hij deed de deur open en liep de aluminium trap af naar een door onkruid overwoekerde parkeerplaats vol kuilen en gaten. Ray's onderzoeksassistent kwam op hem af. Kompaan. Crimineel. Hij was een vreemde kerel. Ergens in de dertig, schatte Tarek, maar het was moeilijk te zeggen. Alistair Gunner was klein en mager, maar allesbehalve een watje. Hij was gebouwd als een vedergewicht, maar toonde geen spoor van angst voor de man voor wie alle anderen terugdeinsden. Hij praatte niet veel, had geen vrienden en leek St. Giles overal te volgen. Tarek en Alistair namen elkaar op. Tarek wist niet wie wie het ergst wantrouwde. Het enige wat hij wel wist, was dat Alistair het vermogen bezat dingen over mensen te ontdekken die *News of the World* in tranen van jaloezie zouden doen uitbarsten.

'Morgen, Alistair,' zei Tarek.

'Is Ray binnen?'

'Aan de telefoon.'

Zoals gewoonlijk duwde hij simpelweg de deur open en ging naar binnen. Zonder kloppen. Zonder te wachten tot er 'binnen' werd gezegd. Brutaal als de beul liep hij gewoon door.

'Geneer je niet, hè,' zei Ray voordat Alistair de deur dichtdeed. Tarek liep om de onderling met elkaar verbonden bouwketen heen naar het centrale studio- en kantorencomplex. Alistair was op een dag uit het niets verschenen. Hij had geen cv, geen ervaring met televisiewerk en geen diploma's, maar Ray St. Giles had hem toch een baan gegeven. Zomaar. Gunner had zoveel informatie over andere mensen dat Tarek zich wel eens afvroeg of hij soms ook iets wist over de grote baas zelf. Ze waren intiem zonder intiem te zijn, zoals een stel in een gearrangeerd huwelijk. Soms zag Tarek Ray wel eens met een zekere ongerustheid in zijn blik naar Alistair kijken. Het leek of hij hem nodig had, maar hem toch niet vertrouwde. Waarschijnlijk vertrouwde Ray St. Giles niemand.

In de sjofele receptieruimte stond een koffieautomaat. Tarek stopte zijn eigen geld in het gleufje en wachtte tot het ding het bleke, schuimende vocht uitbraakte. Ergens diep in het studiogebouw werden echte programma's gemaakt. Maar niet door hem en niet door de kabelmaatschappij die zijn vertrouwen had gesteld in Ray St. Giles en zijn schaduw. Tarak bracht de koffie terug naar de keet en klopte aan. Ray en Alistair stonden over een open dossier gebogen. Hij had zo'n soort dossier eerder gezien. Met de naam 'Cadell' erop. Tarek had een glimp opgevangen van de inhoud, een foto van een man in een krijtstreeppak aan de balie van een hotel, samen met een jonge blondine. Niet lang daarna had ineens de agent van Henrietta Cadell gebeld om een afspraak te maken voor haar optreden in het moeder-en-zoonprogramma. Ray mocht roepen wat hij wilde, maar Henrietta Cadell was het soort gast waar hij veel geld voor wilde betalen. Aan Alistairs glanzend nieuwe leren jasje te zien, had hij dat gedaan ook, dacht Tarek.

'Bel mijn agent, Tarek, en zeg haar dat ik meedoe aan die special over Scotland Yard. Maar geen stomme supermarkten meer en zeg mijn praatje in de jeugdgevangenis af. Ik heb genoeg van die onzin. We slaan een andere koers in.'

'Ray, je moet...'

'Doe het nu maar gewoon, Tarek. Wie betaalt je salaris?'

Tarek pakte de telefoon. 'Deze lullige kabelmaatschappij,' mompelde hij.

'Wat?'

'Niets.'

Alistair Gunner staarde hem met zijn koude ogen aan. Tarek had een nieuwe baan nodig. Hier ging hij aan kapot.

Jessie, Jones en P.J. doken weer op uit de ondergrondse ruimte en liepen terug naar de hal.

'Hebt u er bezwaar tegen dat ik haar kamer doorzoek?' vroeg Jessie.

'Wiens kamer?'

Was hij opzettelijk tegendraads of gewoon oerstom? Tenzij hij dacht dat ze Bernies kamer bedoelde. 'De kamer van uw vrouw,' antwoordde ze nadrukkelijk.

'Sorry,' zei P.J. Dean. 'Boven, aan de rechterkant.'

'Vindt u het erg om mee te gaan?'

'Oh, oké. Deze kant op.'

'Ik wacht wel in de auto,' zei Jones en greep al naar de buitendeur.

Jessie volgde de wapperende ochtendjas de trap op. Halverwege splitste de trap zich in twee richtingen. Een hoog raam dat tot het plafond reikte bood een indrukwekkend uitzicht over de dertig meter diepe tuin. De stenen muur aan de achterkant grensde direct aan Richmond Park.

'De jongens en ik kijken hier naar de herten,' zei P.J. en wees naar de drie verrekijkers op de tafel onder het raam. 'Meestal bevinden ze zich in de buurt van de Isabella Plantation. Ziet u dat groepje eiken daar links?' P.J. wees nu door het raam.

Jessie keek op haar horloge. 'Als u het niet erg vindt...'

'Shit! Sorry, ik vergeet steeds waarom u hier bent.' Hij schudde zijn hoofd. 'Vindt u dat raar?' Zijn groene ogen staarden haar indringend aan.

'Waarschijnlijk is dat de shock,' zei ze rustig.

'Dat is niet echt wat u denkt, nietwaar? Waarschijnlijk denkt u dat ik mijn eigen wetten stel, dat mijn huwelijk een schijnvertoning was en dat ik met elk achtergrondzangeresje dat mijn studio binnenloopt in bed duik.'

'Ik zou nu graag de kamer willen zien,' zei Jessie.

'Ik ben een goede vader voor die jongens.'

Jessie wist niet wat ze daarop moest zeggen. Hij wendde zich af en liep met twee treden tegelijk de rechtertrap op. Jessie volgde hem langs een overloop met een balustrade tot ze bij een gang kwamen met aan het eind een dubbele deur. Er stak een sleutel in het slot. P.J. duwde beide deuren wijd open en stapte achteruit. Jessie liep de vijftien meter lange kamer binnen.

'Mijn kamer ligt aan de andere kant,' zei P.J. voordat Jessie ernaar kon vragen.

Er was wel heel veel ruimte voor één kleine, onzekere vrouw. Te veel. De kamer zag er pijnlijk keurig uit. Onpersoonlijk, als een hotelkamer. Er lagen enorme dikke witte kussens op een gigantisch wit bed met witte lakens, een wit dekbed en een witte sprei. Stevige witte gordijnen waren over een oude bootmast gedrapeerd. Ze waren te lang voor het raam, zodat het materiaal uitvloeide over de witte vloerbedekking. Jessie kon niet kiezen of ze het geheel maagdelijk, echtelijk of gewijd vond, maar hoe dan ook, deze witte, zonovergoten kamer was nu een mausoleum. Verity Shore was dood, Jessie voelde het van haar nekharen tot de kilte in haar botten.

De inloopgarderobekast had het formaat van Jessies slaapkamer en badkamer bij elkaar. Rij na rij van merkkleding en stapel na stapel van schoenendozen. Jessie bleef een ogenblik verbijsterd staan. Maggie zou in tranen zijn uitgebarsten bij deze kledingtempel. Het wee-zoete aroma van Estée Lauders White Mischief wasemde uit de kleren.

'Obsceen, vindt u niet?' zei P.J. 'De helft van die troep heeft ze nooit aangehad. Daar hebben we heel wat ruzies over gehad.'

Jessie keerde zich in zijn richting. Hij liep langzaam naar haar toe, zijn ogen op de kleding van zijn vrouw gericht. 'Ik denk dat ze het deed om mij te shockeren. De prijskaartjes. Allemaal natuurlijk betaald met míjn creditcard. Hoe kan iemand twaalfduizend pond uitgeven aan een truitje?' Jessie zag hem langzaam dichterbij komen en zei niets. 'Waar ik vandaan kom, kun je daarmee bijna een huis kopen. Die winkels likten hun inhalige lippen zodra ze haar zagen binnenkomen, ik zweer het je. De nieuwe kleren van de keizer, zoiets.' Hij bleef staan, maar praatte door tegen de honderden, nee duizenden kledingstukken. 'Uiteindelijk moest ik een grens stellen aan haar persoonlijke uitgaven. Bij alles wat duurder was dan duizend pond moest de bank me bellen om mijn toestemming te vragen.' Hij draaide zich om en keek Jessie aan. Zijn doordringende groene ogen bevonden zich slechts enkele centimeters van de hare. 'Dat vond ze helemaal niet leuk.'

'Wilt u daarmee zeggen dat uw huwelijk voorbij was?'

'Niet voorbij, maar vergiftigd.'

'Door Verity?'

'Door alles, vermoed ik. Mijn eigen stommiteit om te verwachten dat ze zou veranderen.' Hij kneep met zijn vinger en zijn duim in de brug van zijn neus en boog zijn hoofd. 'Mijn eigen stommiteit om te geloven dat vrouwen als zij om andere redenen dan geld en status met mannen als ik trouwen.' Hij lachte droog. 'Het oudste beroep ter wereld.'

'Dit soort uitspraken maakt niet zo'n positieve indruk op mensen zoals ik.'

Hij keek op. 'Maar het is wel de juiste indruk.'

'P.J., u hebt uw vrouw zojuist een hoer genoemd.'

'Nee, inspecteur Driver. Ik heb mezelf een sufferd genoemd.' Hij draaide zich om en maakte aanstalten de kamer te verlaten. 'Ik hoop dat u het niet erg vindt, ik wordt misselijk van die lucht.'

Jessie liep verder, door de kleedkamer naar de badkamer. Er hingen genoeg spiegels om een mens een complex te bezorgen. Je kwam jezelf werkelijk overal tegen. Tegen een van de muren stond een toilettafel met spiegel zo groot als een biljart. Aan weerskanten ervan bevonden zich nog meer kasten. Allemaal met een spiegel, uiteraard. Jessie liet haar vinger langs het oppervlak van de toilettafel glijden en keek. Geen vlokje stof, de kamer was opvallend schoon. Verdacht schoon. Glanzende potjes met voedende crèmes, scrubcrèmes en tonics stonden in het gelid als soldaten. Een strijd tegen de veroudering. Tot de dood toe. Ze liep naar het bad. Het stond solitair op een verhoging en het rook naar bleekwater. Op de rand van het bad bevonden zich nog meer lekkere spulletjes. Een hele familie van Paul-Mitchellflesjes. Wasten vrouwen als Verity Shore zelf hun haar? Jessie pakte een flesje en schudde het. Ze draaide het dopje eraf en rook. Kennelijk niet. Enkele ogenblikken lang riep ze zich een beeld van Verity Shore voor ogen, een ongelukkige, verwende vrouw die tussen dure zeepbellen in haar grote witte verhoogde bad lag en uit een shampooflesje dronk. Ze zette het flesje weer bij de andere en keerde terug naar de slaapkamer. Een groot schuifraam aan de andere kant van de kamer bood uitzicht op het platte dak van de garage. Een flinke stap omhoog, vergemakkelijkt door de aanwezigheid van een bloembak. Het raam liet zich moeiteloos omhoog schuiven. Geluidloos. Jessie keek naar de bloembak. Er stonden geen planten in, maar de aarde was stevig aangetrapt. P.J. Dean had klaarblijkelijk minder controle over zijn vrouw dan hij dacht. Ze haalde een digitale camera uit haar tas en fotografeerde de voetstappen. Iemand was na bedtijd naar buiten geslopen.

Jessie en Jones lieten de popster achter in de deuropening van zijn exorbitante villa. Op de een of andere manier was het gebouw geen afspiegeling van de man. Hij had nog altijd zijn ochtendjas aan. De jongens waren aan weerszijden van hem opgedoken en hij legde bij beiden een arm om hun schouder. Jessie benijdde P.J. niet om wat hij hun moest vertellen.

'Denk je dat hij erbij is betrokken?' vroeg Jones toen ze weer buiten waren.

'Mijn instinct zegt nee, de moord lijkt te agressief voor een normale man, maar aan de andere kant is er niet veel normaals aan P.J. Dean, dat moet ik toegeven.'

'Hij heeft meer dan genoeg geld, hij kan het hebben laten doen,' zei Jones.

'Een simpele overdosis was handiger geweest.'

Jessie zag Bernie staan voor een raam op de eerste verdieping, haar arm om haar lange zoon geslagen. Haar schouder kwam tot zijn middel. Hoe konden zulke kleine vrouwen zulke enorme zoons produceren? Hij was net zo lang, misschien nog wel langer dan P.J. en net zo goed gebouwd. Zelfs de tuinman keek hen na toen ze wegreden. 'P.J. was heel open over Verity, maar hij klapte dicht zodra het om Bernie ging, daardoor gingen er bij mij alarmbellen rinkelen. Ik denk dat er misschien iets gaande is tussen Bernie en P.J. De vraag is alleen of het iets te maken heeft met de dood van Verity.'

Jones leunde met zijn hoofd tegen de hoofdsteun van zijn stoel. 'We weten nog altijd niet zeker dat zij het is.'

'Als dat wel zo was, zou ik dat huis al door een hele ploeg mensen hebben laten uitkammen.'

De poort ging automatisch open. Jessie keek omhoog naar de bewakingscamera en onderdrukte de neiging om te zwaaien. Toen schoot de bloembak haar weer te binnen en ze stopte. Ze stapte uit en rende terug langs de oprit. P.J. kwam haar op blote voeten tegemoet.

'De opnamen uit de bewakingscamera's? Mag ik die meenemen?' vroeg Jessie.

P.J. haalde zijn schouders op. 'Tuurlijk.' Hij draaide zich om, zag Bernie en Craig voor het raam staan en wees naar een van de camera's. Bernie deed het raam open.

'Wat is er?'

'De bandjes, kun je die halen voor de inspecteur?'

'Liefst van zo ver mogelijk terug,' zei Jessie.

Bernie leek te aarzelen. Ze keek naar haar zoon. Craig zei iets, Jessie kon niet horen wat, maar in elk geval ontspande Bernie erdoor. Ze keek weer naar P.J., glimlachte even en verdween.

Jessie wendde zich tot P.J. 'U zei dat Bernie al twaalf jaar voor u werkt. Hoe hebt u haar gevonden?'

P.J. krabde in zijn korte donkere haar. 'Ik hoorde dat ze een baan zocht.'

'Hoe?'

Hij maakte een onverschillig gebaar. 'Dat weet ik niet meer. En wilt u me nu excuseren?' Hij wees naar zijn voeten. Die waren blauw. 'Mijn voeten vallen er haast af.'

'Natuurlijk. Ik wacht op de bandjes, maar uiteindelijk zult u al mijn vragen toch moeten beantwoorden.'

'Als het Verity is.'

'Denkt u dat ze het is?' vroeg Jessie.

Hij gaf geen antwoord, maar zijn lichaamstaal sprak boekdelen. Hij streek met zijn handen door zijn donkere haar, trok zijn ochtendjas om zich heen en sloeg zijn armen over elkaar. Daarna draaide hij zich om en liep terug naar het huis. Een paar minuten later kwam Bernie naar buiten met de bandjes. Wel twintig stuks. Ze overhandigde ze zwijgend.

Jessie keerde terug naar de auto.

'En wat dacht je van een gestoorde fan?' zei Jones toen Jessie weer instapte. 'Ze hebben brieven ontvangen.'

'*Als* ze die hebben ontvangen.'

'Denk je dat dat een rookgordijn was?' vroeg Jones.

Jessie hoopte van niet. 'Gestoorde fans moorden met pistolen en messen. Hier zit te veel overleg achter en het is extreem kwaadaardig. Het was de bedoeling dat we haar zouden vinden zoals ze daar lag. Onherkenbaar. Haar benen gespreid. Die implantaten. Wat zegt dat over haar?'

'Niet echt veel.'

'Precies.' Jessie zag de goedbewaakte villa in haar achteruitkijkspiegel verdwijnen en de groene poort achter hen dichtglijden. 'Iemand wil op een afschuwelijke manier iets duidelijk maken.'

'Wat is er gebeurd met de echte vaders van die jongens? Als zij het was die hen heeft verlaten en de kinderen heeft meegenomen, dan is dat een motief.'

'Ik zal het nagaan zodra de identitiet van het lichaam is vastgesteld.'

'Te druk de gewezen beroemdheid van de toekomst te worden om voor hun eigen kroost te zorgen,' zei Jones.

'Dat klinkt prachtig. Die moet u onthouden voor de persconferentie.'

Jones begon te lachen, een onbekend geluid. 'Wat een surrealistische toestand, vond je niet?' zei hij tussen zijn gegrinnik door. 'En dan die kegelbaan – God, wat hebben sommige mensen het goed.'

Jessie lachte mee. De spanning van het afgelopen uur ontlaadde zich in een golf van hysterisch gegiechel. Jones hield zijn buik vast en snakte naar adem.

'P.J. Dean in zijn pyjama!' brulde Jessie voordat ze weer werd overvallen door een giechelaanval. Jones bleef zijn buik vasthouden en naar adem happen. Jessie keek naar hem. Jones lachte niet meer.

'Chef?'

Hij gaf geen antwoord. Hij zat dubbel gebogen en ademde veel te snel terwijl zijn nek de kleur aannam van rode bieten.

'Houd vol!' Jessie zette de sirene aan en haar koplampen flitsten blauw en wit. Ze drukte het gaspedaal diep in en slingerde zich een weg tussen het verkeer door. Jones' ademhaling werd rustiger. Hij tilde zijn hoofd op en keek naar haar.

'Wat doe je?' Hij kreunde terwijl hij sprak.

'Een van de voordelen van dit werk. Is het u ooit opgevallen

66

dat patrouillewagens nooit vast komen te zitten in het verkeer? Praat maar niet, ademhalen is genoeg. U hebt een hele vreemde kleur gekregen.'

'Jij wint. Het spijt me van die opmerking over de kapper.'

'Nee, ik meen het, u hebt echt een hele rare kleur.'

Een pijnscheut trof zijn maag en Jones boog zich weer dubbel. Jessie scheurde naar het dichtstbijzijnde ziekenhuis dat ze kende. Ze meldde zich niet aan via de radio, want ze dacht dat Jones niet zou willen dat iemand wist dat er een hoofdinspecteur naar het ziekenhuis werd gebracht. Nieuws verspreidde zich snel.

Toen ze aankwamen, droeg ze hem haast de Eerste Hulp binnen en vertelde de verpleegkundige achter de balie zachtjes wie hij was. Ze vulde zoveel mogelijk gegevens in. Ze vermoedde dat hij zich al een tijdje niet goed voelde, maar hij deed het nooit kalmer aan. De laatste tijd was het erger geworden en was hij zelfs een dag thuis gebleven. Voorzover zij wist, had hij last van buikkrampen, misschien blindedarmontsteking. Er verscheen direct een dokter. Het was voor iedereen duidelijk dat Jones zich nu ellendig voelde. De vurige, felpaarse kleur was weggetrokken en nu waren zijn lippen lichtgrijs en zijn huid had een geelwitte tint. Ze liet de dokter zijn werk doen en ging in de wachtkamer zitten.

Net als de meeste mensen had Jessie een aversie tegen ziekenhuizen, dus toen een verpleegkundige haar de zusterskamer aanbood, maakte ze daar dankbaar gebruik van. Ze kreeg een stapel tijdschriften en warme thee met volkorenbiscuitjes. De simpele dingen van het leven. Ze accepteerde ze allemaal. Research, zei ze tegen zichzelf toen ze begon te lezen over de levens van rijke en beroemde sterren. Alles was goed genoeg om haar af te leiden van de kleur van Jones' lippen en die van P.J. Deans ogen.

Jessie liep de gang door naar haar kantoor met de twintig videobandjes in haar armen. Agent Ahmet zat op een stoel buiten het kantoor van Jones. Ze wilde hem net vragen wat hij daar deed toen Trudi het kantoor uit kwam. Ze zag er gespannen uit.

'Hij gaat toch niet dood, hè?' vroeg ze nerveus en ademloos.

'Oh, natuurlijk niet, Trudi. Ik kom net bij hem vandaan. Hij vroeg of jij bij hem wilde komen – jij alleen, anderen kan hij nog niet verdragen.'

Trudi pakte haar tas en haar jas en legde toen alles weer neer. 'Wat moet ik doen met...?'

'Maak je niet ongerust, we zullen zorgen dat een agent je telefoon aanneemt. Ga nu maar, ik regel het wel.'

'Bedankt, inspecteur Driver.'

'Noem me alsjeblieft Jessie.'

Trudi liep achteruit de kamer uit. 'O ja, inspecteur Driver, er is een vrouw die u wil spreken. Ze zit in het kantoor van Jones.'

'Maar...' Jessie keek naar de videobandjes. Over een uur was de autopsie.

'Ik weet het, maar dit is belangrijk. Het is Clare Mills.'

'Misschien wilt u die even kwijt,' zei Niaz, en stak zijn gigantische handen uit om de stapel bandjes op te vangen.

Clare stond bij het raam en keek naar buiten. Ze was langer en magerder dan Jessie zich herinnerde. Het leek maanden geleden dat Jones en zij naar Elmfield House waren gereden om met haar te praten. Arme Clare. Ondanks de beloftes hadden ze haar nu al teleurgesteld. Jessie kon ook niet verklaren waarom, zo ging het gewoon bij een moord. Clare draaide zich om. Ze zag er gespannen uit.

'Het spijt me dat ik je stoor op het werk, ik wilde je alleen dit maar geven.' Clare overhandigde haar een zwart-witte kopie van een krantenartikel. 'Het is verbazend wat deze machines met oude foto's en dergelijke kunnen doen.'

Het was een kind. Het gezicht van een kind. Wazig als een echoscopie, maar toch herkenbaar.

'Frank?' vroeg Jessie voorzichtig.

'Die heb ik een poosje geleden gevonden. Hij komt uit een oud buurtblaadje, Joost mag weten waarom ze daar geïnteresseerd waren in pappa's begrafenis, maar het kan me niet schelen, ik heb dit er in elk geval aan overgehouden.'

'Luister Clare, ik...'

Clare ging rechtop staan. 'Ik weet het, je hebt het druk, je neemt wel contact met me op. Ik wilde je dit alleen maar geven en iets uitleggen over mijn moeder...' Clare aarzelde.

'Ga door...'

'Ze wilde geen zelfmoord plegen. Niet echt. Ben jij ooit drie weken wakker gebleven, zonder te eten, met niets om je overeind te houden behalve je hoop?'

Jessie schudde haar hoofd.

'Ik wel. Nog een miskleun in een geschiedenis van onvoor-stelbare miskleunen.'

'Sorry, maar ik kan je niet volgen,' zei Jessie.

'Ze hadden me verteld dat ze een kind uit een tehuis met de naam Frank hadden gevonden. Natuurlijk was hij inmiddels al een man. Hij had geen enkele herinnering aan zijn familie, maar hij had de juiste leeftijd en hij kwam uit de juiste buurt. Ik dacht dat hij het misschien was, dat hij zich misschien zijn naam herin-nerde ook al was alles om hem heen veranderd. Dat gold immers ook voor mij. Deze Frank woonde in een psychiatrische inrich-ting en dat verbaasde me niet. Het duurde drie weken voordat aan alle formaliteiten was voldaan en ik hem kon gaan opzoeken. In die tijd at en sliep ik niet. Ik zat alleen maar te bidden dat het mijn Frank mocht zijn. Ten slotte ging ik naar die instelling om mijn broer te ontmoeten...' Ze zweeg. Jessie slikte nerveus. 'Hij was zwart. De jongen van wie ze dachten dat hij misschien mijn broer was, was zwart. O ja, het speet de kinderbescherming heel erg, op de een of andere manier was mijn huidskleur hen ont-gaan. Als ik de kracht had gehad, had ik die dag zelfmoord gepleegd. Ik zou het hebben gedaan, ook al is mijn broer in de ogen kijken en zeggen dat het me spijt het enige wat ik in mijn zielige bestaan nog wil doen. Het spijt me dat ik hem heb laten weghalen. Het spijt me dat ik hem niet heb beschermd tegen die volwassenen die zeiden dat zij het het beste wisten. Het spijt me dat hij niet weet wat voor geweldige ouders hij heeft gehad, die van elkaar hielden en die van *ons* hielden. En het spijt me vooral dat ik niet eerder naar mamma ben gaan kijken.'

Plotseling leken Verity Shores egocentrische, onzekere, drugs-verslaafde fratsen niet meer zo dringend. Jessie vouwde de foto van de jongen op, stopte het papier in haar portefeuille en liep met Clare mee naar de kantine. Ondanks het verzoek van Jones biechtte Jessie op dat ze Ray St. Giles op de televisie had gezien. Ze waren het er roerend over eens dat het treurig was gesteld met een wereld waarin bekende hooligans en criminelen tot beroemdheden werden uitgeroepen. Zelfs al waren ze tot inkeer gekomen – en in het geval van Raymond Giles had Clare daar duidelijk haar twijfels over – dan was hun gangsterimago toch de hoeksteen van hun verkoopbaarheid. Het had geen zin hun ver-leden te ontkennen. Dat verleden was de enige reden waarom ze op de televisie kwamen. Clare vertelde Jessie dat Raymond Giles ook vaak in de nieuwsstudio's kwam. Elke keer dat er een 'bendeachtige' schietpartij plaatsvond, verscheen hij in *London Today* om zijn 'deskundige' mening te geven.

Meestal was ze heel stil en bescheiden, maar toen Clare over Ray St. Giles praatte, borrelde de woede haast uit haar oren.

Niaz zat nog steeds in de gang toen Jessie terugkwam.

'Wat doe je, Niaz? Hebben we niet genoeg om handen?'

'Inspecteur Ward heeft me gezegd dat ik moest ophoepelen.'

'O ja? Waarom?'

'Omdat ik "een nutteloos stuk voetganger ben dat nergens voor deugt behalve aftrekken". Misschien probeerde hij leuk te zijn, maar ik vond hem alleen maar grof.'

'Heb je hem niet verteld dat ik je heb overgeplaatst?'

'Jawel.'

'Is hij op de hoogte van de implantaten?'

'Nee.'

'Verity Shore?'

'Nee.'

Jessie glimlachte. 'En het medische dossier?'

'Dat is onderweg. Dat heeft rechercheur Burrows geregeld.'

'Mooi zo. Vraag ook om de bankgegevens.' Niaz knikte. 'En kom nu met me mee.'

'Ja, chef.'

Ze opende de deur van de rechercheurskamer. Daar werd het plotseling heel stil. Rechercheur Fry had duidelijk het hoogste woord gehad. Sommigen hadden het fatsoen beschaamd te kijken, maar dat gold niet voor Ward, hij viel haar frontaal aan.

'Waar ben je in jezusnaam mee bezig geweest? Helicopters, duikers, de rivierpolitie – weet je wel hoeveel verdachte sterfgevallen er hier voorbijkomen? We hebben de middelen niet om Sherlock Holmes te lopen spelen bij elke zielige idioot die aanspoelt op de oever van de Theems. Christus, we trekken er waarschijnlijk wel twee per maand uit het water. Dat lijk kan overal vandaan zijn gekomen. Ik heb gehoord dat je zelfs de technische recherche hebt laten aanrukken. Een lijk kan wel vijfenzeventig kilometer van de plaats van het misdrijf aanspoelen, als er tenminste sprake is van een misdrijf.'

Jessie keek op haar horloge.

'En wat doet hij nog hier, verdorie?' Ward prikte met zijn vinger in de richting van Niaz.

Ze was van plan geweest dit onder vier ogen op te lossen, maar nu gunde ze hem zijn nederlaag.

'Voorlopig onderzoek van de beenderen heeft aangetoond dat ze in zwavelzuur zijn gedompeld. Twee siliconenimplantaten hebben het zuurbad overleefd en werden niet ver van het lichaam gevonden. Ze behoorden toe aan Verity Shore.'

'Shit! De kwallen.'

'Juist, Fry, de kwallen.' Jessie wendde zich weer tot Mark. 'Vanochtend zijn hoofdinspecteur Jones en ik naar het huis van P.J. Dean geweest, waar de heer Dean ons persoonlijk vertelde dat zijn vrouw al vijf dagen wordt vermist. Over een uur wordt er een volledige autopsie verricht in het Charing Cross ziekenhuis die ik als leider van het onderzoek zal bijwonen.'

'Wacht even, heb jij de leiding van het onderzoek? En de chef dan?'

Jessie bleef over zijn hoofd heen praten. Ze zou hem zijn insubordinatie door zijn vette strot duwen. 'Hoofdinspecteur Jones ligt in het ziekenhuis met een opengebarsten maagzweer. Hij heeft mij de leiding gegeven. Ik heb mijn team naar hier laten overplaatsen. Zorg alsjeblieft voor een meldkamer en een briefingruimte voor wanneer ik terugkom van de autopsie, die ons hopelijk de absolute zekerheid geeft dat de stoffelijke overblijfselen van Verity Shore zijn.'

Doodse stilte.

'Agent Ahmet zal me bijstaan en rechercheur Burrows wordt mijn assistent-rechercheur. Beiden gaan nu met me mee naar het ziekenhuis. Bedankt voor jullie aandacht.'

'En ik dan?' vroeg Fry. Dit was een grote zaak, daar wilde hij bij zijn.

'O ja, rechercheur Fry, dank je dat je me eraan herinnert. Niaz, geef die bandjes aan rechercheur Fry, dan kan hij beginnen met nakijken. Deze komen uit de bewakingscamera's bij het huis van Dean. Wanneer je iemand ziet weggaan, noteer je de tijd. Wanneer er iemand komt, noteer je de tijd. Wanneer er iets wordt gebracht, noteer je de tijd. Nummer alles en laat het me zien wanneer ik terugkom.'

'Maar...'

'Oké, Niaz, Burrows, we gaan.'

'Ja, chef,' zeiden ze in koor.

Jessie liep terug naar de gang. Voorzover ze zich kon herinneren, was dit de eerste keer dat ze op haar werk had staan trillen.

'Waar zijn die medische dossiers, Burrows?'

'Onderweg, per fietskoerier.'

'Is dat veilig?' vroeg Jessie, terwijl ze haastig de gang af liep.

'Het zijn ervaren fietsers.'

'Ja, maar zijn ze ook bestand tegen een aanbod van grof geld?'

Haar ademhaling werd normaler met elke stap die haar verder van Mark Ward verwijderde. Ze wierp een snelle blik achterom, zag daardoor de persvoorlichtster niet die onverwacht uit een zijdeur verscheen en liep haar per ongeluk ondersteboven. Kay Akosa viel achterover en gleed een paar meter op haar welgedane achterste over de grond voordat ze tot stilstand kwam.

'Ach hemel, sorry.' Jessie hielp haar overeind.

'Kijk jij niet waar je loopt? Heeft niemand je verteld dat je niet mag rennen in de gangen?'

'Jawel, op school, toen ik twaalf was.'

Kay Akosa trok haar hand terug en wreef hem tegen haar andere hand. Kay had de reputatie van een tiran die zenuwachtige nieuwe rekruten in tranen kon laten uitbarsten over hun eigen gezichtsuitdrukking wanneer ze werden gefotografeerd tijdens het toezicht houden bij een staking. Ze kapittelde hen over hun kapsel, hun acne, hun gezichtshaar, hun gewicht. Verity Shore was niet de enige die zich bewust moest zijn van haar imago. Deze jonge agenten hadden nauwelijks genoeg geld voor een biertje en een patatje, laat staan voor trendy kappers, schoonheidsspecialisten en gezichtsbehandelingen. Toen Jessie pas haar intrede had gedaan bij West End Central hadden ze iemand nodig om buiten het gebouw iets voor de camera te zeggen. Ze herinnerde zich Kay Akosa's veelzeggende woorden:'Jij ziet er leuk uit, jij moet het doen.' Het was niet eens een zaak van de moordbrigade. Jessie had geweigerd en sindsdien hadden mevrouw Akosa en zij niet meer samen koffie gedronken.

'We hebben alle grote kranten in het land aan de lijn gehad over onbevestigde berichten dat Verity Shore is verdronken. Wat moet ik daarop zeggen?'

'Niets.'

'En een van die kranten weet dat je vanochtend bij het huis van P.J. Dean bent geweest.'

'Shit!'

'Dus?'

'Ik heb je niets te zeggen.'

'Ik kan hun niet niets vertellen. Daar nemen ze geen genoegen mee.'

'We weten nog niet wie we in het mortuarium hebben liggen. Geen commentaar dus.'

'Ze weten al dat er een lijk is gevonden.'

'Mooi toch. Dan weten ze net zoveel als wij.'

'Maar...'

'Zodra ik meer weet, kom ik naar de perskamer.'

De vrouw leunde achterover op haar hielen en kruiste haar armen. 'Waar is Jones?'

Jessie negeerde haar. Samen met Niaz en Burrows liep ze weg.

'Denk maar niet dat ik het debacle met Jami Talbot ben vergeten,' riep Kay hen achterna. Niemand keerde zich om.

'Ben je al eens bij een autopsie geweest, Niaz?' vroeg Jessie toen ze de parkeerplaats bereikten.

'Nee.'

'Nou, dan heb je geluk. Mijn eerste was een vrouw die was verkracht en gewurgd en die daarna nog twee weken in een greppel had gelegen. Dit is een eitje. Sally zei dat ze het heel druk hadden, dus waarschijnlijk liggen de andere tafels vol met op elkaar gestapelde lijken. Het is er koud, maar ik denk niet dat het lang zal duren, dus dat moet kunnen. Ze geven je een masker, iets om over je schoenen te doen en een groene doktersjas.' Ze keek hem aan. 'Kun je dat aan?'

'Jawel, chef.'

'Oké, dan gaan we.'

De beenderen lagen op een bolle roestvrijstalen tafel die licht was gekanteld naar de kant waar de voeten hadden moeten zijn. Op die manier kon het stromende water weglopen en alle modder en slib meenemen die het terugtrekkende tij had achtergelaten. Het was de schoonste autopsie die ze ooit had bijgewoond. De fotograaf schoot zijn plaatjes. De patholoog somde op wat er ontbrak. Een paar kleine botjes die in de omringende modder waren gevonden werden gebracht. De meeste bleken bij het skelet te horen, op één na.

'Doodsoorzaak onbekend. Haarscheurtje in de nekwervels, recent, kan zijn veroorzaakt door een klap op het hoofd, maar het lichaam kan ook na het overlijden zijn gevallen. Valt niet te zeggen. Een vrouw, ja, leeftijd tussen dertig en veertig. Vroege teke-

nen van osteoporose en calciumgebrek. Oude breuk uit de kin-
derjaren van de bovenarm, bijna onzichtbaar, ik had het haast
gemist. Het interessantste van deze zaak is de zuurtest die mijn
collega Sally Grimes vanochtend vroeg heeft uitgevoerd. Zij was
aanwezig op de vindplaats, samen met inspecteur Driver, en ze
konden beiden niet accepteren dat dit een of ander oud verdrin-
kingsslachtoffer was. De onderzoeksresultaten zijn zeer verhelde-
rend. Wil je het misschien uitleggen, Sally?'

Sally stapte naar voren.

'Goedemiddag, iedereen. De eerste test wees uit dat het vlees
en de inwendige organen zijn weggevreten door zwavelzuur,
maar verder onderzoek heeft sporen van ammonia aangetoond.
Ammonia op zich kan niet zoveel schade aanrichten als het zwavelzuur, maar het is wel de reden waarom de beenderen zo wit
zijn. De ammonia heeft ze gebleekt.'

'Als peroxide,' zei Jessie.

'Peroxide is een veel zwakkere vorm van ammonia, maar in
principe is het hetzelfde, ja.'

Jessie staarde naar de overblijfselen van de geblondeerde
vrouw met de grote tieten. De implantaten lagen in een glazen pot. Als Niaz het tweede implantaat niet had gevonden,
zou het een hele klus zijn geweest om de juiste persoon te
traceren. Verity Shore was bepaald niet de enige. Er waren er
velen zoals zij. Zij had het niet hoeven zijn. Het had iedereen
kunnen zijn.

'Is er bekend wie ze is?' vroeg de patholoog.

Rechercheur Burrows' pieper ging af. Hij keek naar Jessie.
'Het dossier is er.'

'Ga het dan halen.'

Ze keek weer naar de patholoog. 'Als uit het dossier blijkt dat
ze als kind haar arm heeft gebroken, dan is het Verity Shore. Zo
niet, dan wil iemand ons laten geloven dat het Verity Shore is. Het
is allebei mogelijk.'

Plotseling ging de patholoog een licht op. 'Verity Shore, die
blonde die altijd haar kleren uittrekt? Die met die grote tieten?'

'Blond uit een flesje en borstvergrotingen. Vorige week donderdag leefde ze nog.'

'Mijn hemel,' zei hij, en keek weer naar de gebleekte beenderen die in een plas stromend water op de tafel lagen. Dat was het
somberste scenario. 'Wat is het beste waarop je kunt hopen?' vroeg
hij.

'Dat dit oude botten zijn en dat Verity Shore probeert de voorpagina's te halen.'

'Zover zou niemand gaan,' zei Sally Grimes. 'Toch?'

Niemand antwoordde. De publiciteitsstunts van voorpagina-geile beroemdheden werden steeds wanhopiger. Zwanger worden was al niet meer goed genoeg. Zwanger worden, coke gebruiken en jezelf van de trap laten vallen nog wel. Het was dus niet onmogelijk. Verity Shore kon gewoon een ambitieuzere versie zijn van Jami Talbot. De deur zwaaide open. Burrows had het dossier in zijn hand en las het al lopend voor. 'Twaalf jaar... van een paard gevallen, arm gebroken.'

De patholoog pakte het dossier aan. Hij las het, bladerde verder en keerde terug naar het lijk. Hij keek op. 'Verity Shore zal meer voorpagina-aandacht krijgen dan ze ooit had kunnen dromen. Zij is het.'

Jessie was de deur al uit. 'Bel Jones, Burrows. Vertel het hem.' Ze stroopte onder het lopen haar groene mortuariumjas af. 'Niaz, stuur direct twee agenten naar het huis van P.J. Dean − wie er maar het dichtst in de buurt zijn.' Jessie sprong van haar ene voet op de andere terwijl ze haar schoenhoezen verwijderde.

'U kunt maar beter de persvoorlichter bellen,' zei Burrows.

'Shit.' Ze haalde haar telefoon te voorschijn en toetste een nummer in. 'Inspecteur Driver hier. Als u luistert, P.J., neem dan alstublieft de telefoon op. Ik ben bij u thuis geweest...'

'Hallo?'

'P.J.?'

'De telefoon gaat steeds − journalisten. Wat gebeurt er?'

'Ga het huis uit, breng de kinderen naar een veilige plek. De pers weet dat we u vanochtend een bezoek hebben gebracht, de hel kan elk moment losbreken.'

'Shit!'

'Misschien zijn we gevolgd.'

'Lulkoek.' Hij begon te schreeuwen. 'IK HEB EEN VERRADER IN MIJN HUIS, VERDOMME!'

'Ik heb u mijn mobiele nummer gegeven. Bel me wanneer u het huis uit bent.'

'Ze is het dus?'

'P.J., bel me wanneer u het huis uit bent.'

'Denkt u dat mijn telefoon wordt afgeluisterd?'

'Ik denk aan de jongens.'

'Oké, oké, verdorie. Ik bel u terug.'

Jessie liet de telefoon weer in haar zak glijden. Burrows sloeg haar gade. 'Wat is er?'

'U weet dat u misschien een schuldige beschermt,' zei Burrows.

'Misschien. Maar misschien is hij onschuldig. En dat zijn die kinderen in elk geval. Je weet hoe die journalisten zijn.'

'En als ze ervandoor gaan?'

Ze overwoog de mogelijkheid. Niaz was al bezig met zijn radio. Ze wendde zich weer tot Burrows. 'De pers zit hem al op zijn nek. Over vijf minuten kan die man niet eens meer naar de wc zonder dat de hele wereld het weet. Hij gaat nergens heen. Bel Kay Akosa. We geven een korte verklaring af: Verity Shore is dinsdagochtend om 06.05 uur dood aangetroffen op de oever van de Theems. De familie is op de hoogte gebracht en er wordt een onderzoek ingesteld naar de doodsoorzaak.'

'Is dat alles?'

'Wat wil ze nog meer? Gruwelijke details?'

'Dat Ahmet en u die kwallen hebben gevonden?'

'Nee.'

'Dat is wel interessante informatie, chef.'

'Wil je dat die kinderen weten dat hun moeder in zuur werd gedompeld?'

'Zij lezen de kranten niet.'

'Toe nou, Burrows, die jongens gaan naar school, de ouders van hun klasgenoten praten erover, kinderen vangen dat op, overal schreeuwen de krantenkoppen hen op ooghoogte tegemoet... Wat denk je in hemelsnaam dat ze zullen doen? Een gezamenlijke afspraak maken dat ze de zaak niet in hun aanwezigheid zullen bespreken? De oudste is zeven, hij komt op de speelplaats in contact met veel oudere jongens en meisjes die heel goed weten dat zij Verity's kinderen zijn, dat ze rijk zijn. Denk je dat ze het voor zich zullen houden? Zorg voor een gerechtelijk bevel, wat je maar nodig hebt, maar deze informatie blijft bij ons. Als er iemand naar de pers stapt, verliest hij zijn baan, zijn pensioen, zijn....' Ze balde haar vuisten.

'U kunt dit niet onder de pet houden,' zei Burrows.

'Ik kan het proberen.'

'Chef, Verity Shore werd in zuur gedompeld en geïdentificeerd aan de hand van haar neptieten die ze naar eigen zeggen niet had... daar hebt u al geen greep meer op.'

Jessie wilde het niet horen.

'Neem het niet op tegen de pers, chef. Dat verliest u.'

Ze draaide zich om. 'Wat moet ik dan doen?'

'Gooi ze kleine hapjes toe, op die manier blijven ze jagen op het verhaal, maar worden ze niet zo agressief dat ze elders op zoek gaan naar bloed.'

Jessie bleef bij haar mening, maar ze besefte dat hij gelijk had.

'We leven in een door de media beheerste wereld. De sensatiepers maakt de dienst uit, die wilt u niet tegen u in het harnas jagen. Geef hun de tieten, houd de rest bij u en laat P.J. Dean zijn mond houden.'

'Wat een circus, verdomme,' zei Jessie boos.

'Absoluut! Maar als u maar zorgt dat u de dompteur bent.'

Ze schonk hem een dankbare glimlach. 'Bedankt, Burrows.'

'Graag gedaan, chef.'

'Oké dan, vertel Kay over de implantaten, maar ik wil het persbericht wel zien voordat het wordt vrijgegeven.'

'Wat moet ik doen?' vroeg Niaz.

'Ga terug naar de waterkant. Ik wil dat die riooltunnels worden doorzocht. Zelf ga ik naar het huis van P.J. Dean om uit te zoeken wat zich heeft afgespeeld in het paradijs.'

'Dus u denkt *wel* dat P.J. Dean er iets mee te maken heeft,' merkte Burrows op.

'Dat heb ik niet gezegd.'

Jessie stond in Verity Shores slaapkamer en staarde naar de bloembak. Chrysanten. Vers geplant. Een paar uur geleden. Te vers. Opnieuw tilde ze haar camera op en nam een foto. Daarna wenkte ze een van de mannen in plastic overalls. Het was de man uit de douche. De dappere. 'Breng die bloembak naar binnen,' zei Jessie, 'en zorg dat je vingerafdrukken neemt op dit raam en overal eromheen, zowel buiten als binnen.'

'Komt voor elkaar.'

Ze draaide zich om en keek hem aan. 'Wat nu, geen hatelijke opmerkingen, geen uitdagende gebaren?'

'Eerlijk gezegd vroegen de jongens en ik ons af of u naderhand iets met ons wilt gaan drinken. Onze manier om te zeggen dat het ons spijt dat we zo lullig deden.'

Jessie trok een van haar wenkbrauwen op.

'Omdat we zulke klootzakken waren dan.'

'Trakteren jullie?'

'Met al die overuren die we dankzij u maken zou het grof zijn dat niet te doen.'

'In dat geval neem ik het graag aan.'

Hij draaide zich om en stak zijn duimen omhoog tegen de drie mannen die zich systematisch door Verity Shores privé-leven ploegden.

'Vergeet die bloembak niet,' zei Jessie. 'En kijk de afvoerbuizen na op grote hoeveelheden bloed.'

Hij legde zijn hand op zijn hart. 'Uw wens is mijn bevel,' zei hij en boog licht.

'Houd op.'

Hij glimlachte. 'Sorry.' Daarop stak hij zijn hand uit. 'Mijn naam is Ed.'

'Chef,' schreeuwde iemand uit de badkamer. 'U kunt beter zelf even komen kijken.' Jessie liep door de garderobekamer naar de spiegelzaal. Twee van de mannen in witte pakken leunden over de verhoogde opbouw onder het bad. Hun aanwezigheid accentueerde de graftombeachtige sfeer van de badkamer. Een van hen had een tegel losgewrikt. 'Ik zag dat het ding loszat toen ik mijn knie erop zette. Het ziet ernaar uit dat iemand een voorraad pillen heeft aangelegd.'

Jessie keek in het gat. P.J. Dean had gezegd dat alle pillen en alle drank uit het huis waren verbannen. Dat betekende dat Verity haar toevlucht had genomen tot een list. Jessie had al eerder de drank in de shampooflessen gevonden en nu doken er pillen op. Ze haalde een pincet uit de kast en pakte er een op.

'Ik geloof dat er wat badwater op terecht is gekomen. Ze zijn allemaal gedeeltelijk opgelost,' zei de man die de tegel vasthield. Jessie tuurde weer in het gat. 'Zouden ze dan niet zijn opgelost tot één dikke prop?' vroeg ze. 'Doe ze allemaal in een zak, breng ze naar het laboratorium en laat ze onderzoeken.'

'Wat denk u dat het is?'

'Het kan van alles zijn – amfetamine, antidepressiva, pijnstillers, ecstasy. P.J. Dean zei dat ze zich vaak in haar kamer terugtrok, misschien amuseerde ze zich hiermee.'

'Ik denk dat we hier verder klaar zijn.'

'En de garderobe?' vroeg Jessie. 'Iemand moet al die schoenendozen nakijken.'

'Waarom?'

'Waarom? Omdat het goede bergplaatsen zijn en het ziet

ernaar uit dat Verity Shore een hoop te verbergen had. Daarna gaan we naar de pub. En geen woord hierover mag buiten dit huis uitlekken.' Ze beloofden het haar stuk voor stuk en Jessie vroeg zich af hoeveel dat waard was. Zoals P.J. Dean al had gezegd kon je mensen altijd maar tot op zekere hoogte vertrouwen. Iedereen heeft zijn prijs.

Jessie verliet het huis en liep langs de achterkant van de garage. Daar bevond zich een dikke regenpijp met twee aftakkingen op verschillende hoogtes. Op de grond stonden afvalcontainers. Als er hier voetafdrukken waren geweest, dan waren ze weggeveegd. Iemand had opgeruimd en wat getuinierd. Jessie zette haar voet op de stevigst uitziende container, greep de regenpijp, plaatste haar andere voet op een vensterbank en slaagde erin met haar linkerhand de eerste aftakking te grijpen. Een dikke spijker die nergens voor diende bood het derde houvast voor haar voet en een overloopbuis het vierde. Binnen tien seconden stond ze op het dak. Ze liep over het vlakke, warme asfalt naar Verity's raam. De bloembak was weggehaald, met achterlating van twee forse haken. Het was een flinke stap omhoog, maar niet ondoenlijk. Als het moest. Ze draaide zich om, leunde tegen de witte muur, haalde haar telefoon te voorschijn en toetste een nummer in.

'Fry, met Driver. Heb je iets gevonden op die videobandjes?'

'Geen donder.'

Ze knikte tegen zichzelf. 'Mooi.'

'Mooi? Ik heb urenlang naar hetzelfde plaatje zitten staren en u vindt dat mooi?'

'Ja. Ik wilde je niet belasten met iets te gecompliceerds.'

'Luister, chef. Het spijt me van...'

'Vergeet het. Blijf die bandjes bekijken.'

'Wat verwacht u dat ik zal vinden?'

'Niets.'

Ze klapte haar telefoon dicht, liep terug over het garagedak en keek uit over de tuin. Aan de rechterkant van het huis stond een gebouw dat eruitzag als een overdekt zwembad. Een zwembad betekende chemicaliën. Chloor. Bleekwater. Allemaal spul van dezelfde familie. Het betekende ook ligstoelen. Privacy. Ze liet zich achterwaarts van het dak glijden, klampte zich vast aan de overloopbuis en slaagde er zo vrij gemakkelijk in omlaag te klimmen, ondanks het feit dat het donker begon te worden. Ze tastte naar de spijker. Misschien was dat ding toch niet zo overbodig. De vensterbank, de vuilnisbak, de grond. Ontsnapt. Maar niet naar de buitenwereld. Dan zouden de camera's haar hebben geregistreerd. Nee, Verity Shore vond haar toevlucht binnen het eigen terrein. Misschien wel geboden door de bewonderende armen van een zeventienjarige jongen.

Dit huis bevatte geheimen. Jessie kon het voelen. Ze liep over het keurig gemaaide gazon, langs de voetbaldoelen naar het overdekte zwembad. Naarmate ze dichterbij kwam, werd de geur van chloor sterker. De ruimte zat niet op slot. Het was een groot zwembad, maar Jessie had gemakkelijk van de ene kant naar de andere kunnen lopen. Niet omdat het water overal ondiep was, maar omdat het bassin leegstond. Leeggelopen. Jessie belde het forensische team. En het oogsten begon weer.

'Bedankt dat je me op deze afschuwelijke plek komt opzoeken, Mark.'

'Kleine moeite, chef. Ik wilde toch even met u praten. Die Jessie Driver, die begint...' Jones stak zijn hand op. 'Ze runt de afdeling als een despoot, ze omzeilt de persvoorlichting, ze is...'

'Een ander soort rechercheur dan jij en ik, Mark, dat is alles, maar dat betekent niet dat ze op haar manier niet net zo goed is. Jij moet in mijn afwezigheid leiding geven en niet een slagveld aanrichten. Ik heb iets belangrijks voor je te doen.'

'Toezicht houden bij een optocht van bejaarden?'

'Toe nou, Mark, ik ben te ziek voor jouw kinnesinne. Je bent een prima vent, laat me haar daar niet van moeten overtuigen.'

Ward schudde zijn hoofd. Deze peptalk stuitte af op het pantser van jaren van drank, mannenwereld, huwelijksproblemen en lijken. Hij had het politiekorps te veel gegeven om te worden gepasseerd door een meisje dat half zo oud was als hij en niet aan zijn ervaring kon tippen. 'U zegt het maar.'

'Alsjeblieft?'

'Wat is dat voor belangrijke zaak?'

Jones overhandigde hem het dossier. 'Zoek Frank Mills op. Gebruik alle benodigde middelen, doe wat je moet doen, maar zorg dat je hem vindt.'

'Ik dacht dat u dit aan juffrouw Open Universiteit had gegeven.'

'Dat was een vergissing.'

Mark opende het dossier. 'Wel, wel, wel, uw oude vriend Raymond Giles.'

'Precies.'

'Ik herinner me nog dat hij werd veroordeeld.'

'Precies.'

'En dat hij weer vrijkwam.'

'Precies.'

'Hij heeft de vader van deze jongen doodgeschoten en daarna is dat kind verdwenen?'

'Precies.'

'Hoe oud zou hij nu zijn...'

'Precies.' Jones sloot zijn ogen. Toen hij ze weer opende, was Mark Ward verdwenen. Hij had vier uur geslapen.

Jessie kwam de flat binnen, legde haar helm op de houten vloer en liep door naar de keuken. Er stond een geopende fles wijn op tafel en er zong iemand in de badkamer. Jessie schonk een glas wijn in en ging naar de badkamer. Ze duwde de deur open met haar voet. Maggie lag in het bad met zeepbellen tot haar oren. Ze rookte een sigaret, zong mee met de radio en nam kleine slokjes uit een halfleeg glas wijn.

Ze hield op met zingen en keek Jessie aan. 'Hallo, Morse.'

'Hallo, Anthea.'

'Au. Wat ben je laat.'

Jessie deed de wc-deksel omlaag en ging erop zitten. 'Klopt.'

'Man of lijk?'

'Het laatste, helaas.'

'Mag je me er iets over vertellen?'

Jessies zucht was onwillekeurig en kwam diep uit haar binnenste. Ze schudde haar hoofd.

'Mag ik dan mijn hart luchten?' vroeg Maggie

Jessie nam een flinke slok wijn. 'Ga je gang.'

'Om te beginnen wil ik iedereen vermoorden.'

'Oké, maar dat is een hele klus,' zei Jessie met een glimlach.

'Het zit me allemaal tot' – Maggie had geen hand vrij en daarom stak ze een been uit het bad en gleed prompt onderuit – 'hier!' gorgelde ze.

Jessie vroeg zich in stilte af of dit misschien al Maggies tweede fles wijn was. 'Wat is er gebeurd?'

81

'Weet je nog dat programma dat ik wilde doen – dat in Istanbul?'

Jessie kruiste spreekwoordelijk haar vingers en wachtte af.

'Die godvergeten Trut-Met-Titel heeft de klus gekregen. Ik ben ontroostbaar. En woest.'

'Wie?'

'Die afgrijselijke blondine, die magere rijke troela die schrijft – ha, ha – voor de *Mail on Sunday*. Lady Cosima Broome. Ze heeft nog met mijn zus op school gezeten, weet je. Zo stom als het achtereind van een varken. Alleen maar omdat ze een kindermaatje heeft en haar vader het grootste deel van Oxfordshire bezit, krijgt ze mijn baan. Echt, Jessie, ik zou haar kunnen vermoorden. Ik haat hen allemaal, maar haar in het bijzonder. Ik doe mijn werk goed, ongeacht wat die zak van een Cadell heeft geschreven.'

Jessie deed haar mond open om antwoord te geven, maar ze kreeg de kans niet.

'We leven in een krankzinnige wereld, geobsedeerd door beroemdheid, beheerst door de media en vergiftigd door publiciteit. Ik ben naar de universiteit geweest om te leren presenteren en produceren en teksten te schrijven voor de televisie. En ik was er hartstikke goed in. Betekent dat dan helemaal niets? En net wanneer ik denk dat ik een duwtje omhoog kan krijgen, komt er zo'n vervloekte pseudobekendheid en pikt mijn plekje in. Ik zeg het je, Jessie, ze doen allemaal vakantieprogramma's. Zodra een of andere soapster een nieuwe single uitbrengt, sturen de handige jongens bij de pr-maatschappij haar onze kant op – en het kostbare juweeltje laat zich heus niet met Skegness afschepen. Journalisten, glamourmeiden, modellen, zangers, acteurs, actrices, presentatoren van kinderprogramma's, iedereen die zijn of haar carrière wat wil oppeppen, hangt bij ons aan de bel. Je weet wanneer ze hun tijd gehad hebben als onze producers hen negeren en dan zie je ze als eendagsvliegen nog eens langskomen bij *Ready Steady Cook*. Christus, daar word ik zo depresssief van. Waarom kunnen journalisten geen journalisten blijven, waarom moeten ze plotseling schrijvers, voedingsdeskundigen of presentatoren worden? Waarom al die multi-inzetbare flauwekul? Ik heb hard moeten studeren om presentator te worden en wat weten zij nou helemaal? Ik bedoel, die Trut-Met-Titel, toe nou zeg, doe me een lol. Het is zo beledigend!'

'Gaat het al beter?' vroeg Jessie.

'Ik heb een beroemd vriendje nodig.'

'Dat heb je al eerder gezegd.'

'Ik weet wat ik zou moeten doen. Een wonderdieet volgen, naakt poseren voor een mannenblad, me vijf minuten lang verloven met Robbie Williams en er achter komen dat mijn echte vader Jeffrey Archer is. Dat moet me genoeg publiciteit opleveren om bij *The Big Breakfast* te komen. O ja, en met de producer naar bed gaan, had ik dat al gezegd?'

'Meerdere malen.' Jessie schonk het glas van haar huisgenote weer vol. 'Maar gelukkig heb je meer zelfrespect dan al die hittepetitjes bij elkaar. Je doet je werk goed, Maggie. Dat meen ik, anders zou ik het niet zeggen. Je moet gewoon volhouden.'

Maggie wierp Jessie een ondoorgrondelijke blik toe en liet zich dieper in het bad zakken.

Jessie dacht aan Verity Shore en haar leven dat op de foto's zo volmaakt leek. De camera loog. 'Kan het je echt iets schelen? Wil je het werkelijk zo graag?'

'Ja. En dat geldt ook voor jou, anders zou je al die rotstreken die die fijne collega's van je met je uithalen niet accepteren. Ambitie blijft ambitie. Maak jezelf maar niet wijs dat er op het lijkenfront geen ambitie bestaat.'

De deur van Jessies slaapkamer kraakte open. Maggie was roze gekleurd door het te hete bad en te veel wijn.

'Hallo, Rebus,' zei ze.

'Hallo, Fergie,' antwoordde Jessie, en keek op uit *Hello!*.

'Nou zeg, jij bent gemeen.'

'Dat heb je verdiend.'

'Sorry. Ik moet er mee ophouden mijn woede tegen jou te ventileren, bedoel je dat?'

'Dat zou heel plezierig zijn.'

Maggie liet zich op Jessies kingsize bed vallen. 'Eigenlijk ben je dol op me. Luister eens, Bill heeft gebeld, hij vroeg of je misschien nog vakantie hebt. Hij zit in Egypte, toch?' Jessie knikte. Haar broer bereisde de hele wereld voor Artsen Zonder Grenzen. In haar idee was hij een sprookjesheld, iemand naast wie Indiana Jones oud en afgedaan leek. 'Ik geloof dat hij van plan is met een kano de Nijl af te zakken. Ik heb gezegd dat dat precies de soort ontspannende vakantie is die jij nodig hebt na dat gepeuter met al die lijken. Misschien moet ik hem op het idee brengen dat ik hem met een camera kan volgen,' zei Maggie. Jessie schudde het hoofd.

'Iedereen wil graag op de televisie komen, ook mensen die dat niet toegeven.'

'Bill niet,' zei Jessie vol trots. 'Dat vindt hij vreselijk.'

Maggie trok een pruilmondje. 'Zelfs als ik het doe...?'

Jessie glimlachte, maar zei niets. Bill vond Maggie te opdringerig naar zijn smaak. Haar gebrek aan subtiliteit irriteerde hem en ze flirtte altijd met hem. Jessie had tegen Bill gezegd dat hij het niet persoonlijk moest opvatten, Maggie flirtte nu eenmaal met iedereen. Ze miste hem wanneer hij op reis was.

Maggie pakte de tijdschriften die in een kring rond Jessie lagen uitgespreid. 'Jij kleine stiekemerd.'

'Research,' antwoordde Jessie.

'Dat lieg je, verdomme. Dit zijn oude nummers, de nieuwste heb ik in mijn kamer.'

Jessie liet het tijdschrift zakken. 'Het verbaast me dat je tijdens je uitzendingen niet vloekt.'

'Ik ben beroeps, schat. Waar zoek je naar?'

'Nergens naar.'

'Oh, mijn God, je werkt aan de Verity-Shore-zaak! Jessie, dat is fantastisch! Waarom heb je me dat niet verteld? Stomme vraag, ik weet dat je me niets mag vertellen. Betekent dat dat je P.J. Dean zult ontmoeten – mijn hemel, P.J. Dean! Die man is zo sexy. Hij moet hier ergens in staan.'

Jessie trok de tijdschriften weg.

'Oké, ik begrijp de hint. Vertel me dan alleen maar of hij in het echte leven ook zo sexy is.'

Jessie glimlachte.

'Ik wist het wel. Oké, ik ga naar een of ander filmfeestje vanavond, heb je zin om mee te gaan? Je hoeft je werkkleren niet eens uit te trekken, de vrouwelijke lesbolook is erg in op het moment. Heel erg *Matrix*.'

'Ik kan niet. Maar bedankt voor het compliment.'

'Wel, mocht je nog van gedachten veranderen, hier is een uitnodiging. Dan kun je de sterren bespioneren.'

Jessie staarde naar een foto van Verity Shore en haar tweede echtgenoot. In een zwembad. Hetzelfde zwembad dat de technische recherche die middag had uitgekamd op zoek naar restanten van Verity. 'Ik moet werken.'

Maggie leunde naar Jessie over en gaf haar een zoen. 'Je doet maar.'

Jessies mobiele telefoon ging over. Maggie greep het ding.

'Nee, Maggie!'

'Laat mij het zeggen, alsjeblieft, één keertje.'

'Nee.' Jessie pakte de telefoon. 'Inspecteur Driver.'

'Hallo, met P.J.'

Ze wees naar de deur en Maggie verliet met tegenzin de kamer. Jessie slikte. 'Waar zit u in vredesnaam? Ik heb de wind van voren gekregen omdat ik u uit mijn ogen heb gelaten. U zei dat u me direct zou terugbellen.'

'Sorry. Ik moest de kinderen uit de weg zien te krijgen. Dat duurde even.'

'U bent toch nog wel in Londen?'

'Ik neem aan dat het Verity was.'

'Ja. Het spijt me heel erg, meneer Dean. Ik wou dat u me direct had teruggebeld.'

'Noem me toch P.J., verdorie.' Er volgde een lange stilte. 'Kunt u me vertellen wat er is gebeurd?'

'Dat doe ik liever niet via de telefoon.'

'Maakt u zich nog altijd zorgen dat u wordt afgeluisterd?'

'Eerlijk gezegd maak ik me meer zorgen over u, over uw gezin en over wat ik u moet vertellen.'

Ze hoorde een diepe zucht aan de andere kant van de lijn.

'Het was dus geen ongeluk.'

'Absoluut niet.'

'Kunnen we nu ergens met elkaar praten?'

Jessie keek op haar horloge. Het was negen uur. 'Ja. Waar?'

Over een halfuur, midden op Hammersmith Bridge. Ik kom lopen,' antwoordde hij.

Pas toen ze de kolkende watermassa van de Theems zag in het ziekelijke licht van de lantaarns, drong het tot Jessie door dat het eigenlijk wel een merkwaardige plek was.

Ray vlocht een potlood tussen zijn vingers door. Tarek luisterde naar het geluid waarmee het ding tegen Ray's dikke gouden ring tikte. Tarek kon nooit naar Ray's handen kijken zonder zich af te vragen om wiens nek ze hadden gezeten. Hij had zijn huiswerk gedaan wat Raymond Giles betrof. Zijn naam werd in verband gebracht met de dood van ten minste twee vrouwen die in zijn clubs werkten. Hostessen. Prostituees. Welk woord je maar wilde gebruiken, net als bij kompanen of criminelen, Tarek was ervan overtuigd dat Ray erbij betrokken was. Je hoefde hem maar in zijn ogen te kijken. En dan de manier waarop hij dat kruis kuste, als een man die wanhopig graag de demonen op afstand wilde houden. Het was typerend dat een misdadiger als St. Giles bijgelovig was. Tarek dacht dat dat was omdat alleen door en door slechte mensen in de hel geloofden, net zoals alleen door en door goede mensen in God geloofden. De rest van de mensheid zweefde daar ergens tussenin en koos wat op een bepaald moment het beste uitkwam.

De temperatuur in de portakabin steeg langzaam als gevolg van de lampen, Tareks harde werken en Ray's nerveuze energie. Ze probeerden in drie dagen een ongepland programma in elkaar te zetten. Ray probeerde de gasten geheim te houden, maar Tarek begon hem door te krijgen. Hoe meer hij wist, hoe meer gevaar hij liep, maar ook hoe meer greep hij er op had.

Alistair kwam binnen zonder te kloppen, zoals gewoonlijk. Hij liep niet, hij sloop en keek met grote ogen naar Ray, zodat hij eruitzag alsof hij zijn jeugd in het donker had doorgebracht. Tarek vroeg zich af of Ray hem in de gevangenis had gevonden, of hij in de lik had gezeten. Hij had iets bajesachtigs over zich, een mengeling van vrees en arrogantie. Dat zou hun nogal merkwaardige relatie verklaren.

Zodra Alistair binnenkwam, vroeg Ray Tarek om koffie te halen. Dat was nog iets waarvoor Tarek een oplossing had bedacht. Als hij naar de koffieautomaat rende, kon hij het ding instellen en terugkeren naar het open raam om te luisteren. Negen van de tien keer dronk Ray het spul niet eens op.

'Koffie,' blafte Ray. 'Het gaat laat worden vannacht.'

Tarek begon te rennen.

Jessie zat schrijlings op haar motor en zag P.J. Dean aankomen. Hij droeg een grijze wollen muts die tot zijn wenkbrauwen omlaag was getrokken. De kraag van zijn jas was opgeslagen en ondanks het feit dat het niet echt koud was, had hij een sjaal om zijn gezicht geslagen. Zijn handen waren diep in zijn zakken gestoken en hij liep enigszins gebogen. Hij keek even naar Jessie, maar wendde zijn blik toen af naar de andere kant van de brug.

'P.J.?' riep Jessie, en zette haar helm af.

Hij stapte achteruit.'Sorry, u vergist...'

'Ik ben het. Inspecteur Driver.'

Hij krabde zijn ongeschoren kin en tuurde naar haar. 'Ja, natuurlijk. Sorry, u ziet er wat anders uit.'

Jessie zwaaide haar been over de motor en ze liepen naar de leuning van de brug.'Prachtige motor. Een Triumph?'

'Virago.'

'Hebt u hem al lang?'

'Vijf jaar, maar laten we het niet over motoren hebben, want als ik de kans krijg, houd ik er niet meer over op.'

'Vroeger in Manchester jatte ik motoren, racete ermee door de straten en dumpte ze ergens wanneer de benzine op was. Nieuwe benzine konden we niet betalen en we waren te jong om te bedenken dat we ze ook konden doorverkopen.'

'Hoe jong?'

'Tien.' Hij zweeg even.'Ik heb geluk gehad.'

'Veel geluk.' Jessie wist wat er met dergelijke kinderen gebeurde. Als ze geluk hadden, leidde iemand tegen wie ze opkeken hen weg van het onvermijdelijke. De meesten bleven er echter in hangen, kruimeldiefstallen, jeugdgevangenissen, harddrugs, echte criminaliteit en ten slotte de gevangenis. In de bajes konden ze hun eigen kinderen niet opvoeden en zo begon de hele treurige geschiedenis weer van voren af aan.

'Waarom wilde u me hier ontmoeten?' vroeg Jessie.

'Ik ben dol op bruggen, ik geniet van het uitzicht. Ik heb niet zoveel met water, maar van bovenaf vind ik het prima. Ik kom hier vaak 's nachts, wanneer ik zeker weet dat ik niet door drommen mensen word gevolgd.'

'Is dat constant het geval?'

Hij knikte. 'Ik weet dat ik niet mag klagen. Ik heb immers geluk gehad. Maar af en toe zou ik het heerlijk vinden om ergens koffie te drinken, met een vriend te kletsen en plezier te hebben zonder me af te moeten vragen wie er naar me kijkt en wat de motieven van die vriend zijn.' Hij leunde op de pas geschilderde groen-met-gouden leuning. Een boot van de rivierpolitie toeterde ergens op het water. Ze visten naar lijken. Elke avond opnieuw.

'Wat was Verity's motief?'

'Het ergste wat er bestaat, ben ik bang. Maar ik heb haar niet vermoord, inspecteur.'

'U lijkt opvallend weinig getroffen door de dood van uw vrouw.'

Hij haalde zijn schouders op. 'Ik wist al heel lang dat het niet goed met haar zou aflopen. Dat de drank haar om zeep zou helpen.'

'Het was niet de alcohol die haar heeft vermoord.'

Hij draaide zich om en staarde haar aan, maar wendde zijn blik toen weer naar het water. 'U kunt het me maar beter vertellen.'

'We weten niet precies hoe uw vrouw is gestorven, maar we weten wel dat haar lichaam op een bepaald moment in zwavelzuur van industriële sterkte is gedompeld tot er niet meer van haar over was dan haar beenderen. We kunnen alleen maar hopen dat ze niet meer in leven was toen dit gebeurde.' Jessie keek hoe P.J. Dean deze informatie in zich opnam. Hij bewoog zich enkele ogenblikken niet. Hij bleef over de leuning gebogen staan en staarde naar het water dat tegen de fundamenten van de brug beukte. Zijn wimpers raakten bijna zijn wangen terwijl hij omlaag keek.

'Ze zeggen dat verdrinken de mooiste manier is om te sterven. Denkt u dat dat klopt?' zei hij zachtjes.

'Nee,' antwoordde Jessie.

'Nee. Ik ook niet.'

'Hebt u gehoord wat ik zei over Verity?'

Hij keerde zich naar haar toe en keek haar aan. 'Ik kijk nergens van op. We zijn tot zulke verschrikkelijke dingen in staat. Kinderen worden gedwongen om bleekwater te drinken, ze worden verkracht, in stukken gesneden en verbrand, uitgehongerd en gemarteld en dat allemaal alleen al in dit rijke, kleinburgerlijke land van ons. Dus heus, ik kijk nergens van op.'

'Kent u iemand die Verity kwaad zou willen doen, haar zou willen laten verdwijnen?'

'Wel, veel vrienden had ze niet, maar zo uit de losse pols zou ik niemand weten die haar in zuur zou dompelen. Maar aan de andere kant, zulke mensen dragen geen herkenningsteken.'

'Hoe zou u de relatie tussen Bernie en Verity beschrijven?'

P.J. zuchtte. 'Uitgeput. Verity putte ons allemaal uit. Je kunt iemand niet helpen tenzij hij of zij ook zichzelf wil helpen. De eerste regel bij verslaving. Het maakte niet uit dat ze twee geweldige kinderen had die haar aanbaden, het maakte niet uit dat ik van haar hield, het maakte niet uit dat ze alles had wat voor geld te koop was. Zoiets kan twee kanten opgaan. Je haat die ander omdat hij niet verandert, of je haat jezelf omdat je voor die ander niet de moeite waard bent om voor te veranderen.'

'Is dat waarom u haar liet uitgaan, ook al wist u dat ze in moeilijkheden zou komen?'

'We konden haar niet tegenhouden. Hoe houd je iemand tegen die met alle geweld zichzelf wil vernietigen?'

'We zullen alle leden van de huishouding moeten ondervragen, zodat we precies weten wat iedereen deed.'

'Geef me een paar dagen, ik moet de jongens vertellen dat hun moeder deze keer niet thuiskomt. Paul vroeg me al in welk ziekenhuis ze ligt. Is dat niet deprimerend? Je denkt dat je die dingen voor kinderen kunt verbergen, maar dat lukt niet. Hebt u familie – broers en zusters?'

'Drie oudere broers.'

Hij glimlachte begrijpend. 'Was de situatie thuis niet genoeg, moest u ook het oudste bastion van het dominante mannetjesdier bestormen?'

Jessie ging een stap van hem vandaan. 'Ik wilde al rechercheur worden sinds er in een veld niet ver van het huis van mijn ouders een vrouw zonder hoofd werd gevonden. Dat was twintig jaar geleden. Ze weten nog altijd niet wie ze was, hoe ze is gestorven en wie haar heeft vermoord. Mijn carrièrekeuze had niets te maken met mijn broers, maar alles met die vrouw in dat veld. En op een dag zal ik die zaak ook oplossen. Ondertussen zal ik uitzoeken wie uw vrouw heeft vermoord, hoe, waar en waarom, en ik schrik nergens voor terug totdat ik het weet, want de enige die belangrijk is, is Verity, al is ze geworden zoals u schetst. Het enige recht dat een moordslachtoffer overblijft, is dat de dader moet worden gepakt. Ik geef u tot morgenochtend. Dan kom ik iedereen ondervragen, inclusief Craig.'

'Craig? Hoezo Craig?'

'Waarom hebt u het zwembad laten leeglopen?'

P.J. fronste zijn voorhoofd. 'Ik wist niet dat het leeg was.'

'U hebt een zwembad waarvan u niet eens weet dat het leeg is?'

'Ik ben geen waterliefhebber, dat heb ik al gezegd. Waarschijnlijk wordt het schoongemaakt.'

'Wie heeft het dan gebruikt?'

'Dat was heel opvallend van Verity, het maakte niet uit hoe rot ze zich voelde, ze zwom steevast honderd baantjes. Zelfs wanneer ze dronken was, zwom ze heen en weer, heen en weer. Afschuwelijk, dat soort ijdelheid.'

Hij had echt de pest aan zijn vrouw. 'Meneer Dean, spreek in geen geval met de pers, verlaat het land niet en laat u niet in het uitgaansleven zien met een of ander model.'

Hij begon te protesteren.

'Er zijn slechts twee redenen waarom u me niet zou willen helpen de moordenaar van uw vrouw te vinden: u bent de dader of u wilt de dader beschermen. Zodra ik obstakels, publiciteitsonzin of VIP-allures op mijn pad vind, is dat wat ik zal denken. Begrijpen we elkaar?'

'Mijn naam is P.J.'

'Begrijpen we elkaar?'

Hij knikte kort.

Ze zette haar helm weer op en liep terug naar de motor. Opmerkingen over haar broers raakten altijd een gevoelige plek. Misschien was ze haar hele leven bezig geweest zich tegenover hen te bewijzen, maar niet in haar carrière. Haar carrière was van haar en daarin was ze alleen omdat zij als enige daar wilde zijn. Ze had geen leeftijdgenoten binnen het korps en daarbuiten had ze niemand die ze volledig in vertrouwen kon nemen. Ze deed het voor de slachtoffers en hun familieleden, die moesten weten waarom. P.J. Dean keerde haar de rug toe en begon weg te lopen. En wanneer er geen diepbedroefde familieleden waren, deed ze het alleen voor de slachtoffers.

P.J. Dean ging al snel op in de duisternis. Hij had een manier ontdekt waarop hij zich als een normaal mens door de wereld kon bewegen. Het was heel simpel. Hij hoefde zich alleen maar te kleden als een gewoon mens, zich te bewegen als een gewoon mens en gebogen te lopen als een gewoon mens. Opgemerkt worden, dat was het moeilijke deel.

Jessie gaf haar helm en jasje af aan een van de garderobejuffrouwen, terwijl een andere haar handen vol had aan een stel veertienjarige meiden. De twee vroegwijze, veel te zwaar opgemaakte tieners stonden met hun handen op hun onontwikkelde heupen, klampten hun gratis reclametasjes vast en eisten dat de arme Franse garderobejuffrouw hun eigendommen zou terugvinden. Er was blijkbaar een glinsterend avondtasje verdwenen. Dit waren de mensen met wie Maggie naar feestjes ging.

Toen ze de ruimte rondkeek, was Jessie voor het eerst in drie maanden blij met haar carrièrekeuze. Het was moeilijk en sommige mensen probeerden je onderuit te halen, maar je wist tenminste wie je vijanden waren. Als je je werk goed deed, behaalde je resultaten en als je resultaten behaalde, kreeg je promotie. Het slagveld was niet fraai, maar het lag wel open en bloot. Hier kreeg ze het gevoel alsof ze op een tropisch strand stond. Onder het fijne witte zand lag een mijnenveld. Eén verkeerde stap en... boem!

Net toen ze de meisjes eens ongezouten de waarheid wilde vertellen, werkte zich een lange knappe man met donker haar door de toeschouwers en zei zachtjes iets in het Frans tegen het meisje achter de stapel jassen. Het meisje lachte, wierp een blik op de twee tieners en lachte opnieuw. De lange man zei nog iets en het meisje knikte, gaf antwoord en wees toen naar de merkjas die het kindvrouwtje in haar hand hield.

'Het zit in je zak,' zei de man.

Het meisje voelde, vond het tasje, snoof en keerde zich af.

'Ik geloof dat een verontschuldiging wel op z'n plaats is, niet?'

De twee meisjes keken verbijsterd. Hoe durfde iemand hen zo toe te spreken? Onzeker keerden ze hem beiden de rug toe.

'Zelf neem ik wel genoegen met een simpel "Dank u", gezien het feit dat ik heb voorkomen dat jullie je nog belachelijker maakten dan jullie al hadden gedaan.'

'Zij heeft mijn tasje zoekgemaakt,' zei het meisje, en wees naar de garderobejuffrouw.

'Nee, jij hebt het zelf zoekgemaakt. Nu ben je iedereen excuses schuldig.'

'Weet u wel wie ik ben?'

'Een verwend, eigenwijs kind, dat nog net iets onaangenamer is dan de verwende, eigenwijze volwassene die je weldra zult worden. Ik ben bang dat je zojuist een flater hebt geslagen in aanwezigheid van mensen met een goed geheugen. Bied je excuses aan en verdwijn.'

Nu keken de meisjes benauwd, maar toegeven was er niet bij.

'Ik zal tegen mijn moeder zeggen wat u hebt gedaan.'

De man lachte. 'Zij zal van mij horen voordat ik van haar hoor.'

Dat was te cryptisch voor de kinderen. Ze dropen af. Maar Jessie begreep wat hij bedoelde. Ze wist wie hij was. Joshua Cadell, de man die gehakt had gemaakt van Maggie. Ze moest haar huisgenote direct zien te vinden.

Maggie stond in een groepje mensen enthousiast te praten, een en al handen en zwaaiende haren. Jessie wuifde verwoed. Maggie wuifde vrolijk terug en wenkte haar. Ze had geen idee dat Joshua Cadell snel op het groepje mensen bij wie ze zich bevond af kwam. Jessie rende haast de kamer door, greep Maggie beet en draaide haar midden in een zin om.

'De vijand nadert op twee uur,' fluisterde Jessie hees.

'Vijand?' vroeg een robuuste stem naast haar.

'Jessie? Wat leuk dat je bent gekomen. Laat me je voorstellen aan vrouwe Henrietta Cadell,' zei Maggie terwijl ze hard in Jessies arm kneep. Jessie staarde naar het zwaar opgemaakte gezicht van de schrijfster van historische romans. Boeeeem. Waar waren de jongens van de mijnopruimingsdienst wanneer je ze nodig had?

'Lieverd, ik moet weten wie de vijand is,' zei Henrietta Cadell met overdreven nadruk.

'Jessies ex,' antwoordde Maggie snel, met een blik op Joshua en toen op Jessie. 'Het is oké, volgens mij is hij naar de bar gegaan.' Ze knipoogde naar Jessie, maar Jessie knipoogde niet terug.

'Dat spijt me. Liefde is een heftig tijdverdrijf, nietwaar?' Henrietta wendde zich weer tot Maggie. 'Ga door, lieverd, je vertelde me over je volgende grote project. Je wilt je concentreren op het Loiredal, begrijp ik. Dat is geweldig. Heb je een goede producer? Dat is van essentieel belang. Je lijkt me een eersteklas presentatrice, dan moet je ook een goed team achter je hebben.'

Maggie straalde. Jessie deed een stap achteruit.

'Au. Stevige laarzen, dunne leren schoenen. Jij wint.'

Jessie draaide zich om en keek recht in het jongensachtige gezicht van Joshua Cadell. Op de televisie had hij er hoekig en bleek uitgezien, maar van dichtbij waren zijn donkerblauwe ogen helemaal niet bedreigend en zijn haar, dat zo sinister had geleken, viel in krullen over zijn ogen. Hij leek tegen haar te glimlachen, maar daar liet ze zich niet door inpakken.

'Het spijt me dat ik geen naaldhakken aanheb.'

Ze keek toe hoe haar woorden langzaam tot Joshua doordrongen. Ten slotte knikte hij. 'Jij stond bij de garderobe. Ik zag je toekijken. Het spijt me dat mijn vaderlijk optreden je goedkeuring niet kan wegdragen.'

'Oh nee, ze kregen hun verdiende loon.'

Haar vijandigheid bracht hem in verwarring.

'Hebben we elkaar eerder ontmoet...?'

'Nee,' zei Jessie.

Hij fronste zijn voorhoofd. 'Ik heet Josh.' Hij stak zijn hand uit.

'Joshua, schat, kom eens kennismaken met mijn nieuwe vriendin. Maggie...' Henrietta wendde zich weer tot Maggie.

Jessie glimlachte in afwachting van de jammerlijke ontknoping. Die kwam echter niet. In plaats daarvan stak Maggie haar hand, haar borsten en haar lippen uit en trok Joshua naar zich toe. '...Hall,' zei ze liefjes. 'Maggie Hall. Ik geloof niet dat we elkaar kennen.'

Jessies mond viel open. Joshua schudde Maggies hand, maar hij keek naar haar.

'Kennen jullie tweeën elkaar?'

'Ja zeker,' zei Henrietta. 'De ex van deze jongedame loopt hier ergens rond. We schermen haar af. Een gebroken hart is erger dan de pijnbank, lieverd. Maar daar weet Joshua niets van, natuurlijk, gelukkig voor hem.'

'Eigenlijk...' begon Jessie te protesteren.

'Jessie is er al overheen,' zei Maggie.

Jessie was zo boos op Maggie dat ze niets kon zeggen.

'Zullen we iets gaan drinken?' stelde Maggie voor. 'Fijn dat ik u heb ontmoet. Ik vind uw boek geweldig.'

Joshua keek naar Jessie. 'Ik ga toch naar de bar. Wat willen jullie drinken?'

Jessie bleef koppig zwijgen. Dit was Maggies schuld, zij moest het maar oplossen.

'Nee, wij halen wel iets voor jullie. Wat willen jullie?' vroeg Maggie, nog altijd met een pruilmondje.

'Ik loop wel mee,' zei Joshua.

'Nee liever, blijf maar hier. Mijn uitgever is net gearriveerd en je weet hoe dol ze op je is. Henrietta greep Joshua's hand en trok hem naar zich toe. 'En er zijn nog een paar andere belangrijke mensen die je moet ontmoeten. Een andere bewonderaarster heeft een fles champagne gestuurd, dus die kun je net zo goed opdrinken.'

Maggie sleepte Jessie naar het damestoilet. Jessie keerde zich tot haar huisgenote. 'Jij smerige kleine leugenaar! Je leest haar boek helemaal niet. En wat dat aardig zijn tegen...'

'Houd je mond, Jessie. Tot we alleen zijn.'

Maggie wachtte tot twee meisjes de ruimte hadden verlaten voordat ze begon te praten. Jessie ziedde van verontwaardiging. Ze vond het niet erg dat Maggie haar op moeilijke feestjes als steun in de rug gebruikte tot er een geschikte manlijke kandidaat opdook om haar van haar taak te ontheffen, maar dit ging te ver. De deur viel dicht.

'Ik kan niet geloven dat je...'

'Luister, Jessie, ik mag hen heus niet, maar geloof me, je kunt deze mensen veel beter aan je kant hebben.'

'Vast wel, maar ik zal me nooit aan Mark Wards voeten werpen en hem over me heen laten lopen. Waar is je zelfrespect? Dat mens doet uit de hoogte tegen je en dat pik je, dan laat ze je voelen dat je niet belangrijk genoeg bent voor haar dierbare zoon en dat pik je ook. En dan heb ik het nog niets eens over dat kloteartikel dat hij heeft geschreven. Ik vind het gênant.' Jessie besefte dat ze te ver was gegaan toen Maggie zich langs de muur omlaag liet glijden tot ze op de grond zat. 'Sta op, Maggie.' Maggie bewoog zich niet. 'Het spijt me. Dat was niet nodig.' Ze greep Maggies hand en trok haar overeind. 'Ik was geshockeerd.'

'Ik moet het spelletje meespelen, Jessie. Dat weet je best.'

'Ja, dat weet ik.'

'Ze heeft zoveel connecties. Ik moet ervoor zorgen dat ik die aan mijn kant krijg.'

Eigenlijk wilde Jessie zeggen dat het dat niet waard was, dat gezichtsverlies een veel te hoge prijs was, maar ze deed het niet. Ze probeerde Maggie tegemoet te komen. 'In levenden lijve ziet die Joshua er best sexy uit.'

'Je ziet hem toch niet zitten, hè?'

'Ik? Na wat hij jou heeft aangedaan? Dat zou wel een ernstige schending van ons zusterschap zijn. Ik zal hem haten tot mijn laatste snik,' antwoordde Jessie.

'Ik wou dat ik me die luxe kon veroorloven.'

'Kom op, Cilla, pieker er niet verder over. Laten we dat drankje gaan halen. Het is toch gratis.'

Maggie knikte. 'Ik moet plassen. Ik haal je zo wel in. En Jess – wees aardig tegen hem. Ik weet dat die tong van jou kan snijden, maar houd hem alsjeblieft vanavond opgekruld, ja?' Jessie fronste haar voorhoofd. 'Voor mij?'

'Als ik je daar een plezier mee doe.'

Bij de sigarettenautomaat passeerde Jessie een man die zwaar tegen een meisje aan hing. Aanvankelijk dacht ze dat ze stonden te zoenen, maar in werkelijkheid probeerde het meisje hem weg te duwen.

'Maak geen scène,' zei de man, net luid genoeg dat Jessie hem kon verstaan. Onwillekeurig liep ze naar hem toe en tikte hem op zijn schouder. Nu kon Jessie zien dat het meisje jonger was dan de man, veel jonger zelfs en ook heel erg bang.

'Alles in orde hier?' vroeg ze, en keek naar het meisje.

'Oh Christus,' steunde de man. 'Wat moet je?'

'Ik denk dat u een beetje te veel hebt gedronken, meneer.'

'Te veel? Je schijnt niet te weten wie ik ben.'

'Nee. En dat wil ik ook niet weten. Misschien kunt u beter naar huis gaan.'

Hij lachte. 'Heel goed, je klinkt bijna als een politieagent.'

'Dat ben ik ook,' zei Jessie, en hield haar portefeuille open. 'Dus misschien wilt u nu uw hand van de schouder van de jongedame halen en zorgen dat u naar huis gaat, voordat ik u daartoe moet dwingen, wie u ook bent.'

Hij stapte bij het meisje vandaan, dat zo snel mogelijk in de veiligheid van het damestoilet verdween. De man wierp Jessie een laatdunkende blik toe, trok zijn krijtstreeppak recht en liep overdreven voorzichtig terug naar het feest. Jessie had nog maar net haar portefeuille weer weggestopt of Maggie kwam uit het toilet terwijl ze haar handen voor haar neus tegen elkaar wreef. 'Je hoeft niet op me te wachten. Ik ben een grote meid, hoor.'

'Ik was alleen maar...'

Maggie greep haar hand. 'Kom op, laten we die Cadells eens laten zien hoe geweldig ik ben.'

Jessie toverde een beeld voor haar ogen van een lang stuk rivier met biezen en een blauwe lucht en volgde Maggie terug naar de drukte. Ze zag Maggie weer naar de Cadell-groep lopen en er moeiteloos tussen glippen. Ze overwoog of ze haar wilde volgen, maar ze kon het niet opbrengen. Ze had gewoon geen zin om te luisteren naar een veel te dikke historica die audiëntie hield voor een verzameling stroopplikkers. Als ze nu wegsloop, zou Maggie het niet eens merken. Ze keek nog eens achterom en zag Maggie een glas champagne accepteren. Maggie was in haar element, in het hart van de gebeurtenissen, en liet een beetje sterrenstof op zich neerdalen. Geen wonder dat ze zo aandachtig, zo alert keek.

Jessie had haast de uitgang bereikt toen er een hand op haar schouder werd gelegd. Het was Joshua.

'Ga je nu al weg?'

'Ik moet vroeg op,' antwoordde Jessie, en deed een stap achteruit.

'Jammer om zo snel weg te gaan.'

Jessie keek in de richting van Henrietta. 'Er is hier niet veel dat me vasthoudt.'

Joshua lachte. 'De meeste mensen kunnen niet genoeg krijgen van mijn moeder.'

'Ik ben altijd beter geweest in aardrijkskunde,' zei Jessie.

'Ik ook. Maar natuurlijk moest ik ook geschiedenis doen.'

'Wat heb je gehaald?'

Hij glimlachte wrang. 'Vraag dat maar niet, dat is een goed bewaard familiegeheim.'

Ze keken elkaar een ogenblik aan tot Jessie er verlegen van werd. 'Welterusten, Joshua.'

'Mag ik je naar een taxistandplaats brengen?' Ze hield haar helm omhoog. 'Naar je motor dan?'

'Kun je dan weer naar binnen? Het lijkt de Gestapo wel daar bij de deur.'

'Geen probleem. Ik ben de zoon van Henrietta Cadell. Bijna van koninklijken bloede.'

'Zelfs hier?'

'Zij heeft de film geschreven.'

'Oh! Sorry, dat had ik niet in de gaten.'

'Heb je hem niet gezien?'

Jessie schudde haar hoofd. Ze voelde zich opgelaten.

'Maak je geen zorgen, de meeste mensen komen alleen maar naar het feest, zeggen iets over de kostuums en proberen samen met moeder op de foto te komen...'

'En jij dan? Wat doe jij?'

'Ik koester me in haar roem, geniet van de voordelen en mag vaak naar bed met vrouwen die de vrouwe graag als schoonmoeder willen.' Hij glimlachte. 'Het kon erger.'

'Is dat zo?'

'Veel erger. Ik had zelf historicus willen worden. De wereld is niet vriendelijk voor de kinderen van beroemdheden die hun eigen prestaties willen leveren. Dat is een ware vloek.'

'Maar je schrijft, nietwaar?'

Ze bereikten de parkeerplaats. 'Laat me even iets uitleggen over dat stuk.'

'Welk stuk?'

'Dat artikel dat ik over Maggie heb geschreven. De reden waarom jij zo vijandig doet.'

'Trek het je niet persoonlijk aan. Ik ben vaak vijandig.'

'Dat geloof ik niet. Je denkt dat ik je vriendin door het slijk heb gehaald. Dat komt omdat ik door de redactie onder druk word gezet. Ze willen vuiligheid... vuiligheid verkoopt.'

Jessie keek hem aan. 'Het was nogal grof.'

'Dat willen de redacteuren. Gooi met modder of zoek ander werk. Ik zou gewoon thuis kunnen blijven en mijn toelage kunnen uitgeven, maar dat wil ik niet. Iedereen staat onder dezelfde druk. Mensen willen scheldpartijen, maar dat betekent nog niet dat ik er ook zo over denk.'

'Fijn te weten dat de Britse journalistiek in zulke goede handen is.'

'Dat willen mensen lezen.'

'Dat zei je al.'

'Je vriendin schijnt er geen moeite mee te hebben. Ze kent het spel, ze heeft het zich niet persoonlijk aangetrokken.'

Niet waar jij bij bent, nee. Maar achter gesloten deuren, met een fles wijn en een destructieve portie twijfel aan haarzelf... 'Luister eens, het is al laat, ik ben moe... Bedankt dat je me naar mijn motor hebt gebracht, maar...'

'Je moet nu naar huis,' zei Joshua en boog licht zijn hoofd.

'Ja. Welterusten.' Ze zette haar helm op, duwde de motor van zijn plek en startte hem.

'Sluit jij nooit compromissen in je werk?' vroeg Joshua.

Jessie tikte tegen de zijkant van haar helm. 'Sorry, ik kan je niet verstaan.'

'Laat maar,' schreeuwde Joshua. Mooi, dacht Jessie. Ze had er een hekel aan mensen te vertellen wat voor werk ze deed. Meestal meden ze haar daarna, of begonnen te zeuren over hun problemen met de buren.

De aarde blies warme lucht in het koude gezicht van de dageraad. Herten snoven, kwamen in beweging en hergroepeerden zich. In de verte leken de bomen te zweven terwijl de zon te voorschijn piepte boven de horizon. De hardloper versnelde zijn pas, sneed door de mistflarden en verstoorde de rust. Hij inhaleerde diep, de koude lucht prikkelde in zijn neusgaten. Boven zijn hoofd vlogen zwermen vogels uit de bomen. Ze krijsten. Hij spuwde. Voor hem uit blafte zijn hond, maar hij ging niet harder lopen. De hond blafte vaak, meestal tegen de herten.

Hij sloeg rechtsaf en rende tussen de vier reusachtige eiken door die het begin markeerden van het laatste stuk van de uithoudingstest van die dag. Zijn tempo versnelde iets. Als een geoefend paard werd hij voortgedreven door de gedachte aan thuis en een warme douche. Hij keek ernaar uit, maar naar beneden keek hij niet. Plotseling was de grond hoger dan hij hoorde te zijn. Zijn nietsvermoedende enkel draaide in een vreemde hoek, hij hoorde het veelbetekenende gekraak van bot en viel voorover. Hij bleef liggen in de vochtige mulle grond en rook de geur van bederf terwijl hij wachtte tot zijn enkel ging protesteren. Hij voelde echter alleen een dof geklop. Het voelde niet als een breuk. De hond blafte nu harder. De hardloper draaide zich om om te zien waarover hij was gevallen. Het grijs-witte vlees van een naakt lijk glinsterde hem toe van onder de vochtige bruine bladeren. Hij begon te schreeuwen.

Jessie stond buiten het huis van P.J. Dean met een dubbele espresso in haar hand toen ze het bericht hoorde. De parkpolitie had een lijk gevonden in Richmond Park. Een of andere onfortuinlijke jogger had zijn voet dwars door het borstbeen van een dood lichaam gestoken. Het lijk was mogelijk geïdentificeerd, maar de parkpolitie wilde zich nog niet binden. Jessie wist wel waarom. De vossen. Het was een schrale tijd van het jaar. Zo'n gemakkelijke prooi maakte identificatie moeilijk.

Ze toetste de veiligheidscode in om de poort open te laten gaan. P.J. had al het overbodige personeel weggestuurd, maar toch krioelde het huis van de mensen. Haar mensen. Ze doorzochten elke centimeter van het huis, de tuin en het zwembad. Ze keek hoe de groene poort open gleed, terwijl ze half aan Verity Shore dacht en half naar het gekraak van de politieradio luisterde.

'...met armen en benen wijd uitgespreid tussen vier grote eiken in de Isabella Plantation. De parkpolitie vraagt om assistentie hierbij.'

Isabella Plantation. Modder. Armen en benen wijd uitgespreid. Jessie pakte de radio.

'Inspecteur Driver en agent Ahmet op weg naar locatie,' blafte ze, en wuifde naar Niaz dat hij moest instappen. Ze gooide de auto in z'n achteruit. 'Geschatte aankomsttijd over zeven minuten.'

Jessie en Niaz volgden de brigadier door het knisperende koude gras, weg van het lijk. Ze sloeg nog een snelle blik op het lichaam. Ze voelde zich misselijk worden en stapte snel opzij. Ze was blij met haar lege maag. De stukken grond die nog niet waren opgewarmd door de opkomende zon waren bedekt met rijp. Op andere plekken hingen de dauwdruppels op elk denkbaar oppervlak. Het zou een prachtige ochtend zijn geweest. Ze was bijna jaloers op de jogger. De technische recherche had zijn werk goed gedaan. Het terrein was afgezet met band, er stond een agent bij de toegang en een man nam foto's van elke boomstam. Een van de mannen in witte pakken liep naar haar toe. Hij glimlachte. Het was Ed.

'Weer zo'n saaie dag op kantoor?' vroeg Jessie.

'Toen we hoorden dat u onderweg was, dachten we dat we maar beter konden zorgen dat de boel er goed uitzag.'

Ik sta dus nog steeds in de gunst, dacht Jessie.

'Prachtig pak,' zei Ed.

Jessie keek van haar leren broek naar zijn plastic pak uit één stuk met de bijbehorende capuchon.

'Het spijt me dat ik van jou niet hetzelfde kan zeggen.'

Hij haalde zijn schouders op. 'Mij spijt het dat ik u niet poedelnaakt in de douche heb gezien, maar je kunt niet alles hebben.'

'Ik ben dus in het voordeel en jij moet een hoofd in een zak stoppen.'

'En wat voor hoofd,' zei hij, en wees naar het lijk. Hij keek haar met half dichtgeknepen ogen aan. De laagstaande zon accentueerde de gele vlekjes in zijn ogen.

'Jessie?'

Ze draaide zich om. Sally Grimes kwam aanlopen tussen de

99

bomen, haar tas in haar hand, een hoed op haar hoofd en haar voeten in stevige schoenen.

'Sally, bedankt dat je bent gekomen.' Ze schudden elkaar hartelijk de hand.

'Is het waar? Is het Eve Wirrel?' vroeg de patholoog.

Nieuws verspreidt zich snel. Roddel nog sneller. 'Dat zijn onbevestigde speculaties, maar ze draagt een halskettinkje met de naam Eve erop, dus...'

'Ik zal gaan kijken. Ga je mee?'

Nog niet. Jessie was nog niet helemaal klaar om terug te gaan. 'Ik wil eerst even naar deze bomen kijken. Ga maar met Ed mee, hij wilde net het hoofd, de handen en de voeten inpakken.'

'Maar niet de vrouw,' zei Ed dubbelzinnig, en keek naar Jessie.

'Nee, zei Sally nietsvermoedend. 'Geef me eerst een paar ogenblikken, dan doen we haar daarna in een zak.'

Jessie liep naar de fotograaf. Mensen van de technische recherche stonden bekend om hun verwrongen gevoel voor humor. Ze brachten duidelijk te veel tijd door met lijken. Ze glimlachte. Lieve hemel, het was besmettelijk. Ze stelde zich voor aan de fotograaf. Die liet haar een aantal inkepingen in de stam zien: D.E.C.

'Maar het is oktober. Misschien is het een jongensnaam.'

'Er is nog meer.' De fotograaf wenkte haar om hem te volgen naar de tweede boom.

'o.m.p. Wat betekent dat?'

'Wacht.'

Ze vervolgden hun wandeling langs de rand van het terrein. Jessie bleef naar Sally Grimes kijken. De patholoog had een masker over haar mond getrokken. Ze knielde bij het lijk en nam de temperatuur op.

'Kijk daar eens naar,' zei de fotograaf. Nog eens drie letters, net zo groot, deze keer waren het weer hoofdletters: O.S.I. Jessie sloot haar ogen.

'Volg me,' zei de fotograaf.

'Het is goed,' zei Jessie. 'Ik snap het al.'

'Nee, u moet kijken.'

'Tio – t.i.o.'

De fotograaf bleef staan. 'Hoe wist u dat?' Jessie zei niets. 'Het is geweldig, nietwaar? Ik bedoel, ze was altijd al te gek, maar dit is werkelijk bijzonder. Ik bedoel, Jezus, om hier te zijn – het is maar goed dat ik zoveel film heb meegebracht.'

'Hoe weet u zo zeker dat het Eve Wirrel is?'

'We hebben samen op de kunstacademie gezeten.'

'Hebt u haar herkend?' *Dat.*

'Haar sieraden en haar haar hebben haar verraden.'

'En vindt u dat niet vreselijk?'

'Vreselijk? Eves laatste project. Voorzien van titel zelfs.' Hij glimlachte. 'Het is een godsgeschenk.'.

'Luister. ik geloof niet dat u...'

'Doe geen zak over haar hoofd!' schreeuwde de fotograaf in Jessies oor.

Ed en Sally keken op. Ook alle anderen hielden op met waar ze mee bezig waren.

'Dat moet hij doen,' zei Jessie, terwijl ze wachtte tot het gegalm in haar oor ophield.

'Jezus,' zei de fotograaf, en beende terug naar de toegang van het afgezette stuk grond. 'Dit is kunst, daar gaat het allemaal om. Zodra de bladeren zijn opgeruimd, moeten we haar fotograferen, zoals haar bedoeling was.'

'U bedoelt dat u dat moet doen,' zei Jessie.

'Ik ben fotograaf.'

Jessie knikte langzaam. 'Ik geloof dat u nu beter kunt gaan.'

'Wat! Ik heb de hele ochtend foto's genomen.'

'Ja, en ik wil graag nu alle filmpjes.'

'Doe niet zo belachelijk. Ik ontwikkel alles voor de politie altijd zelf.'

'Deze keer niet. Het spijt me. Dit is geen carrièrekans. U wordt door de politie ingehuurd om foto's te nemen van de plaats van het misdrijf. Die filmpjes zijn ons eigendom.'

'Dit kan verdomme niet waar zijn.'

'Toch wel. Fry, zorg ervoor dat meneer alle filmpjes inlevert. En ook de polaroidcamera in zijn linkerzak. En nu wil ik graag de polaroidfoto's van de bomen, alstublieft.' Ze hield haar hand uit. 'Die in uw borstzakje.'

'Kreng.'

'Ja, goed hoor.'

Hij gaf de foto's aan Jessie.

'Ongelooflijk,' zei Jessie toen ze keek hoe Fry de man weg-leidde. 'Ga door met die zakken.' Ze wendde zich tot Niaz. 'Ga op zoek naar de heer en mevrouw Wirrel – maak gebruik van Interpol als het nodig is, maar spoor hen op. Achterhaal ook haar agent of galerie of wat dan ook en zoek uit waar ze woonde, waar ze werkte. Ik wil voorlopig een compleet media-embargo hierover tot we de ouders hebben gevonden. Niemand praat met de pers.'

'Jessie,' riep Sally, terwijl ze een stap weg deed van het lichaam. 'Ik denk dat je even moet komen kijken.'

Jessie liep erheen. De stank werd erger naarmate ze dichterbij kwam. Sally had een medische pincet in haar hand met daarin een slipje. Een besmeurd slipje.

'Waar heb je dat gevonden?'

'In haar mond,' antwoordde Sally. Wat de vossen daarvan hadden overgelaten. 'En de slagader van haar dijbeen is doorgesneden. Met een lange incisie.'

'En zo netjes is de natuur niet,' merkte Jessie op.

Sally schudde het hoofd. 'In mijn ervaring niet.' Ze wachtte tot Ed de voeten in een zak had gedaan en rolde het lijk toen opzij. Er stroomden uitwerpselen uit de niet meer functionerende darmen van het lichaam. Jessie probeerde niet te kokhalzen. De grond was bevlekt met bloed. Eve Wirrel was midden in de Isabella Plantation doodgebloed. Waar de herten waren. Jessie keek op. Ze kon het huis niet goed zien, maar met een goede verrekijker...

De steeds hoger stijgende zon verwarmde de grond, maar het mistdek wilde niet wijken. De opwaartse luchtstroming was minimaal. De hoge druk leek intenser te worden naarmate je dichter bij het lijk kwam. De hemel erboven wilde deze van methaan verzadigde, naar ammonia stinkende lucht niet in zich opnemen. Die bleef laag boven de grond hangen en hechtte zich aan de achterkant van je keel en sijpelde via osmose je huid en je onderbewustzijn binnen. 'Ik denk niet dat dit zelfmoord is, Jessie,' zei Sally. 'Dode blondine. Dood is kunst. Het slipje is een cosmetisch tintje, net als het bleekwater.'

'Kijk hier eens naar.' Jessie legde de polaroidfoto's in de juiste volgorde uit: D.E.C.o.m.p.O.S.I.t.i.o. 'Decomposition. Of wel: in ontbinding.'

'Waar is de N?'

Jessie wees naar het lijk. 'Eve is de N. Naakt. Narcistisch. Nutteloos.'

'Denk je dat die fotograaf gelijk heeft?' vroeg Sally. 'Dat dit een compositie is? Misschien zelfs een vervolg op de moord op Verity Shore?'

102

'Er zijn geen directe tekenen dat ze zich heeft verzet, ze is niet vastgebonden...'

'Er is ook geen spoor van een camera. Als sterven een proces in dienst van de kunst was, zou Eve Wirrel het dan niet hebben gefilmd?'

'Dat hoeft niet. Ze heeft vast niet geweten dat ze er uiteindelijk zo zou uitzien. Misschien rekende ze op mensen zoals die fotograaf. Misschien was dat wel de bedoeling.'

'Laat me haar naar het laboratorium brengen. Daar zal ik een grondig onderzoek verrichten. Dan weten we snel genoeg of ze hier onder dwang is gekomen en in dat geval is dit misschien slachtoffer nummer twee.'

Jessie stond op de stoep van een onopvallend huis met Niaz Ahmet aan haar zijde en droeg een paar spullen in haar hand waar P.J. om had gevraagd. Achter haar stond een vrouwelijke agent. Iedereen had instructies gekregen niets te zeggen over Eve Wirrel. Toen P.J. de deur opendeed, droeg hij een oude spijkerbroek en een zwart T-shirt met een V-hals. De stoppels die hij de vorige avond had toen ze hem op de brug ontmoette, begonnen al aardig uit te groeien tot een baard. Jessie zag de ogen van de agente wijd opengaan toen ze haastig naar binnen stapten. De jongens drukten zich tegen P.J.'s benen en keken hen achterdochtig aan. Ze werden bijna onder de voet gelopen terwijl iedereen zich op zijn bezigheden stortte, totdat P.J. de oudste jongen over zijn haar streek, en zei: 'Neem je broertje mee naar de keuken en vraag Bernie of ze thee wil zetten voor deze aardige mensen. Paul houdt van bakken,' voegde hij eraan toe. 'Wacht maar tot jullie zien wat hij voor bij de thee heeft gemaakt.' Paul glimlachte, nam zijn halfbroertje bij de hand en liep weg.

'Paul kookt wanneer hij overstuur is. Op het moment kan Bernie hem haast de keuken niet uit krijgen,' zei P.J. zachtjes toen hij hen voorging naar een kleine zitkamer. Een enorme stap terug.

'Waarom noemt u hem Paul?' vroeg Jessie. Ze had zich ingelezen over Verity's buitengewoon openbare leven. Ze had zich door eindeloos veel tijdschriften heen gewerkt – fotosessies, winkeluitspattingen, afkickkuren, eindeloze roddels over Verity's minnaars, geruchten over minnaars, foto's van vermeende minnaars, meer winkeluitspattingen en ten slotte de vetste kop van allemaal, haar dood. Een ware explosie van bedrijvigheid bij de sensatie-pers. Verity Shore was nog nooit zo beroemd geweest.

'Ach, wel, Apollo is zo'n flutnaam. Het arme kind werd er op school mee gepest. Paul heeft hij zelf uitgekozen en ik was gevleid, want het is mijn voornaam. Al is het niet bepaald rock-'n'-roll.'

'En Paul Young dan...?'

'Au. Ik zal proberen te vergeten dat u dat hebt gezegd.'

Jessie glimlachte. Ze probeerde het niet te doen. 'Hoe gaat het met hen?'

'Goed. Naar omstandigheden. Ik heb mijn advocaten achter Danny Knight aan gestuurd. De klootzak. Hij moet nog voordat u de deur uit was de Daily Mail hebben gebeld.'

'Ik vond hem al iets onbetrouwbaars hebben.'

'Wel, dat typeert mij precies, ik kom er altijd als laatste achter. Afijn, de jongens houden zich geweldig, maar waarschijnlijk komt dat omdat het nog niet echt is doorgedrongen. Al dit heen en weer geren vinden ze spannend. Maar het zou niet kunnen zonder Bernie. Luister, bedankt voor die ontmoeting gisteravond. Ik weet zeker dat dat uw plicht te boven ging. En ook bedankt, wel, dat u me hebt verteld wat er met haar is gebeurd.'

'Meestal bespaar ik de familie dergelijke details.'

'Maar wij zijn geen normale familie, nietwaar?'

Ze kon het niet ontkennen. Gemiddeld verscheen er om de dag wel iets over hen in de pers. Meestal geconcentreerd op Veri-ty, hoewel het een feit was dat P.J. de sensatiepers op het hoogte-punt van zijn roem heel wat te doen had gegeven. De hotelka-mers. De eindeloze stroom modellen. De cocaïne. De ruzies met zijn vader. De dood van zijn moeder en het feit dat hij niet op de begrafenis was gekomen. De typische rock-'n'-roll-dingen. Toen kwamen Verity en de jongens in beeld en werd hij een modelva-der voor de kinderen van een ander. De vraag die Jessie wilde stellen, was: kon het allemaal te mooi zijn om waar te zijn?

Niaz zat onopvallend in een hoek met een pen zwevend boven zijn opschrijfboekje. Jessie hoopte dat P.J. zijn aanwezigheid zou vergeten. De agente stond buiten de kamer voor de deur.

'Ik heb alles opgeschreven, zoals u had gevraagd. Alle appara-tuur in de studio is voorzien van tijdmechanismes – dat maakt het inboeken voor de platenmaatschappijen gemakkelijker. De namen en telefoonnummers van de mensen die daar zijn gekomen en gegaan staan erbij en u kunt het nog eens extra controleren via de bewakingscamera's van het huis,' zei P.J., terwijl hij een lijst te voorschijn haalde.

Jessie pakte de lijst van hem aan. 'Staan de camera's bij het huis 's nachts ook aan?'

'Ja.'

'Die opnames hebben we ook nodig.'

'Ik zal Bernie opdracht geven.'

'U zou ze zelf moeten pakken.'

Zijn gezichtsuitdrukking veranderde als bij toverslag. 'Wat bedoelt u daarmee? Bernie is aangesteld als huishoudster.'

'Vertrouwt u Bernie dan?'

'Onvoorwaardelijk.'

'Waarom? U vertrouwt immers niemand anders.'

'Dat heb ik u al verteld. Omdat ze betrouwbaar is.' De toon van zijn stem maakte duidelijk dat hij van onderwerp wilde veranderen.

'Waarom bent u daar zo zeker van?'

Hij vouwde zijn armen voor zijn borst. 'Gaat dit om Verity of om Bernie? De laatste keer dat ik het controleerde, was Bernie namelijk in de keuken en lag Verity in het mortuarium.'

Jessie wist wanneer ze niet verder moest aandringen, maar ze vroeg zich af wat Verity Shore had gedacht van het vertrouwen dat haar man zo overduidelijk in zijn jonge, aantrekkelijk huishoudster stelde.

'Laten we het dan over Verity hebben.'

Hij ging zonder protest zitten. 'Oké.'

'Waarom hield u haar achter slot en grendel?'

'Wat?' Gezien de vraag reageerde hij kalm. Te kalm. Kalmer dan toen ze hem naar Bernie vroeg.

'U sloot Verity 's nachts in haar kamer op. Waarom?'

'Ik... Ze deed haar deur vaak zelf op slot.'

'Weet u dat zeker? De sleutel zit aan de buitenkant.'

'De artsen zeiden dat we dat moesten doen.' Hij bleef het in elk geval niet ontkennen. Dat zou alle voortgang die ze hadden geboekt weer teniet hebben gedaan. Politiewerk draaide om vertrouwen. Vaak waren het de meest intieme details, de dingen die mensen maar moeilijk konden vertellen, die tot de veroordeling van de juiste dader leidden.

'We?'

'Sorry, ik.'

'Hoezo?'

P.J. duwde zijn handpalmen tegen zijn dijen, rekte zich uit, maar liet zich toen schijnbaar uitgeput door deze handelingen terugvallen in de bank. 'Het was om haar te beschermen. Ze was zo labiel na haar orgieën.'

'Maar ze kwam altijd weer naar huis?'

'Ja.'

'Of moest u haar gaan zoeken en haar naar huis brengen?'

'Soms wel. Jezus, ik wist niet wat ik anders moest doen.'

'P.J., u hebt me verteld dat ze zichzelf elke keer wanneer ze weer thuiskwam aan een mini-cold-turkey onderwierp en dat suggereert toch dat ze een bepaalde controle had over haar drugsgebruik. Is dat werkelijk wat er gebeurde?' Jessie keek hem aan. Deze keer liet ze zich niet intimideren door die grote, befaamde groene ogen. Ze leken nu niet meer zo groot en befaamd. Hij was gewoon een man met een slecht huwelijk en ongewone huiselijke omstandigheden.

'We dachten dat we haar hielpen.'

'We, P.J.? Aldoor maar "we". Eén echtgenoot, twee cipiers.'

'Zo was het niet.'

'Vertel me dan hoe het wel was.'

'Oké dan. Bernie hielp me met haar, en wat dan nog? Ik kon het niet in m'n eentje doen.'

'Wat doen?'

'Haar weerhouden zichzelf om zeep te helpen.'

'Maar u zei dat ze niet het suïcidale type was. En volgens u had ze haar drugsgebruik onder controle.'

'Ze zou het niet met opzet hebben gedaan.'

'Het spijt me dat ik dit moet zeggen, P.J., maar u sloot haar op bij haar drugs. We hebben een hoeveelheid heroïne en cocaïne in een schoenendoos gevonden, ze bewaarde wodka in haar shampooflesjes en in plaats van de medicijnen te slikken die u haar gaf om haar van haar verslaving te genezen, verstopte ze de half opgeloste pillen achter een losse tegel in de badkamer. Ze nam voortdurend iets. De problemen met uw vrouw begonnen pas wanneer ze ontsnapte. Dan begon ze als een idioot te winkelen. U zei dat er honderden pakjes thuis werden bezorgd, voor duizenden ponden aan kleding. Wel, ik ga er niet van uit dat u de inhoud van al die aankopen controleerde: de kleren, de zakjes, de flesjes met toiletbenodigdheden, de schoenendozen.'

'Hebt u dit allemaal geconcludeerd na één bezoek aan mijn huis?'

'Twee. Dat is mijn werk. U hebt zelf genoeg drugs gebruikt in uw leven om te herkennen wanneer iemand in een andere staat van bewustzijn verkeert. Dat geldt ook voor mij en ik ben geen popster. Leg me dus eens uit waarom u dat niet herkende bij uw eigen vrouw?'

P.J. zweeg.

Jessie voelde de warmte. Ze had het heet. Benauwd. 'U was op de hoogte van de drugs, nietwaar?'

'Ik vermoedde het.'

'Weet u ook waar ze ze vandaan haalde?'

'Nee.'

'Hoe ze eraan kwam?'

'Nee.'

'En u vertrouwt Bernie nog steeds?'

'U denkt toch niet serieus dat Bernie drugs voor Verity kocht?'

'Ik vraag het aan u.'

'Bernie wist daar niets van. Ik wist het, maar ik zei er niets over. Dat maakte het leven gemakkelijker. Verity bracht wat tijd door met de jongens, dat vonden de jongens leuk en ik hield een oogje in het zeil. Jezus, alcoholisten leven altijd zo – ze hebben een baan, een gezin. Ik dacht dat het wel kon.'

'Tot ze instortte en stierf.'

P.J. liep naar de schoorsteen. 'Ik wilde haar weer in een kliniek zien te krijgen, maar Christus, ik kon niet elke keer met hetzelfde verhaal over uitputting aankomen. Het mens werkte verdorie niet eens, waar moest zij nou zo uitgeput van zijn? Van het winkelen soms? De meeste klinieken wilden haar niet meer opnemen omdat ze zoveel onrust veroorzaakte. Ze sliep met suïcidale mannen, ze liet drugs bezorgen en ze maakte ontsnappingsplannen. Ze kon heel overtuigend zijn als ze wilde. Je wordt niet zomaar uit het niets iemand als je niet iets unieks te koop hebt.'

'Wat was dat bij Verity?'

'Ze wilde het zo graag dat ze zelfs de grootste cynicus kon laten geloven dat ze het echt verdiende. Mensen in de schijnwerpers zijn niet alleen maar op het juiste moment op de juiste plek. Ze zorgen dat ze daar zijn. Elke keer opnieuw. Ten koste van alles – huwelijken in de familie, vrienden, begrafenissen, kerstdagen. En dat alles met slechts één doel voor ogen: roem. Tot elke prijs.'

'Is dat wat u hebt gedaan?'

'Ik zat in een succesvolle band. Het beroemd zijn hoorde daarbij.'

'En de drugs?'

'Dat hoorde er ook gewoon bij en iemand die iets anders zegt, staat te liegen.' P.J. ijsbeerde door de kamer.

'En het varkensbloed, de brieven met doodsbedreigingen – hoort dat er ook allemaal gewoon bij?'

'Absoluut.'

'Kunt u zich nog herinneren wat er precies in stond?'

'Het waren lange, verkrampte brieven van een gek die Verity waarschuwde om me met rust te laten of anders zou ze sterven.'

'Ze werden dus aan haar gestuurd. Niet aan u?'

P.J. trok een ogenblik de vitrage op en liet hem toen weer vallen. 'Mijn God, ik krijg hier claustrofobie.'

'Wat dacht Verity van die brieven?'

'Ze wist er niets van af.'

'Maar ze waren toch aan haar gericht?'

Hij pakte een porseleinen hondje van de schoorsteenmantel, keek naar de onderkant en zette het weer terug. 'Zoals ik al heb gezegd werd alles wat het huis binnenkwam gecontroleerd.'

'Zelfs haar post?'

'Vooral haar post.'

'Op drugs?'

'Natuurlijk, waarop anders?'

Jessie liet de vraag in de lucht hangen. 'Weet u zeker dat u niet uw vrouw zelf controleerde? Ik heb de krantenknipsels gezien, P.J. Al die zogenaamde minnaars, weet u zeker dat dat alleen maar geruchten waren?'

'Ja. Allemaal in het leven geroepen door Verity zelf. Ze had geen minnaars. Geloof me maar, ze had niet veel belangstelling voor seks. Seks was alleen maar een manier om aandacht te krijgen en chaos te creëren.'

Ze moest hem op zijn woord geloven, voorlopig.

'Luister, stel dat Verity gewoon te veel coke nam en een hart-aanval heeft gekregen? Dat gebeurt vaker dan u denkt. Misschien raakten de mensen die bij haar waren in paniek en probeerden ze het lichaam onherkenbaar te maken. Dat is de enige rationele verklaring die ik kan bedenken,' zei P.J.

Daar had Jessie ook al aan gedacht. Het probleem was echter dat ze de siliconenimplantaten hadden getest. Zwavelzuur zou zich net zo snel door de implantaten hebben heen gevreten als door de lever, het hart en de longen. Elk siliconenimplantaat was opzettelijk verwijderd, apart gehouden en vervolgens teruggelegd in de ribbenkast. Het was de bedoeling dat ze daar werden gevonden. Ergens had iemand een ongelooflijke rommel gemaakt. Jessie dacht aan de geur van bleekwater in Verity's badkamer, de op slot gedraaide deur, de geheime uitgang over het dak van de garage en het leeggelopen zwembad. Een dergelijke rommel moest met veel ervaring zijn opgeruimd.

Ze kwam overeind. 'Misschien is het nu het goede moment om met Bernie te praten.'

P.J. liep naar haar toe. Hij was nu slechts enkele centimeters van haar verwijderd. Jessie kon de afzonderlijke haartjes van de lange stoppels op zijn gezicht onderscheiden, evenals het stukje gescheurde lip waar hij op had zitten kauwen, zijn wimpers die zo dik waren als die van Diana Dors en zijn ogen met de kleur van door de zee gladgeslepen glas. Is hij onweerstaanbaar omdat hij is wie hij is, dacht ze, of is hij wie hij is omdat hij onweerstaanbaar is?

'U denkt dat ik een verschrikkelijke echtgenoot was, nietwaar? Ik zie het aan uw gezicht.'

'Het gaat er niet om wat ik denk,' antwoordde Jessie, en sloeg haar ogen niet neer.

'Probeer me te leren kennen, ik ben niet de man die u denkt dat ik ben,' zei hij zachtjes.

Jessie vroeg zich af of dit de tactiek was die hij gebruikte om vrouwen het bed in te krijgen: *ik ben niet de ster die je denkt dat ik ben, ik ben een hele gewone man...* Wel, dat zou bij haar niet lukken.

'Ik heb geen mening over u, meneer Dean. Zoals ik u gisteravond al zei, ik probeer alleen maar vast te stellen wat er met uw vrouw is gebeurd.'

P.J. liep bij haar vandaan. Haar woorden bevielen hem niet, Jessie kon het merken aan zijn lichaamstaal. 'Ik heb gedaan wat ik dacht dat het beste was,' zei hij.

'Als u wist dat ze drugs gebruikte en u wist ook dat zij ze niet het huis in bracht, wie deed het dan volgens u? Aangenomen dat u het niet was?'

Hij kneep zijn ogen samen en deed zijn mond open om iets te zeggen, maar veranderde van gedachten. Hij keerde zich van haar af. De verleidingspoging was voorbij.

'Nog iets, kent u Eve Wirrel?'

'De kunstenares?'

'Ja. Kent u haar persoonlijk?'

'Nee. Ik zal Bernie voor u halen,' zei hij en verliet met grote stappen de kamer.

Jessie begon haar geduld te verliezen met P.J. en zijn huishoudstertje. Verity Shore in haar kamer opsluiten, haar post openen, al haar bewegingen controleren. Niemand was opgewassen tegen zoveel benauwend toezicht. Jessies sympathie voor Verity Shore nam een onverwachte wending.

Enkele minuten later kwam Bernie binnen. Jessie wist meteen dat er iets aan de hand was. Bernie deed haar denken aan Clare Mills. Te strak opgewonden voor één vrouwtje. Ze ging op het randje van de bank zitten. Haar vuilblonde haar was pas gewassen en pluizig, ze had een trainingsbroek aan en een dikke gebreide trui met een col. Niet bepaald het type van een maîtresse, dacht Jessie, maar ze kon geen andere verklaring bedenken voor P.J.'s loyaliteit tegenover deze vrouw en voor Bernies medeplichtigheid bij het gevangen houden van Verity in haar eigen huis.

'Het moet leuk zijn om voor P.J. Dean te werken. Alsof je tussen de pagina's van *Hello!* woont.'

'Ik lees *Hello!* niet,' antwoordde ze kortaf.

'Hoelang werkt u al voor P.J.?'

'Twaalf jaar.'

'Al voordat hij met Verity trouwde?'

'Ja.'

'Ze deed Jessie opnieuw aan Clare denken. Op haar hoede. Een vrouw van weinig woorden. 'Mocht u haar, uw bazin?'

Bernie staarde Jessie een ogenblik strak aan, maar daarna gleden haar ogen weg naar een punt boven Jessies schouder. 'Ik heb het geprobeerd, maar het is me niet gelukt.'

'Maar P.J. mag u wel?'

Ze leek langer te worden terwijl ze diep inademde, maar daarna zakte ze weer in. 'Ja.'

'Hoe hebt u deze baan gekregen?' vroeg Jessie.

'Hij heeft me hem aangeboden.'

'Waar was u afgelopen vrijdag?'

Haar rug verstijfde. ''s Ochtends heb ik de weekendboodschappen gedaan bij Waitrose in High Street. Daarna heb ik wat spullen afgehaald bij de stomerij en ben ik naar huis gegaan om de lunch klaar te maken voor P.J. en drie of vier anderen in de studio. Toen heb ik de jongens opgehaald. P.J. heeft Paul geholpen met zijn huiswerk en vervolgens keken ze allemaal samen naar *Aladdin* terwijl ik het avondeten klaarmaakte. Meestal eten we in de keuken, samen met de jongens.'

'Dat klinkt als huiselijk geluk.'

Bernie gaf geen antwoord.

'Eet Craig ook samen met jullie?'

'Ja.'

'Afgelopen vrijdag ook?'

Ze keek naar de deur. De weg naar buiten. De uitgang. Ontsnapping. Het was een onbewust gebaar. Een veelzeggend gebaar. En Jessie had het gezien.

'Nee.'

'Nee? Waar was hij dan?'

'Op de naschoolse club. Hij leert voor automonteur, hij brengt al zijn tijd door in de garage.' Het was duidelijk hoe dol ze was op haar zoon. 'Meestal is hij om tien uur terug.'

'Meestal?'

'Hij had een lekke band.'

'Werkelijk?'

Het weekend was ongeveer op dezelfde manier doorgegaan: Bernie had voor P.J. en de jongens gezorgd, Craig was grotendeels afwezig geweest en Verity volledig. Bernie stond op om weg te gaan.

'Heeft Craig contact met zijn vader?'

Ze staarde weer naar de deur en haalde diep adem. 'Nee.'

'Nog één ding, Bernie. Waarom hebt u Verity in haar kamer opgesloten?'

Bernie bleef stokstijf staan. Het mijnenveld was terug. Eén verkeerde stap en... boeeem! Alles voorbij.

'Handelde u in opdracht van de baas?'

'Zo was het niet.'

'Niet?' vroeg Jessie. 'Hoe was het dan wel?'

'Ze was ziek, we probeerden voor haar te zorgen.'

'Dat beweren jullie steeds allebei. Oké, dat is alles. Voorlopig.'

De deur viel achter haar dicht. Het duurde even voordat er voetstappen klonken, maar toen waren ze stevig en doelbewust. Gemeten naar het lawaai dat losbarstte in de keuken waren de jongens blij dat ze terug was. Alledrie.

'Ze liegt,' zei Niaz tot Jessies verrassing. Hij had zo stilletjes zijn aantekeningen gemaakt dat zelfs zij was vergeten dat hij er was.

'Ik weet niet of ze liegt, maar ze is ergens nerveus over. En P.J. dan?' vroeg ze.

'Simpel. Hij wil dat u hem aardig vindt,' antwoordde Niaz.

'Ik geloof dat meneer Dean wil dat iedereen hem aardig vindt,' zei Jessie, lichtelijk van haar stuk gebracht door Niaz' opmerking.

'Ik dacht wel dat u dat zou zeggen, chef.' Hij glimlachte op zijn ondoorgrondelijke manier waardoor hij eruitzag alsof hij alle geheimen van de wereld onder zijn dikke bos haar had verstopt. De deur zwaaide open en Jessie keerde zich af van Niaz. Een nerveus uitziende P.J. droeg een blad naar binnen, gevolgd door een niet minder nerveus uitziende Paul. Jamtaartjes. Wat surrealistisch allemaal, dacht ze en keek P.J. aan. Hij glimlachte. Weer terug bij het charme-offensief.

'Ik hoop dat u ze lekker vindt,' zei Paul.

'Ze zien er fantastisch uit,' zei ze met een blik op het bord en toen naar Paul. Hij was een heel mooi kind, ingetogen en ernstig.

'Paul kan geweldig koken. U zou zijn tosti's eens moeten proeven. We moeten u eens uitnodigen voor een Paul-special.' P.J. had er slag van haar te willen laten vergeten waarom ze daar was. Ze zou zich het liefst op de bank laten zakken met thee en taartjes en met het hele gezin gezellig Triviant spelen. Ze moest bewust het beeld terugroepen van die gebleekte beenderen op een roestvrijstalen tafel en eraan denken dat nog maar een week geleden de moeder van deze jongen leefde en ademde. Ze was misschien niet gelukkig, maar wel levend.

Die arme kinderen, dacht Jessie. Het zevenjarige jongetje sloeg haar ernstig gade toen ze zijn kleverige baksel oppakte. Ze kon en wilde dit spelletje niet meespelen.

'Ik zou nu graag met Craig praten,' zei ze met het taartje nog in haar hand.

P.J. bond weer in. 'Oké. Ik zal hem gaan halen,' zei hij. Paul keek verscheurd, Jessie voelde zich schuldig. Dit alles was niet zijn schuld. Ze beet vol overgave in het taartje en kauwde.

'Wow,' zei ze, 'dat is lekker.'

'Bernie heeft geholpen,' zei Paul. 'Maar ik heb het werk met de deegroller gedaan.' Hij glimlachte, keek naar P.J., pakte zijn hand en volgde hem de kamer uit. Jessie bleef met een enigszins vreemd gevoel achter. Zulke gemengde gevoelens kwamen het speurwerk niet ten goede.

'Kleine Paul heeft de botstructuur van zijn moeder. Sterke genen,' zei Niaz.

'Hopelijk sterker,' merkte Jessie op. 'Niaz, zou je de kamer alsjeblieft willen verlaten? Ik wil het volgende gesprek graag alleen houden.'

Craig was tenger, net als zijn moeder, maar lang, bijna zo lang als P.J. Hij had zandkleurig haar dat plat tegen zijn voorhoofd kleefde en de symptomen van een lelijke puberhuid maskeerde. Zijn grote lichtbruine ogen schoten onrustig heen en weer tussen haar en de vloer. Hij had gehuild. Zijn dikke, donkere wimpers plakten aan elkaar tot minidriehoekjes. Zijn oogleden waren roze en gezwollen. Ze kon de zoute tranensporen op zijn wangen zien. Hij was de eerste die ze tegenkwam die rouwde om de dood van Verity Shore. Misschien was hij wel de enige.

'Craig, ik moet je een paar vragen stellen, zodat we kunnen achterhalen wat er met Verity is gebeurd. Deze dingen zijn nooit gemakkelijk. Neem zoveel tijd als je nodig hebt, probeer je niet flink voor te doen. Niet iedereen kan altijd maar flink zijn.'

Hij knikte dat hij haar begreep.

'Ben je er klaar voor?'

Hij knikte weer.

'Wanneer heb je Verity voor het laatst gezien?'

'Donderdag.'

'Waar?'

'Ze stond op het punt uit te gaan.'

'Was je in haar kamer?'

'Mam was bij de jongens. Ty, dat is de jongste, was gevallen.'

'Hielp je vaak met Verity?'

'Ze was niet als normale mensen, ze had veel zorg nodig.'

'Wat was er mis met haar, Craig?'

Daar dacht Craig een poosje over na. 'Ze was... bedroefd.'

Jessie zag dat de tranen hem weer in zijn ogen schoten.

'Ze had de jongens toch,' zei ze.

'Mam was altijd bij hen. Alleen maar door één stom ongeluk.'

'Welk ongeluk, Craig?'

'Het was niet haar schuld.'

'Van je moeder?'

'Neeeee,' jammerde hij gefrustreerd. 'Het was niet Verity's schuld. Ze had niet door dat ze in de schuur speelden, dat was alles. Ze besefte het niet. Daarna lieten ze de jongens niet meer in

113

haar buurt komen tenzij er iemand bij was. Daar werd ze heel bedroefd van. Dat is alles wat ik wil zeggen.'

'Ze had jou.'

Hij kon geen antwoord geven. Of wilde niet.

'Zul je haar missen?'

Een dikke traan druppelde uit zijn oog. Hij veegde hem niet weg.

'Nee. Ja. Ik weet het niet.'

'Weet je waar ze heen kan zijn gegaan?'

Zijn kin rimpelde. Hij schudde zijn hoofd. 'Nee.' De tranen bleven komen, maar hij veegde ze nog steeds niet weg.

'Hield ze van jou?'

'So...' Zijn ademhaling werd onregelmatig. 'Soms.'

'Wanneer je haar kamer binnenklom?'

Zijn hoofd schokte op alsof er een elektrische stroom doorheen werd gejaagd. Hij keek doodsbenauwd.

'Maak je geen zorgen, Craig. Ik zal het tegen niemand vertellen. Dit blijft tussen jou en mij.'

Hij beet op zijn lip en knikte.

'En het zwembad? Ontmoette je haar daar ook?'

Hij trilde zichtbaar.

'Rustig maar, Craig, niemand anders weet het. En dat blijft ook zo zolang jij dat wilt. Maar ik denk wel dat je hun moet vertellen hoe je je voelt. Dit is veel te zwaar voor je om het alleen te dragen.'

Hij staarde Jessie wezenloos aan.

'Wanneer hield Verity niet van je?'

Hij snoof luidruchtig. 'Wanneer ze niet zichzelf was.'

Jessie liet haar stem dalen tot een gefluister. 'Wanneer P.J. en Bernie haar pillen gaven, bedoel je dat?'

Hij keek haar weer met grote ogen aan.

'Ik weet het van de pillen, Craig. We hebben de geheime bergplaats gevonden. Weet jij wat het voor pillen waren?'

'Slaappillen, om haar ziek en slaperig en beroerd te maken.'

'Is dat wat Verity je heeft verteld?'

De jongen knikte. 'Als ze haar gewoon met rust hadden gelaten, zou er niets mis met haar zijn geweest.'

Jessie schudde haar hoofd. 'Nee, Craig, ze was ziek. De pillen die je moeder en P.J. haar gaven, waren bedoeld om haar van haar verslavingen af te helpen. Daarom was ze ziek, omdat ze bleef drinken.'

Craig knikte. Een straaltje begrip begon door de gevoelens van schuld, medelijden en verdriet heen te breken.

'En toen vond ze een manier om ze niet in te nemen, niet-waar?'

Craig knikte opnieuw.

'Waarom verstopte ze ze? Waarom spoelde ze ze niet gewoon door de wc of gooide ze weg?'

Zijn ogen schoten naar de deur.

'Controleerden ze dat?' vroeg ze zachtjes.

Hij knikte.

'Zelfs de wc?'

'Ze luisterden,' fluisterde hij. 'Ze moest aan hen ontsnappen. Daarom verdween ze. Ik wilde niet dat ze dat deed, ik maakte me zorgen om haar wanneer ze het huis verliet. Ik probeerde haar tegen te houden, maar ze zei dat het een gevangenis was. Ze had hulp nodig.'

'Jij hielp haar, nietwaar?'

'Jaaaa,' snikte hij.

'Het is goed, Craig. Je hielp je vriendin.'

'Ik moest wel.' Hij schommelde heen en weer. 'Niemand anders wilde haar helpen. Ik moest wel, ze had me noooodig.'

'Jij bracht 's nachts dingen naar haar kamer, toch?'

'Jaaaa.'

'Wodka?'

'Jaaaa.'

'Waar ging ze heen, Craig? Wanneer ze je alleen liet, waar ging ze dan heen?'

'Baaarrrrrrrnes...' Het klonk als een lang, laag gehuil. 'Het was verschrikkelijk...'

Bernie deed de deur open. Craig keek niet op. Jessie gaf de agente een teken dat ze Bernie niet verder mocht laten komen.

'Een huis in Barnes?'

Hij knikte.

'Wat is het adres, Craig?'

'P.J.!' brulde Bernie.

'Dat weeeet ik niet,' jammerde hij, en snikte in zijn handen.

'Denk na.'

'Kan ik niet.'

'Hij zegt toch dat hij het niet weet.' Dat was Bernie. Craig keek naar haar. 'Hij is minderjarig. U maakt hem overstuur. P.J.!'

'Craig, dit is heel belangrijk. Waar is het huis?'

P.J. probeerde langs de agente te komen. 'Welk huis? Welk huis, verdomme?' P.J. hoorde een geluid achter zich en draaide zich om. 'Naar boven, jongens. Nu.' Hij keek weer naar Craig, die heen en weer zat te schommelen, en toen naar Jessie. 'Wat gebeurt hier in hemelsnaam, inspecteur?'

Jessie negeerde hem. Ze leunde dichter naar Craig toe. 'Vertel me alsjeblieft waar dat huis is,' zei ze zachtjes.

'Dat weet hij niet,' schreeuwde Bernie.

'Welk huis? Ik wil dat jullie allemaal weggaan. Jullie maken Craig overstuur.'

Jessie draaide zich abrupt om. 'Nee, *jullie* hebben Craig overstuur gemaakt. Jullie hebben Verity gevangen gehouden in dat huis. Wie moest ze om hulp vragen? Haar zoons? Jullie lieten haar niet in de buurt van haar zoons komen!' Ze pakte Craigs hand. 'Het is goed, Craig, je hebt *niets* verkeerd gedaan. Vertel me maar waar ze heen ging. Het is heel belangrijk.'

'Gaat u weg. Nu!' schreeuwde P.J.

'Hij weet niets,' zei Bernie boos.

Jessie liep naar Bernie en P.J. 'Hoezo niets, net zoals jullie niets weten? Ik zeg jullie dat ik genoeg heb van deze hele poppenkast.'

'Laat me los!' krijste Bernie tegen de agente.

'Hoe durft u zo tegen Bernie te praten!'

'Er was iets aan de hand achter die bewaakte poort van u en ik wil weten wat.'

'Houd je mond! Allemaal! Het kan jullie niets schelen, het kan niemand iets schelen. Ze is dood. Dood. Dood!'

Jessie liep naar hem toe. 'Het spijt me, Craig. Je mag best overstuur zijn.'

Hij snikte nog een poosje door en wendde zich toen tot Jessie. 'Het adres weet ik niet,' zei hij. Ze geloofde hem. 'Maar ik kan het u laten zien.'

'Nee!' schreeuwde Bernie, maar het was te laat om haar zoon het zwijgen op te leggen.

Ray voelde de studiolichten boven zijn hoofd branden en hij had het gevoel of hij werd gestoofd. Alle ogen waren op hem gevestigd. Ze hingen aan zijn lippen. Hij glimlachte tegen de omlaag zakkende camera. Hij hield het publiek graag tevreden. Ray wendde zich weer tot Danny Knight, wiens kale schedel

116

glom in het licht van de spots en wiens ogen glinsterden. De klootzak had zijn hele leven op dit moment gewacht. Eindelijk stond hij in de schijnwerpers. Maar nu waren zijn vijftien minuten om.

'U hebt een hel op aarde beschreven. Voor Verity zorgen moet een nachtmerrie zijn geweest,' zei Ray. Danny knikte vol overgave. 'Ik denk dat we u moeten vragen waarom u daar bleef. Als Verity Shore zo verschrikkelijk was als u beweert, waarom deed u het dan?'

Het publiek riep: 'Ja, waarom?' en 'Laat eens horen'. Een klikspaan had nooit de sympathie, hoewel iedereen wel graag de verhalen wilde horen. 'De voorwaarden waren goed,' zei Danny. 'En ze betaalden een hoge prijs voor...' Hij zweeg, de opgepleisterde glimlach barstte.

'Uw discretie?' vroeg Ray zachtjes.

'Um.'

'Loyaliteit?'

Ray voelde hoe de sympathie zich collectief van de kale man afkeerde. Ze waren als was in zijn handen. Hij was de baas.

'Ik heb de indruk dat Verity Shore misschien een zielige figuur was die de toets der kritiek niet kon doorstaan en die alles spoot en rookte wat ze maar in haar vingers kon krijgen, maar dat ze zelf ook genadeloos werd geëxploiteerd – en niet alleen door degenen die voor haar werkten. Denkt u dat dat klopt?' Ray knielde naast de tijdschriftenuitgever, een vrouw die Verity's beeld driehonderdtweeënzeventig keer had gebruikt.

'Nee. Ze wist heel goed wat ze deed.'

'Kennelijk niet. Iedereen die onder invloed verkeert doet domme dingen.'

'Tijdens die fotosessies was ze niet stoned. Ze hoefde haar kleren niet uit te trekken. Niemand dwong haar daartoe. Ze koos er zelf voor.'

'Hoe denk u nu persoonlijk over haar?'

'Ik heb medelijden met haar, denk ik. Ze had een puinhoop van haar leven gemaakt, toch?'

'Maar u gebruikte haar als rolmodel voor de lezers – de zeer jonge lezers – van uw tijdschrift. Bent u dan ook niet schuldig aan exploitatie?'

'Zoals ik al heb gezegd waren wij ons niet bewust van haar alcohol- en drugsgebruik wanneer we gebruik van haar maakten. Ze was een perfect rolmodel: ze had ervan gedroomd rijk en beroemd te worden en haar droom was uitgekomen. We hadden geen reden niet te geloven wat haar publiciteitsmensen ons vertelden.'

'Weet u dat zeker? Ik ben in het bezit van verschillende verklaringen van freelancefotografen dat ze altijd aangeschoten op de fotosessies kwam en dat iedereen wist dat er miniflesjes met wodka moesten zijn wanneer mevrouw Shore werd gefotografeerd.'

De vrouw werd nerveus. 'Dat heb ik nog nooit gehoord.'

'U bent de baas van het tijdschrift *Gimme Girl*, nietwaar?'

'Ja, maar ik kan niet bij alle fotosessies aanwezig zijn.'

'Uiteraard niet, maar ik was er ook niet bij en ik weet het wel.'

De uitgever was zo verstandig hier niet op te antwoorden, want wat moest ze zeggen? Ray keek in de camera. 'Het ziet ernaar uit dat iedereen van Verity Shore heeft geprofiteerd. Je kunt bijna, *bijna*, medelijden met haar krijgen. Maar aan de andere kant...' Er verschenen beelden op het scherm van de Caribische fotosessies, het grootschalige winkelen, de glinsterende designjurken zonder rug. 'Misschien toch niet.' Het publiek juichte. 'Wel, ik ben bang dat onze tijd om is. Mijn dank aan het publiek, mijn dank aan onze gasten – Danny Knight; sensatiecolumnist Raffi van de *Sun*; ex-feestbeest Amanda; paparazzi-fotograaf James en ten slotte Tiggy Bleeker, uitgever van het tijdschrift *Gimme Girl*. Ik neem afscheid met beelden van de laatste fotosessie die Verity Shore heeft gedaan voor *OK*: "Bij Verity Thuis."' Elke opname was zo overduidelijk bedoeld om een product in beeld te brengen, dat het publiek de merknamen begon te roepen bij elke nieuwe foto.

'Playstation!'

'Gucci!'

'Fisher-Price!'

Het applaus zwol aan.

Vanuit de montagekamer keek Tarek hoe de drie mannen hun borden aan het publiek voorhielden. PLAYSTATION. GUCCI. FISHER-PRICE. Toen draaiden ze ze gelijktijdig met veel bombarie om: APPLAUS. APPLAUS. APPLAUS. Het publiek gehoorzaamde enthousiast. Ze hielden op met namen roepen en begonnen te klappen. St. Giles wuifde en glimlachte. De idioot had in zijn grootheidswaan met dat toneelstuk zijn eigen doodvonnis getekend. Hij was eindelijk ingehaald door zijn eigen ambitie. Hij had geluk als hij hierna ooit nog op het scherm kwam, niemand zou hem nog met een tang willen aanraken. Hij zou onder een stormvloed van klachten verdwijnen. Tarek sprak in stilte een dankgebed uit en keek over zijn schouder. Achter hem stond Alistair zwijgend tegen de muur geleund met een eigenaardige, sluwe glimlach op zijn gezicht.

Ray sprong het kantoor binnen. 'Kijk naar het werk van de meester, Tarek jongen, kijk en leer.'

Hij stak een sigaret op en inhaleerde diep, daarna deed hij het gouden kruisje af dat hij altijd onder zijn felgekleurde overhemd droeg en kuste het. 'We hebben het voor elkaar, verdorie! Dit is het, ik voel het. Hoe zag het eruit vanuit de montagekamer?'

'Perfect,' zei Alistair.

'Tarek?'

Tarek glimlachte innerlijk. Ray wilde altijd zijn oordeel weten over het programma. Dat van Alistair scheen weinig te betekenen.

'Ze zullen het nooit uitzenden,' zei Tarek. 'Nooit.'

Ray grijnsde. 'Natuurlijk niet – als ze het weten. Maar we gaan het hun niet vertellen. Toch?'

'Wat ga je hun dan laten zien? Wat ga je zeggen dat je hebt opgenomen?'

'Breek jij je tulband daar maar niet over. Oh, kijk me niet zo aan. Als je denkt als een portakabin, blijf je eeuwig in een portakabin. Ik ga vooruit in de wereld. Je kunt er beter in meegaan, jongen, anders neem ik je misschien niet eens mee naar de grote rijke wereld van de echte televisie. Oké, maar waar is dat meisje van de make-up? Alle anderen staan er trouwens helemaal achter, Tarek. Iedereen. Ja toch, Alistair?' Alistair knikte. 'Allemaal trouwe aanhangers. Dus als er iets uitlekt, weet ik dat jij het was, Tarek. Ik mag je graag, we zijn een heel eind gekomen samen en ik zou niet graag willen dat je iets overkwam. Houd je dus gedeisd, dat is veilig.' Ray grijnsde kwaadaardig. 'Dit is het. Wat een geluk dat die teef opdook aan de oever van de Theems, hè, Alistair?'

Alistair gromde zijn instemming.

'Ik heb het altijd al gezegd: de een zijn dood is de ander zijn brood.' Ray klopte Alistair op zijn schouder. 'Nietwaar, Alistair?'

Deze keer gaf Alistair geen antwoord.

Jessie herlas de plaquette tegen de muur terwijl ze het plastic pak over haar leren broek wurmde en dichtritste. Craig en P.J. Dean waren alweer weggebracht en ze had de experts erbij gehaald. Het huis in Barnes had lang voordat Verity Shore er woonde al een plaats in de geschiedenis veroverd. Aan het eind van de achttiende eeuw was het gebruikt door smokkelaars die vaten vol brandewijn waarop belasting werd geheven aansleepten vanaf de Theems via een netwerk van tunnels die recht onder het huis uitkwamen. Er bestonden meer van dergelijke huizen, maar meestal was hun geheime verleden verdwenen onder het cement en allang vergeten. Maar niet door iedereen.

Iemand overhandigde haar een masker en ze volgde de man van de technische recherche het gebouw in. Ze rook het bederf door het donzige witte karton heen. Het was niet de inmiddels bekende geur van ontbinding, van rottend vlees. Het was de stank van corruptie, van verdorven levens.

Craig had haar onderweg naar het huis verteld dat Verity hevig paranoïde was geworden. Ze wilde de ramen niet openzetten, ze wilde niemand binnenlaten om het huis schoon te maken en wanneer ze hier was, was ze niet in staat het zelf te doen. Ze was doodsbang dat iemand door haar afval zou snuffelen en zou opletten wanneer ze de wc doortrok, net als thuis. En dus had ze volgepropte afvalzakken in een hoek van de kamer op elkaar gestapeld. De berg troep nam een derde van het vloeroppervlak in beslag. De stank was haast te snijden. In de nog lege hoek ernaast vertoonden de muren een hoge bruine vochtvlek en het tapijt was ronduit smerig. Jessie keek van de zwarte vuilniszakken naar de lege hoek. In een huis waar niemand ook maar een sigaret uitdrukte, had iemand de moeite genomen de stapel rommel van de ene hoek naar de andere te verplaatsen.

'Begin die zakken daar weg te halen,' zei Jessie tegen een politieman die in haar buurt stond.

'Wilt u weten wat erin zit?'

'Ja, maar ik wil nog liever weten wat eronder zit.'

Jessie wierp een blik in de wc op de benedenverdieping. Zoals Craig al had laten doorschemeren, was het toilet al maanden niet doorgetrokken. Dat verklaarde de urinevlekken en de stapels verdroogde menselijke uitwerpselen die overal in het huis te vinden waren. Dit was niet het gewone verhaal van een ster die ten onder ging aan drugs en depressies. Dit was geen doorsnee cocaïnegebruiker in een hotelkamer. Dit ging verder, dieper en duisterder. Sigaretten waren uitgebrand waar ze waren gevallen en het leek erop dat zwarte naaktslakken de restanten van de vloerbedekking aan het opvreten waren. Het was alleen te danken aan het feit dat het huis zo vochtig was, dat het niet was afgebrand. Bewijzen van een ellendig bestaan lagen overal om haar heen. Sporen van braaksel. Kromgebogen, zwartgeblakerde lepels. Roestkleurige spuiten. Eve Wirrel had de zelfkant van het moderne beroemd-zijn niet beter kunnen portretteren.

Jessie volgde de man naar boven. Overal de metgezellen van drugsgebruik: sadistische seks, zelfverachting. De attributen waren klaargelegd en van labels voorzien, klaar om te worden meegenomen door de technische recherche. Jessie begon zich af te vragen of P.J. Dean zijn vrouw überhaupt wel kende.

De Theems klotste om de paar tellen tegen de muur aan het eind van de tuin en trok zich dan weer bescheiden terug. Een drijvende steiger rammelde en schommelde mee met het tij en steeg en daalde tweemaal per dag, elke dag weer. Midden op het grasveld stond een stoel. Het ding was net als het gras eronder bevlekt met gedroogd, bruinzwart bloed. Verity Shores bloed, daar was Jessie van overtuigd. De plek op de grond wees op massaal bloedverlies uit een slagader. Gezien de positie van de stoel en van de vlek kon ze zelfs bepalen welke slagader. Die van het dijbeen. Opengesneden, net als bij de kunstenares. Eve Wirrel stierf niet in dienst van de kunst, Verity Shore was niet vermoord door haar echtgenoot. Nog luguberder dan de lege stoel was het ijzeren bad waarop vrijwel geen email meer over was. Ze kon het zwavelzuur en de ammonia nog ruiken. Iemand had het op de grond laten leeglopen, waardoor een stuk verbrande aarde was achtergebleven. Dit waren de overblijfselen van Verity.

'Graaf die graszoden op,' zei Jessie. 'Uiteindelijk kunnen ze samen met de beenderen worden begraven.' Ze liep de tuin uit en vroeg zich af of er naast Craig nog iemand was die om Verity Shore zou rouwen wanneer en als die dag kwam. 'Geef aan het team in het huis van Dean door dat ze kunnen ophouden met het zoeken naar haar overblijfselen in het zwembad. Verity is hier gestorven.'

De vuilniszakken werden van hand tot hand doorgegeven naar een wachtende vrachtauto. Jessie zag de stapel kleiner worden en

121

wachtte. En wachtte. De eerste vrachtauto was vol. Er verscheen een tweede. De onderste zakken waren bijna helemaal gescheurd onder het gewicht van de laag erboven. Half leeggegeten blikjes voedsel puilden eruit. Dikke trage vliegen kropen over het warme, rottende afval. Het laatste gedeelte moest worden weggeschept. De stank was afgrijselijk.

'Trek dit omhoog,' zei Jessie en wees naar de vloerbedekking. Het materiaal liet gemakkelijk los van de metalen bevestigingskrammen. De mannen van de technische recherche vouwden het terug. Jessie liep erheen en staarde naar de ondervloer. Beton. Massief beton.

'Haal een boor. Graaf deze hele vloer open en ook de tuin als dat nodig is, maar zoek de oude toegang tot de tunnel.'

Jessie streek haar rok glad en liet haar vingers door haar donkere haar glijden. Ze zag er goed uit. Ze trok haar jasje aan en knoopte het dicht. Het paste haar precies. Heel precies. Dit was weer eens iets anders dan de corpulente, rood aangelopen politiemannen die gewoonlijk de pers te woord stonden. Ze stapte het damestoilet uit en begaf zich naar de perskamer, waar de verzamelde pers haar al opwachtte. Ze nam de aantekeningen aan van Trudi. Burrows voegde zich bij hen.

'We hebben de ouders van Eve Wirrel gevonden. Sir Edward en lady Fitz-Williams.' Jessie keek hem verbaasd aan. 'Wirrel was een pseudoniem,' vervolgde Burrows. 'Ze had geen contact met hen.'

'Dus ze zouden sowieso niets van haar hebben gehoord.'

'Nee, maar ze is ook nog steeds niet teruggekomen in haar huis.'

'Die kerk van de monumentenlijst die ze heeft verbouwd – bedankt Burrows, ik heb je voorlopige aantekeningen gelezen.'

'Haar ouders vliegen op dit moment terug naar Londen.'

Jessie schrok. 'Dan zullen we hierna rechtstreeks naar het mortuarium gaan.'

Burrows knikte. 'Ze zullen ons daar ontmoeten.'

'Zij is het, nietwaar?' vroeg Jessie.

Burrows knikte.

'Ze staan te wachten,' zei Trudi, en duwde haar zachtjes in de richting van de deur. Jessie stapte vergezeld van Burrows en een paar andere politiemensen de benauwde ruimte binnen. Die anderen waren er alleen maar bij voor de show.

'Dank u voor uw komst.' Plotseling voelde haar keel heel droog. Het was heet onder de televisielichten. 'Zoals u weet, is er afgelopen dinsdag een lichaam gevonden langs de Theems. Er is vastgesteld dat het Verity Shore was, die de donderdag daarvoor uit haar huis was verdwenen. We willen u vragen de privacy van haar man en kinderen te respecteren in deze moeilijke periode.' Ze wachtte even. 'Ik weet dat u veel vragen hebt, dus komt u maar, een voor een graag...'

'Waarom heeft het zo lang geduurd voordat u het lichaam hebt geïdentificeerd als ze een paar dagen daarvoor nog in leven was?'

'Ja, ik heb het interview met Danny Knight ook gelezen. Heel snel werk, ik weet zeker dat de heer Dean er erg blij mee was.' Ze liet haar ogen wegglijden van de journalist van de *Daily Mail*. 'Maar om uw vraag te beantwoorden, het lichaam verkeerde niet in goede conditie, waardoor visuele identificatie onmogelijk was.'

'En de gebitsgegevens dan?'

Jessie besefte dat ze lucht hadden gekregen van het ontbrekende hoofd.

'Daar hadden we niets aan gehad.'

'Kunt u de geruchten bevestigen dat het hoofd van het lichaam ontbrak?'

'Probeer in het belang van haar kinderen alstublieft te begrijpen dat we zo weinig mogelijk details openbaar willen maken. Ik kan wel zeggen dat ze geen natuurlijke dood is gestorven en dat er met het lichaam was geknoeid.'

'Seksueel?'

'Dat weten we nog niet.'

'Hoe is ze gestorven?'

'Het feit dat de bovenste wervels zijn samengedrukt doet vermoeden dat ze een klap op haar hoofd heeft gehad.'

'U bent dus op zoek naar een moordenaar?'

'Ja.'

'En een hoofd?'

Ze negeerde de vraag.

'Hebt u aanwijzingen?'

'We volgen momenteel verschillende sporen.'

'Hoe hebt u het huis in Barnes gevonden?'

Ze zweeg even. 'We hebben papieren met het adres aange-troffen bij haar notaris.' Dat was een halve waarheid. Verity's nota-ris had bevestigd wie de eigenaar was van het huis. Het behoorde aan Ty en Paul. Verity's moeder had het op hun naam gezet, iets wat Verity – die wist wat het huis waard was en die geld nodig had – probeerde open te breken. Maar al deze informatie was pas duidelijk geworden nadat Craig hen naar het huis had gebracht. P.J. had haar gesmeekt om Bernie en Craig buiten de pers te hou-den. Dat was een grote gunst en ze wist niet precies waarom ze hem die verleende.

'Het huis wordt momenteel onderzocht door de technische recherche,' vervolgde ze. 'Ik moet bekennen dat het er nogal een bende was, dus verwacht geen wonderen.' Gelukkig had ze gezorgd dat noch P.J., noch Craig haar naar binnen volgde.

'En P.J.? Wist hij van haar huis van zonde?'

'Het is niets meer dan een oud huis en nee, dat wist hij niet. Hij is ondervraagd en momenteel van onze lijst van verdachten geschrapt. Ik wil daar graag heel duidelijk over zijn. P.J. Dean was het hele weekend thuis met Verity's kinderen. Er zijn talloze getuigen die dat hebben bevestigd. En hij was beide avonden met zijn nieuwe band in de opnamestudio. Hij is het huis niet uit geweest. De bandjes uit de bewakingscamera's bevestigen dit.'

'Mag hij de kinderen houden?'

'Ik heb geen idee. Dat is niet de verantwoordelijkheid van de politie.'

'Waarom zou iemand Verity Shore vermoorden?'

Er ging een lichte golf van gelach door de journalisten. De sympathie was niet groot voor de 'actrice'.

'Ik weet het niet. We willen hierbij graag een oproep doen aan iedereen die 's ochtends vroeg het voetpad langs de rivier gebruikt. Ik ben met name geïnteresseerd in mensen die het natuurgebied bezoeken dat grenst aan de plek waar het lichaam werd gevonden en in de deelnemers aan een schildercursus die in de twee weken voorafgaande aan de ontdekking van het lijk hun ezels op die plek hebben neergezet. Zijn er nog meer vragen?'

Een journaliste stak haar hand op. 'Heeft de dood van Verity Shore iets te maken met de verdwijning van Eve Wirrel?'

Jessie legde haar pen neer. Ze wisten het, verdomme. Een embargo betekende tegenwoordig niets meer. Het was dom van haar dat ze voor deze vraag geen overtuigend antwoord had voorbereid.

'Dat onderzoekt u toch ook, nietwaar, inspecteur Driver?'

'Op dit moment leggen we geen verband tussen beide zaken.' Jessie dacht aan het verkleurde gras. De doorgesneden slagader. De 'Gemiddelde Week'.

'Waarom niet? Het gerucht gaat dat ze...' de journaliste glimlachte veelbetekenend '...dik bevriend waren. Waarom vraagt u meneer Dean daar niet naar?'

'Dat is momenteel alles, dank u.' Jessie stak haar hand omhoog en liet hem toen weer zakken. Ze trilde.

'Welke bewijzen hebt u in het huis gevonden?

'Gebruikte Verity drugs?'

Ze begon de controle te verliezen. Jessie dacht aan de woorden van Burrows. Gooi hun kleine hapjes toe. Houd de beesten tevreden. 'Wilt u bandrecorders en dergelijke afzetten, alstublieft. Ik wil onofficieel graag een paar woorden zeggen.'

Toen waren ze stil. De sfeer veranderde. Jessie wachtte.

'De reden waarom identificatie zo moeilijk was, is dat er geen schedel was, zoals u vast allemaal al weet. Wat u misschien nog niet wist, is dat het lichaam in een zuurverbinding werd gedompeld waardoor het grootste deel van haar vlees, haar zachte weefsels en de belangrijke organen oplosten. Het zuur tastte de botten niet aan en zou ook de tanden niet hebben aangetast. Ondanks intensief zoeken langs de oever van de rivier bij laag water, hebben we geen schedel gevonden. Persoonlijk denk ik dat er daar ook geen schedel is. Het was niet de bedoeling dat we het hoofd zouden vinden. Haar siliconenimplantaten hebben het zuurbad echter wel overleefd en de codering daarop leidde tot haar identificatie. Als ik u vertel dat peroxide een component was van het zuur, begint u misschien te begrijpen dat degene die dit heeft gedaan iets duidelijk wilde maken. En dit brengt me weer tot de conclusie dat de dader een vooropgezet plan had. Dit was geen ongeluk, geen uit de hand gelopen seksspelletje of een tragisch einde aan een huiselijke ruzie met een minnaar. Dit was zo sterk met voorbedachten rade als moord maar kan zijn. En ja, dit is extra relevant sinds de verdwijning van Eve Wirrel. We hebben een lijk in het mortuarium en ik zal weldra horen of het de kunstenares is. Haar ouders zullen me daar ontmoeten. Dit is echt en het gaat over echte mensen. Verity had twee zoons. Eve heeft ouders. Ik vraag u heel voorzichtig te zijn met wat er in de pers verschijnt. Ik wil geen paniek. Het wordt al moeilijk genoeg om de dader te vinden zonder dat jullie een heksenjacht op gang brengen die later tot iemands verdediging zou kunnen worden gebruikt. Aan de andere kant, mocht u iets ontdekken of iets weten over Verity Shores andere leven – en dat van Eve Wirrel als dat zo blijkt te zijn – kom dan alstublieft, strikt vertrouwelijk uiteraard, bij mij of bij hoofdinspecteur Jones wanneer hij terug is, wat hopelijk heel snel zal zijn.'

'Zoals lesbische vuiligheid?' vroeg een journalist.

Ze negeerde de opmerking. 'Dank u voor uw medewerking.' Jessie stond op en verliet de kamer. Ze moest Eve Wirrels ouders ontmoeten en toezien hoe ze een rottend lijk identificeerden als hun eigen vlees en bloed.

M ark Ward bracht zijn auto buiten Elmfield House tot stilstand. Hij deed de wagen op slot en zette het alarm aan voordat hij op zoek ging naar trappenhuis C. Hij hoorde de televisie voordat hij de deur bereikte. Hij hoorde ook nog iets anders. Er huilde iemand. Mark zuchtte diep en klopte op de deur. Geweldig, dacht hij, Jones had hem met een hysterische jonge vrouw opgescheept, terwijl Jessie de schijnwerpers, de camera's en de actie kreeg. De vreugden van het ouder worden. Hij klopte nog eens. De deur ging een kiertje open. Een groot, rood omrand oog keek naar buiten.

'Inspecteur Ward – ik kom hier als vervanger van inspecteur Driver.'

'Ik heb haar net op de televisie gezien,' zei Clare.

'Ja, wel, ze schijnt het erg druk te hebben. En daarom ben ik hier.'

'Waar is Jones?'

'In het ziekenhuis. Heeft niemand je dat verteld?'

Ze staarde hem niet-begrijpend aan. 'Ja, en wat nu, gaat u me niet helpen? Ik heb zo lang gewacht en nu duikt u op om me te vertellen dat u me niet gaat helpen...'

'We zijn, het is alleen...'

Clare begon te huilen.

'Luister, het spijt me,' zei Mark. 'Het was niet de bedoeling je nog meer slecht nieuws te brengen.'

'Sodemieter op dan. Ik heb uw medelijden niet nodig.'

Mark voelde de frustratie van haar af stralen en zijn vijandigheid smolt weg. 'Mag ik binnenkomen? Dat kunnen we even praten – ik herinner me nog dat Raymond Giles werd veroordeeld, weet je.'

Ze keek hem aan met haar enorme bruine ogen.

'Die schoft. Het was een trieste dag toen ze die man vrijlieten.'

Clare schoof de grendel van de deur. 'Kom binnen. Dit moet u zien.' Clare rende haast terug door de korte gang, pakte de afstandsbediening en drukte op 'play'. 'Dit heb ik vanmiddag opgenomen.' Ze keek nauwelijks naar Mark.

Ray St. Giles staarde Clare en Mark aan vanaf het televisiescherm. Mark zag Clare huiveren.

'Verity Shore is dood. De wereld van de sterren verkeert in shock. Veel mensen zijn naar voren gekomen om over Verity te praten, om te vertellen wat een geweldige vriendin en persoonlijkheid ze was. Een andere kant van Verity werd belicht door Danny Knight, die een interview had met de *Daily Mail*. Hij is vandaag bij ons.' De camera draaide mee naar een kale man op een stoel.

'Welkom, Danny. Vertel eens, was u verbaasd toen u hoorde over Verity's dood?'

'Niet echt.'

'Oh?'

Mark en Clare gingen zitten. Gekluisterd aan het scherm. En aan de sensatie.

'Haar leven werd in toenemende mate bizar. Thuis bleef ze in bed en belde voortdurend met de pers – ze had zo ongeveer dag en nacht haar publiciteitsagent aan de lijn en ze wilde meer en meer. Maar de belangstelling in haar nam af. Ze zag er ook heel slecht uit. Overbelicht noemen ze dat geloof ik. Dat vond ze vreselijk.'

'Wat heeft haar om zeep geholpen, denkt u?'

Hij deed alsof hij nadacht. Alsof het niet was ingestudeerd. 'Beroemdheid. Het beroemd-zijn heeft haar om zeep geholpen.'

'P.J. Deans beroemdheid?'

'Over hem kan ik niet praten. Ik heb geheimhoudingsplicht.'

'Oké. Was Verity gelukkig getrouwd?'

'Nee.'

'Waarom ging ze dan niet weg?'

'Dan had ze geen cent gehad.'

'Geen alimentatie?'

'Nee. P.J. en Verity hadden samen geen kinderen. Zonder een

baby zou ze met nul komma niks zijn afgescheept. En wat moest ze dan? Een baan zoeken soms?' Het publiek lachte. 'Ik betwijfel of er nog eens iemand in zou trappen zodat ze voor de vierde keer kon trouwen. Laten we eerlijk zijn, ze begon er een beetje afgeleefd uit te zien.'

Er verschenen foto's op het scherm.

'Bijgewerkt,' zei Danny. 'Hier heb ik een recente foto van haar...' Hij haalde een foto uit zijn zak.

'Mogen we hier even een camera bij?'

Het publiek hapte naar adem. Verity zag eruit als een oude heks. 'Dit was na weer zo'n verdwijnsessie van haar.'

'Wow.' Ray speelde het spel van de verbijsterde presentator perfect. Hij keek in de camera. 'Ze ziet er bepaald niet uit zoals we dat van haar gewend waren.'

Een ogenblik lang werd het scherm in beslag genomen door een enorm beeld van hem voordat het in honderden vierkantjes uiteenviel en er een donkerharig meisje met een fris gezicht verscheen in een advertentie voor ontbijtgranen. Ze leek vaag op Verity Shore. Toen kwamen de 'glamour'- beelden, vervolgens de topless-plaatjes en ten slotte de naaktfoto's. Aangepast aan het feit dat het programma overdag werd uitgezonden. Ergens onderweg was Verity blond geworden. Nu werden er ook stukjes film van haar huwelijken getoond:

'Ik heb mijn zielsverwant gevonden. Tommy en ik zijn één, nietwaar, schat?'

'Ja.'

'En hoelang kennen jullie elkaar nu precies?'

'In dit leven twee maanden, maar in een vorig leven zijn we ook getrouwd geweest, dus we kennen elkaar eigenlijk al eeuwen.'

'Letterlijk,' zei de presentator.

'Ja,' zei Tommy.

Een paparazzi-video van een dronken en zwangere Verity die uit een limousine viel werd gevolgd door een montage over haar eerste verblijf in de Priory wegens 'uitputting'. Daarna begon de parade van glorieuze babyfoto's. Eindeloze plaatjes van Verity met kind in bij elkaar passende designkleren. Maar het nieuwe speeltje verveelde haar al gauw en ze vertrok voor een wereldtournee om haar eigen parfum te promoten dat heel origineel de naam 'Verity' droeg.

'Kent u allemaal dit nog?' Ray zwaaide een videocassette voor camera 2. 'Haar video met gymnastiekoefeningen om vrouwen te helpen hun figuur terug te krijgen na een zwangerschap.' Hij stopte het bandje in een videorecorder en Verity verscheen op een enorm televisiescherm naast hem, op en neer springend in een trendy zwart strapless topje en een minishortje. Ray zette het beeld stil en wees naar haar borsten. 'Ligt dat aan mij of zijn ze plotseling groter geworden?' Hij drukte weer op play. 'Het fijne van borstvoeding is dat alles er zo lekker stevig van wordt,' klonk Verity. Ray hoefde alleen maar een wenkbrauw op te trekken en het publiek begon te lachen. Ze waren als was in zijn handen.

'En dan dit...' VERITY VALT AF MET COKE verscheen op het scherm van St. Giles. 'Het kindermeisje beweerde dat Verity elke dag coke gebruikte en dat ze daarom zo afviel, maar Verity sloeg terug door te vertellen dat het kindermeisje met haar man naar bed ging.' Krantenknipsels vulden het scherm terwijl Ray doorpraatte: 'Ze kreeg goed advies van haar publiciteitsagent. Die keer wist ze de sympathie van het grote publiek aan haar kant te houden, maar niet lang daarna werd ze op de Bahama's op heterdaad betrapt. En toen kwam Will Reeves in beeld, een drummer van de zeer succesvolle band Tonkers.'

Er volgden meer videobeelden, deze keer van Verity en Reeves. 'We zijn echte zielsverwanten. Ik hield van mijn man, maar het feit dat het een ongelukkige verbintenis was, mag je niet negeren alleen maar vanwege een stukje papier. Will is mijn grote liefde, mijn leven, de lucht die ik inadem.' Terwijl zij aan het woord was, trommelde Reeves een melodie op de tafel, maar toen ze uitgepraat was, kneep hij haar liefhebbend in haar achterste. 'Weer een baby, Ty, weer een aanval van uitputting, weer een agressieve breuk en een smerige scheiding. En toen P.J. Dean...'

Deans stem kwam erbij. Diep en laag. Vriendelijk. Sexy. 'Verity heeft het niet gemakkelijk gehad, ze weet dat ze zo diep is gezonken als een menselijk wezen maar kan doen. De kinderen en ik maken er tijd voor om haar te helpen weer zichzelf te worden. We houden heel veel van elkaar. Ik zou nu graag wat privacy voor mijn gezin willen vragen.'

'Dat is echter niet gebeurd,' zei St. Giles tegen de camera. 'Arme kerel. Zijn rustige trouwdag werd een persfiasco. Achter zijn rug had ze het recht om foto's van de bruiloft te maken aan de hoogste bieder verkocht. Toen de fotografen verschenen, probeerde P.J. een van hen een klap te verkopen – tot ze hem het contract lieten zien dat zijn kersverse vrouw had getekend.

En erger nog, ze had een grote som geld ontvangen van een breezerfabrikant om in het openbaar uit zo'n flesje te drinken. P.J. weigerde. Verity deed het wel. U herinnert zich allemaal die foto wel...' Verity kwam in het wit gekleed op het scherm terwijl ze een slok nam uit een roze flesje. 'Een modelbruid,' zei Ray vol sarcasme. 'Daarna verbood P.J. elk contact met de pers. Een grote vergissing. Hij had zijn vrouw beter moeten kennen. We hebben James Rolher hier in het publiek. Hij was de journalist die ze bij haar thuis uitnodigde toen haar man weg was om zijn nieuwe single te promoten. Vertel ons eens wat er gebeurde, James.'

'Aanvankelijk dacht ik dat het een grap was, iets om de pers te treiteren. Toen ik bij het huis kwam, werd ik binnengelaten en Verity wachtte me op in haar slaapkamer, met alleen een bh en een slipje aan. Ze vroeg waarom ik geen fotograaf had meegebracht. Ze gaf me een interview, maar ze kraamde een hoop inzin uit. De krant plaatste een kort verhaal dat ze weer aan de drank was. De Dean-machinerie ontkende dat. Ze werd heel goed beschermd door hem. Ze lonkte echter al jaren naar de pers. Ik weet zeker dat zij het was die de kranten belde toen ze met Bill Reeves op de Bahama's was. Danny heeft gelijk met zijn opmerking dat ze overbelicht was. De mensen begonnen genoeg van haar te krijgen, maar hoe meer de zaken haar ontglipten, hoe meer ze de pers te vriend wilde houden.'

'Bedankt, James. Na de onderbreking praten we met Raffi van de *Sun* en met een paparazzi-fotograaf die zijn eigen ideeën heeft over Verity Shore, die helaas op mysterieuze wijze ergens in het afgelopen weekend is gestorven.'

Clare zette de videorecorder af. Ze kon er niet meer tegen.

'Mijn God,' zei Mark. 'Ik kan niet geloven dat zoiets is toegestaan. Weet niemand dan wie hij is?'

Clare haalde haar schouders op.

'Dit is walgelijk,' zei Mark. 'Weet je dat hij vroeger namens een club van geldschieters mensen met een honkbalknuppel de schedel insloeg?'

'Hij heeft heel veel dingen gedaan,' zei Clare.

Ze kwam overeind, liep naar een kast en haalde er een fles whisky uit. Ze hield de fles omhoog in de richting van Mark. Hij knikte. Enkele minuten later kwam ze terug met twee bekers zoete thee. Mark rook de whisky in de damp die eraf kwam.

'Mijn vader dronk altijd thee met whisky wanneer hij van zijn werk kwam. Mijn moeder maakte dat voor hem.'

'Waren ze samen gelukkig?'

Clare glimlachte. Het was een brede, volle glimlach. Hij duurde echter niet lang. 'Ja. Ze konden niet van elkaar af blijven. Vaak waren ze in hun slaapkamer wanneer ik thuiskwam uit school.'

Mark glimlachte ook. 'Dat hoor je niet vaak.'

Clare glimlachte nog eens. 'Nee.'

'Vertel me eens alles wat je je kunt herinneren.'

'Oké,' antwoordde Clare met plotseling een jeugdige opgewektheid in haar stem. Ze trok haar benen onder zich, nam een slokje thee en begon te praten.

'Ik weet nog dat ze met Frank thuiskwamen uit het ziekenhuis. Pap was dolgelukkig. Ik geloof dat ze al een hele tijd een tweede kind wilden. Mam bleef maar huilen, ze was zo blij met hem. Hij had een dikke bos donker haar, net als pappa, en diepblauwe ogen – hij was zo schattig. Een stralende baby. Ik zal u een paar foto's laten zien als u dat leuk vindt.' Mark knikte en ze trok een beduimeld fotoalbum onder de bank vandaan. 'Dit zijn mamma en Irene, op hun mooist uitgedost voor een zaterdagavond. Dat was voordat Frank werd geboren. Kijk eens hoe kort die jurken waren in de jaren zestig,' zei ze vrolijk. 'Zien ze er niet geweldig uit?'

Beide vrouwen hadden geblondeerd haar dat was getoupeerd tot een suikerspin. Onder hun korte bontjasjes droegen ze minijurken en hippe laarzen. Beiden waren onmiskenbaar aantrekkelijk, maar Veronica was een echte schoonheid. Statig, slank en intelligent. 'Wie is Irene?' vroeg Mark.

'Mams beste vriendin. Ze heeft een kapsalon in High Street. Ze heeft nog nooit van haar leven een dag op haar werk gemist. Ze is nooit over mams dood heen gekomen. Ze waren net zusjes.' Plotseling zag Clare er weer verloren uit.

'Ze lieten je dus je eigen spullen meenemen toen je naar een kindertehuis ging?'

'Hemel, nee. Het album is van Irene, ze heeft het aan me gegeven toen ik terugkwam. Ze wisten alles van elkaar, die twee. Ze waren net tweelingen. Weet u, ze legt nog elke maand gele rozen op mamma's graf, altijd.'

131

Terwijl de medewerker van het mortuarium afmaakte wat de voet van de jogger was begonnen, dankte Jessie God dat ze de ouders van Eve Wirrel zo snel hadden gevonden. Duidelijk aristocratische mensen. Niet voorbereid op wat hun dochter was geworden en hoe ze was gestorven. Ze bevestigden dat de sieraden van haar waren. De overblijfselen van een tatoeage klopten ook. DNA-onderzoek zou de rest doen. De in een zak bewaarde hand vertoonde geen tekenen van verzet. Haar bloed onthulde waarom: Rohypnol.

De restanten van de maag werden verwijderd. De inhoud zou duidelijk maken wanneer ze voor het laatst had gegeten, zodat ze hopelijk een exacte tijd van overlijden konden vaststellen. De man doorboorde vervolgens Eve Wirrels blaas en er spoot een straal verschraalde urine uit. De straal miste de bak van de medewerker en stroomde over zijn arm. Af en toe gebeurde dat. Net als in het echte leven... Jessie dacht aan het werk 'Een Bijzonder Zware Week' van de kunstenares. Het had de krantenkoppen gehaald. Zeven door haar gedragen slipjes, stuk voor stuk tentoongesteld op een podium. Niks vitrines. Dit was recht in je gezicht. Geur was een belangrijk aspect, had Eve Wirrel in interviews gezegd. Jessie wierp een snelle blik op Niaz. Zijn cederkleurige huid was verbleekt tot plataan, maar hij liet zich niet kennen. Braaksel en bleekwater. De geur van de dood. Ze vroeg zich af wat Eve hiervan zou hebben gedacht.

De mortuariumassistent begon de huid weg te snijden van wat er over was van het gezicht. Dit was het ergste gedeelte. Het afstropen...

Jessie toetste P.J.'s mobiele nummer in, maar wachtte enkele seconden voordat ze het belknopje indrukte. Ze hoorde het ding overgaan.

'Jessie. Ik wilde je net bellen.'

'Hoezo?'

'Ik wilde, eh, je eigenlijk bedanken, omdat je de jongen uit de publiciteit hebt gehouden en, eh, om te vragen of je wilde komen...'

'U hebt toch een werk van Eve Wirrel bij u thuis in de hal?'

'Oh. Ja. Obsceen ding. Hoe gaat het met je?'

'Niet uw smaak, begrijp ik.'

'Denk je dat ik er op mijn oude dag aan wil worden herinnerd hoe diep ik onder het gemiddelde ben gezakt?'

P.J. probeerde het weer. Haar in te palmen. Door zachtjes tegen haar te praten. Hij wilde haar met zijn stem in een gemakkelijke stoel laten neerzijgen, met haar handen achter haar rug gestopt en de telefoon onder haar kin, om lekker uitgebreid te kletsen. Maar daar trapte ze niet meer in.

'Hoe komt u eraan?'

'Eve Wirrel heeft het ooit aan Verity gegeven.'

'U hebt me gezegd dat u haar niet persoonlijk kende.'

'Dat is ook zo. Ze is geen vriendin van mij. Wat is het probleem?' Hij klonk defensief. Te defensief.

'Het probleem is, P.J., dat Verity met Eve naar bed ging. Dat zou ik toch wel persoonlijk willen noemen.' Ze begon haar stem te verheffen.

Stilte. Ademhaling. Stilte. Een deur ging dicht.

'Wat heeft ze verdomme gezegd?'

'Wie?'

'Eve, natuurlijk.'

'Is het waar?'

'Godver! Geruchten, meer niet.'

'Verspreid door Eve Wirrel?' vroeg Jessie ongelovig.

'Ik ben geen idioot, ik weet heel goed dat Verity naar de pers lonkte en Eve had in die tijd een tentoonstelling. Je mag me een cynische klootzak noemen, maar het was een hoop gebakken lucht, zonder twijfel bedacht door Verity.'

'Krantenkoppengeil?'

'Krantenkoppenhoer,' zei P.J. kwaad.

'U zou dergelijke dingen niet moeten zeggen over uw vrouw.'

'Je kende haar niet.'

'En u kon haar niet in toom houden.'

'Nee?' vroeg hij luchtig. 'Heb jij iets over hun "affaire" in de pers gelezen?'

'Nee, maar dat lees ik ook niet.'

'Te intellectueel voor dergelijke rotzooi, nietwaar, inspecteur?'

Jessie hapte niet.

'Hoe hield u de pers onder controle?'

'Ik heb een zekere macht in die kringen.'

'En Verity – had u ook een zekere macht over haar?'

'Waar gaat dit over?' vroeg P.J. scherp. 'Oké, ik geef het toe, ik wilde niet dat het verhaal naar buiten kwam. Is dat zo moeilijk te begrijpen?'

'Maar het was dus niet waar,' zei Jessie. 'U zei dat ze niet met elkaar naar bed gingen.'

'Voor een politievrouw ben je wel erg naïef. Sinds wanneer doet de waarheid er iets toe? Luister, Verity was veel dingen, maar lesbisch was ze niet, of bi. Ze hield van ouderwets recht-op-en-neer. Ze kreunde en steunde op de juiste momenten en stak achteraf een sigaret op.'

Alleen voor jou, dacht Jessie. Verity Shore mocht veel dingen zijn geweest, maar geen recht-op-en-neer-meisje. De bewijzen in het huis in Barnes waren voldoende om haar te doen vermoeden dat P.J. zijn vrouw niet kende. Craigs verklaring bevestigde dit ook nog eens. Voor Craig was Verity een sirene. Een godin. Een droom die waarheid was geworden. Hij had het beste van Verity gekregen omdat hij haar gaf wat ze wilde. Onvoorwaardelijke liefde. Van haar echtgenoot kreeg ze alles alleen op voorwaarden. Zijn voorwaarden en Bernies voorwaarden.

'En Eve, was zij biseksueel?'

'Waarom vraag je haar dat zelf niet? Ze vond het heerlijk om mannen te vernederen, dus misschien wel.'

'Ik dacht dat u haar niet persoonlijk kende.'

'Je hoeft maar naar haar kunstwerken te kijken,' antwoordde P.J. snel.

'Waarom wilde u dat verhaal uit de pers houden?'

'Vanwege de jongens, natuurlijk. Denk je dat ze niet al genoeg werden gepest en nageroepen op het schoolplein zonder dat daar ook nog eens "lesbo-knullen" bijkwam. Homoseksueel is prima zolang het maar netjes binnen het televisiescherm blijft. Laat je niet voor de gek houden, we leven nog altijd in een homofobische wereld. Poten rammen is in veel wijken een sport, ondanks die zogenaamd baanbrekende televisieseries.'

Jessie liep heen en weer door haar kantoor. Hoever zou P.J. gaan om die kinderen te beschermen? Om hen te houden? Was zijn kruistocht om de kinderen van zijn losbandige vrouw te redden te ver gegaan? En wie redde wie, zo vroeg ze zich af.

'Wil je me alsjeblieft vertellen wat er aan de hand is?' vroeg P.J.

'Ik heb het niet zo op control freaks.'

'Wat bedoel je daar verdomme mee? Toe nou, Jessie...'

'Het is geen Jessie.'

'Wat heeft ze gezegd? Ze mag me duidelijk niet, dat blijkt wel uit het *object d'art*. Luister, ik ben geen slechte echtgenoot geweest,' vervolgde hij, 'alleen de verkeerde. Eve is een ellendig stuk publiciteitshongerig...'

'Ze is dood.'

Geen reactie.

'Vermoord.'

Nog steeds geen reactie.

'P.J...?'

'Hoe?'

'Dat kan ik nu niet zeggen.'

'Is er een verband? Met Verity?'

'Dat is mogelijk.'

'Craig was in elk geval hier. Hij is het huis niet uit geweest...'

'Ik heb geen ogenblik gedacht dat Craig Eve heeft vermoord. Of Verity.'

'Ik moet er niet aan denken wat je iemand zult aandoen die wel schuldig is.'

'Ik heb u op de brug verteld wat ik met schuldigen doe.'

Jessie hoorde P.J. hijgen in de telefoon. Zijn ademhaling werd korter.

'Het spijt me,' zei hij zachtjes. 'Ik heb het verprutst.'

'Met Eve?'

'Met Craig. Jezus, ik had nooit gedacht...'

'Craig is een hele aardige knul. Hij heeft net zoveel zorg nodig als de kleine jongens. Misschien zelfs meer.'

'Denk je dat ik niet zorg voor...?'

'Het gaat er niet om wat ik denk, P.J., het gaat erom wat u weet. Verity heeft hem laten zweren dat hij dat huis geheim zou houden. Het moet heel moeilijk voor hem zijn geweest om zijn woord te houden.'

'Maar hij is er heen gegaan, die vrijdagavond, hij kon er alleen niet in. Als hij ons dat eerder had verteld...'

'Dat kon hij niet weten.'

'Dat besef ik wel. Ik kan alleen niet geloven dat hij wist waar ze was. Ik kan niet geloven dat hij stiekem alcohol naar haar kamer bracht!' Zijn stem begon te bezwijken onder de spanning. Hij was woedend. De control freak was de controle kwijt.

'Het is niet *zijn* schuld,' zei Jessie. Het is uw schuld. Omdat u deed alsof u niets doorhad. Craig was zo overduidelijk ver-

135

liefd op Verity. Op een manier zoals alleen een zeventienjarige dat kan zijn. Ze was een sekssymbool. Ze dronk wodka in het bad met hem, danste voor hem, zwom naakt met hem, vrijde met hem. Die jongen zou alles wat ze maar vroeg hebben gedaan.'

P.J. begon plotseling luid te snikken. Jessie schrok van het geluid. 'Ik kan niet denken. Ik weet niet meer wat ik moet denken. Ik weet dat Craig niet uit bed wil komen, ik weet dat hij niet wil eten, ik weet dat ik me afschuwelijk voel...' Zijn stem bezweek. 'Ik had die brieven moeten bewaren. Ik had ze serieus moeten nemen, ik heb haar in de steek gelaten. Ik heb iedereen in de steek gelaten. Je hebt gelijk. Ik ben een nutteloze klootzak. Niemand, Jezus Christus, niemand verdient het om zo aan zijn eind te komen. Ik bedoel, hemel, waar waren ze mee bezig? Ze kon niet zwemmen, verdorie. Ik maak me zorgen om de jongens... Jezus, ik denk eraan hoe ze is gestorven en ik... Sorry. Ik moet me beheersen.' Hij haalde diep adem. 'Bedankt, Jessie – ik bedoel inspecteur. Ik weet dat je alleen maar hebt geprobeerd te helpen. Het spijt me dat ik je niet eerder over Eve heb verteld, maar er viel niets te vertellen, het was niet relevant. Het spijt me, het spijt me vreselijk...'

De verbinding werd verbroken. Jessie vroeg zich af of dat optreden alleen voor haar was geënsceneerd.

In de grote, open kantoorruimte drong de vijand opeen als een kudde vee om een trog. Mark en zijn jongens.

'Wat is er?' vroeg Jessie.

Stilte. Er lag een krant uitgespreid op tafel. Vanaf de plek waar ze stond kon Jessie de vette koppen zien.

'Wat is er?' fluisterde ze in Fry's oor.

'Een of andere ex-bajesklant heeft een storm ontketend over de moord op Verity Shore.'

'Wie?'

'Die ex-gangster die zich altijd voordoet als misdaaddeskundige op de televisie – Ray St. Giles. Hij heeft haar compleet afgemaakt.'

'Oh shit.' Jessie pakte het artikel aan van haar collega en liet haar ogen er snel overheen vliegen. 'Heeft iemand het gezien, dat programma?'

'Het werd om drie uur 's middags uitgezonden door een of andere obscure kabelzender. Niemand heeft het gezien.'

Mark Ward hield zijn mond.

'Iemand heeft het gezien – deze krant eist zijn ontslag. En ik dacht nog wel dat Verity Shore nog minder fans had dan wij. Laat iemand naar de afdeling persvoorlichting gaan om te kijken of er in andere kranten ook iets over staat.' Niemand bewoog zich. Trudi kwam binnen. 'Jullie willen misschien weten dat Ray St. Giles nu op *AM Today* is, om zijn gedrag te verdedigen.' Er volgde een stormloop naar de televisieruimte.

Ray St. Giles hing op de oranje bank en zag er heel zelfverzekerd uit. 'Ik heb niets gezegd, ik heb geen oordeel uitgesproken, ik heb alleen maar mijn gasten geïnterviewd.'

'Maar Verity Shore was er niet bij om zich te verdedigen tegen de aantijgingen van Danny Knight, of tegen die van al uw andere gasten,' voerde de presentatrice aan. Ze zag er nerveus uit in haar lila blouse.

'Luister, schat, iedereen weet wat voor vrouw Verity Shore was. Als u denkt dat mijn gasten het bij het verkeerde eind hadden, vertelt *u* het me dan maar: waarom was ze beroemd?'

De presentatrice probeerde terrein te winnen met een diplomatiek antwoord. Het sloeg niet aan. 'Omdat ze een zeer getalenteerde actrice was?'

'Hoezo actrice? Ik heb heel wat vrouwen gekend in het East End die deden wat Verity Shore deed, alleen met minder succes. Ze brachten avond aan avond door in de stegen, in auto's of in de bajes. We minachten de ene soort, maar toch bewieroken we de andere. Kom nou, is dat niet een beetje hypocriet? Als zij actrice was, ben ik de paus.'

'Hij windt er geen doekjes om, hè?' zei Fry.

Dat is de tweede keer dat iemand Verity een hoer heeft genoemd, dacht Jessie. De vrouw die het interview hield, leek nerveus naast de compacte, energieke man en haar zwaar opgemaakte gezicht glom onder de studiolichten. 'Is het waar dat u tijdelijk bent geschorst uit uw programma?'

St. Giles leunde achterover in zijn stoel en grijnsde, waarbij zijn afgesplinterde tanden als een logo opflitsten. Hij zette zijn Londense cockney-accent in ten behoeve van de ochtendtelevisiekijkers, en zei: 'Direct na de uitzending waren ze kwaad, maar toen stroomden de brieven en de telefoontjes binnen die onze eerlijkheid prezen. De mensen hebben schoon genoeg van die eindeloze publiciteitsmolen, al die zichzelf promotende onbenullen, mensen die we ten onrechte tot sterren hebben uitgeroepen. Luister eens, ik val heus geen mensen aan die hun werk goed doen en die de bewondering en de voordelen van het beroemd-zijn verdienen, maar iedereen, van postbode tot bankdirecteur, wordt afgerekend op zijn prestaties, dus waarom zou dat voor beroemdheden niet gelden? Dankzij de enorme respons van de kijkers heeft het kabelbedrijf zijn beslissing teruggedraaid. Nu komen we om zes uur op het scherm.' St. Giles knipoogde tegen de camera. 'Kijk dus morgenavond voor een intieme kennismaking met wijlen Eve Wirrel.' De hoek van de camera veranderde abrupt.

'Shit! Shit! Ik geloof mijn oren niet. Heeft hij net gezegd...?'

De deur ging open. Kay Akosa vulde de deuropening. Daar zat Jessie nog net op te wachten.

'Je hebt me gezegd dat je niet kon bevestigen dat het juffrouw Wirrel was.'

'Dat kon ik ook niet toen je het me vroeg. Haar ouders waren nog niet in het ziekenhuis geweest en ze was nog niet officieel geïdentificeerd. Had je liever gehad dat we het risico hadden genomen en dat Eve Wirrel ergens uit een hotel op Barbados opbelde en dreigde met een rechtszaak? En dan heb ik het nog niet eens over de onnodige ellende die we haar ouders, verdere familie en vrienden zouden aandoen.'

'Wel, je kunt nu beter een verklaring opstellen en laat die in elk geval goed zijn. Besef je wel in wat voor strijd we met de pers zijn gewikkeld? Besef je wel hoe incompetent je overkomt?'

'Nee, maar wij wel,' zei Mark terwijl hij gniffelend de kamer verliet.

Jessie volgde hem naar buiten.

'Waar denk jij dat je heen gaat?' schreeuwde Kay Akosa haar achterna.

'De kerk,' antwoordde ze. Ze zette haar minidiscspeler aan zodat ze Marks hatelijke antwoord niet hoefde te horen.

Eve Wirrel had een kerk verbouwd tot een woonhuis annex atelier. Een beslissing van de gemeenteraad waarover de buurtbewoners nog steeds verontwaardigd waren. Zelf mochten ze nog geen konijnenhok bouwen in dit overbeschermde stuk buitenwijk, maar Eve Wirrel kreeg zomaar toestemming precies te doen waar ze zin in had.

Eve had beweerd dat ze katholiek was en dat haar werk spiritueel was. Ze zinspeelde op visioenen en stemmen en hield vol dat ze slechts een doorgeefluik was voor de expressie van een hoger wezen. Het was een goede invalshoek, minder anarchistisch dan die van haar voorgangers. Als dochter van een baronet zou de anarchistische aanpak ook niet erg geloofwaardig zijn geweest. Jessie duwde de hoge, boogvormige deur open in de verwachting weer een poel van ongerechtigheid aan te treffen. Ze was dan ook verbaasd toen de glanzende pagina's van een trendy interieurblad haar in het gezicht sprongen.

'Heel stijlvol,' zei Burrows, en kwam naar haar toe.

'Ik was op zoek naar jou. Ray St. Giles heeft Verity afgebrand en de dood van Eve Wirrel openbaar gemaakt.'

'Ik weet het. Fry belde me.'

'Wat zal hij hiervan genieten.'

'Wees niet te hard voor...'

Jessie stak haar hand omhoog. Ze wilde het niet horen.

De keuken strekte zich uit over de hele lengte van het schip van de kerk: tien meter zink met daaronder ladenblokken van zestig centimeter diep. Stangen van geborsteld staal vormden strakke lijnen, zodat de keuken eindeloos door leek te lopen, zo ver als het oog kon zien. Jessie liet haar vinger erlangs glijden. Stof.

'Geen slecht oppervlak voor een lijntje cocaïne,' merkte Burrows op.

'Ik wist niet dat Eve Wirrel een junk was.'

Burrows haalde zijn schouders op. 'Ze was een mediameid, ze ging om met fotografen, ze liet zich zien bij officiële gelegenheden en daarnaast was ze ook nog experimenteel kunstenares. Ik zou zeggen dat de kans niet groot is.'

'Heel poëtisch,' zei Jessie, en keek in de koelkast. Blikjes Guinness. Cheddar. Ongebruikte tofu. Een half pakje bacon dat groen begon uit te slaan. Gemengde signalen. Ze deed de vriezer open. Naast een leeg ijsbakje stonden drie plastic flacons. Het soort dingen die de dokter je gaf om een plas in te doen.

Er hingen labels aan. Jessie pakte er een en gaf het ding aan Burrows.

Initialen. Lengte. Kleur van de ogen en ras. 'Wel, wel, wel – het ziet ernaar uit dat Eve Wirrel de spermabank een bezoekje heeft gebracht.'

'Daar delen ze het niet uit om mee naar huis te nemen,' corrigeerde Jessie hem.

'Als u het zegt.'

'Pak ze nu maar gewoon in, Burrows.'

De kastjes stonden vol met ongebruikelijke dingen. Vispasta. Dadelhoning. Spliterwten. Jessie stak het middenpad over naar het zitgedeelte aan de linkerkant. Ze zag een half leeggedronken kopje koude thee staan. 'Controleer dit op vingerafdrukken. Heb je ergens scheldbrieven of doodsbedreigingen gevonden?'

'Niets wat daarop lijkt. Eerlijk gezegd is het gewoon een typisch huis van een dure meid,' meende Burrows. 'De bank ziet eruit alsof erop is gezeten, de tijdschriften hebben ezelsoren, de televisiegids ligt open. Wat ze ook aan het doen was in dat park, volgens haar kwam ze gewoon terug.'

Jessie keek om zich heen. 'Of was ze dat in elk geval van plan. De slaapkamer?'

'In de crypte.'

'Dat had ik moeten weten,' antwoordde Jessie. 'Iets interessants?'

'Ze was geen meisje dat haar experimenten beperkte tot het doek. Deze kant op.'

Jessie volgde Burrows een bochtige stenen trap af. De treden waren zo zacht als zeepsteen geworden door de zolen van talloze priesters in wijde gewaden. Het bed was een hemelbed zonder de hemel. Elke stijl was zo dik als een paardenbeen en versierd met houtsnijwerk van in elkaar gevlochten engelen die steeds hoger klommen. Het wervelende patroon wekte de indruk dat de engelen inderdaad omhoog zweefden naar de hemel.

'Ze sliep met de engelen,' zei Jessie.

'De doden bedoelt u. Is dit niet de plek waar ze de skeletten bewaarden? Ze hield zich met perverse dingen bezig, dat is wel duidelijk.' Burrows tilde de deksel van een zware teakhouten kist op. 'Een assortiment uitgelezen seksuele snoepjes.'

'Burrows, wat is er met jou aan de hand? Je wordt zo welbespraakt.'

140

'Geen idee, misschien al die creatieve lucht hier.' Hij viste een klem met scherpe tanden uit de kist. 'Die inspireert me.'

Het bed was netjes opgemaakt. Witte katoen. Boven het bed hing een zwartwitfoto van Eve die door een ketting aan haar polsen omhoog werd gehesen, haar armen strak boven haar hoofd getrokken en haar voeten enkele centimeters boven de grond. Meer gemengde signalen.

'Haal die lakens van het bed en stuur ze naar het laboratorium.' Jessie bestudeerde het portret. 'Waar is het atelier?'

'Boven op de galerij,' antwoordde Burrows die een kat met negen staarten omhooghield.

'Zit er misschien ook een dildo in die kist?'

'U weet dat u geen bewijsstukken mag meenemen, chef.'

'Te dicht langs het randje, Burrows. Veel te dicht.'

'Sorry.'

'Is er iets bijzonders in het atelier?'

Burrows glimlachte, 'Een hoop naakte mannen zonder hoofd.'

Jessie wachtte tot hij het uitlegde.

'In houtskool. Eigenlijk niet veel soeps voor iemand die miljoenen verdiende.'

Jessie stond op de tien meter lange overloop. De scheiding tussen de koorbalkons was doorgebroken, zodat er een tussenverdieping boven het schip was ontstaan. Langs de hele lengte van de muren bevond zich een regiment glas-in-loodramen in gotische stijl, zodat het atelier werd overgoten met gedempt licht. Er was volop ruimte om te schilderen en op een gedeelte met kussens konden de modellen hun waren tentoonspreiden. De achtermuur was versierd met tekeningen, ansichtkaarten, foto's, verfwaaiers, flarden stof, boekomslagen, behang, woorden. Elke centimeter was bedekt met beelden. Jessie bladerde door de stapel naakttekeningen. Allemaal van mannen. Allemaal zonder hoofd. En zonder handen. En zonder voeten. Verity Shore. Verity Shore. Verity Shore.

'Hoe moest ik weten dat Eve Wirrel geen hoofden, handen of voeten tekende?'

'Ik kan u niet volgen, chef.'

'Ik wil dat je al deze mannen vindt, tot de laatste toe,'

'Hoe?'

'Weet ik veel. Kijk in het telefoonboek. Bel haar agent, haar galerie – er moet een of ander bureau voor kunstenaarsmodellen bestaan. Moet ik soms je kont nog voor je afvegen?'

Burrows keek gekwetst.

'Sorry,' zei ze. 'Ik heb geen zin je alles voor te kauwen.'

Jessie liep terug door de oude kerk en ging de tuin in. Het kerkhof. Rustplaats voor beenderen. Eve die met skeletten sliep. Een skelet. Verity Shore. Dat *was* persoonlijk. Alles wees terug naar Verity. Dit was een tweezijdige zaak. Als ze maar had geweten waar ze moest zoeken. Maar dat had ze geweten. Er was haar zelfs een verrekijker aangeboden om een beter beeld te krijgen. Iemand beschikte over details. Intieme details. Ze waren bekend. Of was het een familiekwestie?

Terwijl het politieapparaat doorging met Eve Wirrels leven bijeen te sprokkelen, staarde Jessie omhoog naar de kerktoren. Geruchten. Geheimen. Beroemdheden waren net ijsbergen. Er was veel te veel onder de oppervlakte verborgen. Ze liep om de kerk heen. Ze telde haar stappen. Geruchten en geheimen. Ze staarde weer omhoog. Het leek alsof de tussenverdieping binnen zo'n zeven meter langer zou moeten zijn. Er was ook geen toegang tot de klokkentoren. Zou deze exhibitioniste toch ook iets te verbergen hebben?'

Jessie keerde terug naar de galerij en staarde naar de druk versierde muur met zijn chaos van kleuren en beelden. Ze keek omlaag naar de gestroomlijnde zinken keuken en toen weer naar het reusachtige prikbord. Ze begon aan het ene uiteinde tegen de muur te kloppen. Het was een gepleisterde scheidingswand. Ze tilde een paar stukken papier en stof op en bleef duwen, voelen en kloppen terwijl ze zich langs de wand bewoog. Toen ze driekwart van het oppervlak had onderzocht, vond ze wat ze vermoedde. Een verborgen deur. Een licht duwtje op een foto van een blonde labrador en de scharnierende toegang sprong open. Onder alle aandenkens was de naad onzichtbaar. Er was geen deurkruk. Het was de bedoeling dat dit verborgen bleef. Veilig bewaard.

Ze ging de donkere ruimte achter de scheidingswand binnen. Het was er een stuk kouder. Er waren geen ramen. Geen gefilterd zonlicht om de zaak op te warmen. Jessie greep in haar tas en haalde haar zaklantaarn te voorschijn. Ze zette hem aan en richtte de smalle lichtstraal recht vooruit. Een naakte man was tegen een kruis gespijkerd, zijn penis grotesk gezwol-

142

len. Er was een lege ruimte waar zijn hoofd had moeten zijn. Ook zijn handen en voeten ontbraken. Jessie vond het lichtknopje. Schril halogeenlicht stroomde omlaag. Het was een schilderij, circa twee bij drie meter en het was nog niet af. Rond de gekruisigde man had Eve Wirrel kronkelende naakte lijven in verschillende tinten rood geschilderd. Magenta. Rode oker. Karmijnrood. Scharlakenrood. Robijnrood. Bourgondisch rood. Kersenrood. Alle lichamen waren verwrongen en het waren allemaal mannen. Degenen die nog niet klaar waren, droegen initialen in potlood. Het zag eruit als een afschuwelijk doe-het-zelf schilderij waarbij de kleuren waren aangegeven met letters. Jessie dacht aan de flacons in de koelkast. Sinds Eve Wirrels lichaam was ontdekt, had Jessie alle oude catalogi van de kunstenares laten komen. Niets was echter zo goed of zo verontrustend als dit. Eve had de titel er met dikke, druipende letters opgeschilderd: 'Alle Mannen Zijn Verkrachters'. Jessies blik gleed terug naar de rijk begiftigde middenfiguur. Ook daar stonden initialen bij.

'Jezus Christus,' fluisterde Jessie voor zich heen. Ze dacht aan de vrouw in het mortuarium. De mortuariumassistent had een cirkelzaag gebruikt om door Eve Wirrels schedel te zagen, zodat de patholoog bij haar hersenen kon komen. Het episch centrum van haar creatieve genie. Haar brein zou zijn gewogen, net als al haar andere vitale organen en toen ze klaar waren, zou de hele boel weer zijn teruggegooid en dichtgenaaid. Waarom verstopte Eve Wirrel haar werk? Was ze bang om te worden gekopieerd? Of was ze bang om te worden gepakt? Was dit een verwijzing naar het volgende slachtoffer? Of niet? Was het een ingenieus complot, of zag ze spoken?

P.J.'s nummer verscheen op haar mobieltje. Jessie schakelde het ding door naar voice mail. Ze kreeg te veel gemengde signalen. Ze moest even een stap terug doen.

In de pub voorzag ze haar team van alles wat ze maar wilden. Gin. Whisky, Wodka. Bier. Bitter. Het maakte haar niets uit.

Mark duwde de deur van de pub in Victoria open. Neville Gray zat in een hoek. Hij was assistent-directeur van de kinderbescherming in Bethnal Green. Hij werkte al net zo lang bij het maatschappelijk werk als Mark bij de politie zat. Ze kenden elkaar al jaren. Aan het eind van de jaren zeventig hadden ze samen aan een zaak gewerkt. Mark had een man achter de tralies gezet die zijn dochter, zijn kleindochter en zijn nichtje had misbruikt. Incest. Neville had de meisjes buiten schot gebracht voordat de politie toesloeg. Het was een goed samenwerkingsverband geweest en sinds dat moment waren ze drinkmaten geweest. Na het eerste biertje en de gebruikelijke grapjes kwam Mark ter zake. Neville herinnerde zich het geval van Raymond Giles wel, maar hij was zich er niet van bewust dat Ray tegenwoordig op de televisie te zien was.

'Dat is een fraaie manier om een misdadiger te straffen – geef hem verdomme een praatprogramma.'

'Het gaat mijn verstand te boven,' zei Mark. 'De man die hij heeft doodgeschoten had twee kinderen, Clare en Frank. Ze zijn allebei bij jou terechtgekomen, maar iemand vond het beter hun namen te veranderen. Het spoor van Frank droogt eigenlijk direct op. Ik dacht dat je misschien wat graafwerk voor me wilde doen. Kijken waar hij is gebleven. Het enige wat we hebben, is een geboortedatum.'

'Was hij een getuige tegen St. Giles?'

'Welnee. Het kind was drie. Stel je voor.'

'Interessant. En Trevor, de vader? Wat was hij voor een man?'

Mark scheurde een pakje chips open en schudde de inhoud uit op de tafel. 'Normale kerel, wat je zo over hem hoort. Ik heb een brigadier opdracht gegeven hun levens met een stofkam uit te pluizen. Je weet hoe het East End is. Delen ervan zijn niet veranderd. Herinneringen gaan ver terug. Als de vader niet deugde, dan komen we daar wel achter.'

'Oké, ik zal kijken wat ik kan doen.'

'Denk je dat het afgeschermde informatie is?'

'Zonder twijfel. Ik kan geen enkele reden bedenken waarom die kinderen uit elkaar moesten worden gehaald of waarom hun namen moesten worden veranderd.'

'Ik weet dat ik veel van je vraag, maar zul je het me laten weten, zelfs al is het geheim?'

Neville glimlachte. 'Ik zal meer doen dan dat.'

'Hoe bedoel je?'

De grijsharige man tikte tegen zijn neus met zijn door nicotine verkleurde vingers. 'We hebben manieren en middelen. Geef me een week.'

'Je bent geweldig,' zei Mark terwijl hij opstond om nog een rondje te halen. Oude manieren. Oude regels. Dat werkte voor hem.

De vrouw betaalde de chauffeur van de zwarte taxi en trok twee zware koffers uit de achterbak. Ze stond op het punt in tranen uit te barsten. Haar kinderen huilden ook. Ze had het gevoel dat ze al huilden sinds ze de villa op de Canarische Eilanden hadden verlaten om halsoverkop om drie uur 's nachts een vlucht te halen. De kinderen waren moe. Het was niet hun schuld. Ze voelde zich ontredderd.

'Geen fooi?' vroeg de forse chauffeur.

De vrouw barstte in tranen uit terwijl ze weer in de taxi kroop om haar kinderen te pakken. Toen ze hun moeder zagen huilen, werden ze van schrik stil. Ze smeet de deur dicht en kreeg een keel vol zwarte dieseldamp als beloning. Ze keek zenuwachtig naar twee kanten de straat af.

'Kom, kinderen, stil, geen woord.'

Ze sleepte de koffers het oude stenen bordes van het huis op. Haar man was dol op dit huis. Zij haatte het, het was te oud, onpraktisch, en het had te veel trappen. Maar zij woonde er niet, dus wat maakte het uit? De voordeur was niet op het nachtslot. Dat maakte haar ongeruster dan de eindeloze reeks onbeantwoorde telefoontjes die ze vanuit Tenerife had gepleegd. Ze schoof haastig de kinderen naar binnen en sloot de deur. Ze was veilig. Niemand had haar gezien. Er waren slechts een paar lichten aan in de straat. De meeste mensen sliepen nog.

'Waar zijn we?' vroeg haar zoon.

'Blijf daar,' zei ze. 'Maak geen geluid en kom nergens aan.'

Ze was bang geweest voor een alarminstallatie, maar die scheen er niet te zijn. Ze liep naar de voet van de smalle trap en keek omhoog langs de ongelijke, scheve treden.

'Cary?' riep ze zachtjes.

'Is pappa daar?' vroeg haar zoon.

Ze keerde zich naar hem toe. 'Sssst. We weten niet wie hier is. Wanneer we niet in ons eigen huis zijn, is hij Cary, weet je nog?'

De jongen fronste zijn voorhoofd. Hij was boos en hij begreep het niet. Zij trouwens ook niet meer.

'Cary! Ik ben het, Lorna! Ben je hier?'

Ze deed een stap omhoog. De trede kraakte indrukwekkend in de stilte. Ze had echt de pest aan dit huis. Het rook raar. De kinderen zagen haar de eerste trap oplopen en via de overloop de volgende trap opgaan. Het meisje begon te huilen.

'Mammie!'

'Ssst, lieverd, ik ben hier.'

Lorna duwde elke deur naar elke kleine, hokkerige kamer open. Nergens was een vuur aangemaakt, maar hier en daar bevond zich stoffige as in het haardrooster. Cary was hier geweest. Hij had hier geleefd als een nichterige Edwardiaanse heer met zijn in leer gebonden boeken en zijn punctuele theeuurtje. Het was allemaal een spel, zei hij. De kijkers vonden het prachtig. Het betaalde het schitterende nieuwe huis in Leeds. Maar tegen welke prijs, dacht Lorna terwijl ze naar het onopgemaakte bed van haar man staarde. Hij had haar al drie dagen niet gebeld. Hij was niet naar Tenerife gekomen voor hun geheime vakantie, *en famille*. En dus had ze een van de gouden regels geschonden en hem gebeld. Maar zijn mobiel werd niet opgenomen en de telefoon in dit huis ook niet. Ze had zelfs zijn werk gebeld, maar daar zeiden ze dat hij op vakantie was met vrienden. Vrienden! Vrienden! Zijn vrouw en kinderen bedoelt u, had ze tegen de brave receptioniste willen schreeuwen. Het was een stomme dekmantel. En nu had ze niemand tot wie ze zich kon wenden.

'Mammie!' gilde haar dochter.

'Ik kom, lieverd, ik kom.'

Ze gingen in de keuken van het lege huis zitten, hun gebruinde gezichten plotseling bleek en bezorgd.

'Het ruikt hier raar,' zei haar zoon.

Lorna keek naar de kelderdeur. Cary had gezegd dat de kelder niet veilig was. De oeroude funderingen moesten worden gestut of zoiets. Ze was er nooit geweest. Ze had er nooit behoefte aan gehad.

'Het komt daar vandaan,' zei haar zoon en wees naar de kelderdeur. Hij had gelijk. Ze wist dat hij gelijk had, maar ze kon simpelweg niet in beweging komen.

Lorna wrikte de deur open met een pan en tastte langs de vochtige muur naar een lichtschakelaar. Ze kon niets vinden. Ze scheen met de zaklantaarn de trap af en begon omzichtig af te dalen in de duisternis. De stank werd penetranter naarmate ze dieper kwam. Ze had de kinderen kleurboeken gegeven, maar ze merkte aan de stilte dat ze niet aan het spelen waren.

'Alles goed, mam?' vroeg haar zoon.

'Ja schat, prima.'

Het ging allesbehalve prima. Ze was doodsbang. Was Cary van de trap gevallen? Zou ze hem dood aantreffen, met een gebroken nek? Ze richtte de zaklantaarn op de vloer en liet de straal millimeter na millimeter door de duisternis snijden. Ze was bang voor wat de schaduwen voor haar in petto hadden, maar de angst voor wat de langzaam bewegende streep licht haar kon onthullen was eigenlijk nog erger. Die stank betekende niets goeds. Het steen ging over in hout. Een openstaand luik. Een gat in de grond. Touw. Touwen die afzakten in een stinkende beerput. Ze wist onmiddellijk dat het een septic tank was. Er was er ook een geweest op de boerderij van haar ouders. Ze liet de zaklantaarn omlaag schijnen en keek naar het rulle, warme oppervlak van de inhoud van de tank. Ze zag de onderkant van een schoen. Ze gilde en liet de zaklantaarn vallen. Het ding viel in de uitwerpselen en zonk, direct naast het lichaam van haar man.

Jessie reed langzaam over Putney Bridge en keek hoe de mist opsteeg van het water en ronddwarrelde als de uitlaatgassen van een straalmotor. Op de rivier voeren al enkele boten die eendrachtig tegen de kracht van de stroom optornden. Ze stuurde de motor naar de afrit en stopte. Ze parkeerde de motor, zette haar helm af, streek met haar hand door haar platgedrukte haar en ging op zoek naar een paar roeiers.

De graafmachine had overal in het gazon van het smokkelaarshuis in Barnes gaten gemaakt. De boormachine had hetzelfde gedaan in het cement van de funderingen. Ze hadden niets gevonden. Er waren ooit tunnels geweest, maar die waren al lang geleden dichtgegooid. Jessie had kaarten bestudeerd van het rioolstelsel, van de nutsbedrijven, van de telefoonmaatschappij en van de waterleiding, maar ze had niets kunnen vinden. De geheime tunnels waren geheim gebleven. Ze had ook een ploeg uitgestuurd om de tunnel te onderzoeken die uitkwam bij de plek waar Verity's botten waren gevonden. Hij slingerde zich tot in een doolhof van ondergrondse systemen, maar tot nu toe leidde niets in de richting van het huis in Barnes.

Ze begon te denken dat er nog een andere route moest zijn, een directere en gevaarlijker route: de rivier zelf. Was iemand weggevaren van de steiger aan de voet van de tuin en had hij zich door de stroom laten meevoeren – aan het oog onttrokken door het baldakijn van takken langs de oevers van het water – om Verity's beenderen in de stinkende modder te leggen? Daarom was Jessie vandaag teruggekomen bij de rivier. De eerste twee botenhuizen waar ze langs kwam, waren gesloten. Stevig op slot. Het derde was open. Jessie gluurde naar binnen. Toen haar ogen aan de duisternis gewend raakten, kon ze de contouren onderscheiden van gestroomlijnde roeiboten die tegen de muren stonden. Ze liet haar hand langs een dure polyester romp glijden en voelde hoe krachtig de boot door de Theems zou kunnen snijden. Een roeiboot. Een vorm van transport die geen lawaai maakte en geen sporen achterliet.

'Kan ik u helpen?'

Er stond een man in de deuropening, zijn benen gespreid, een druipende waterslang in zijn hand. Ondanks de kou had hij alleen een roeibroekje aan en zwarte rubberlaarzen. Jessie hield haar hoofd schuin. Zijn spieren waren zo goed zichtbaar, dat ze ze in haar hoofd begon op te noemen: triceps, biceps, borstspieren, buikspieren, adductors, quadriceps... Ze ademde zachtjes uit en zette haar hoofd weer recht. Haar waarderende blik had minder dan een seconde geduurd.

'Inspecteur Driver – mag ik u een paar vragen stellen?'

'Natuurlijk.' Zijn optreden was gemakkelijk. Hij liet de waterslang vallen en greep een sweater uit een van de boten die tegen de muur stonden.

'Nick Elliot,' zei hij, en stak zijn hand uit. Jessie schudde hem stevig. Hij was niet de enige met biceps.

'Koffie?' Ze knikte. 'Wilt u weten of er een boot is gestolen?'

'Is dat zo?'

'Nee.' Hij prikte het folie over een nieuw potje instantkoffie door met een lepel.

'Geleend?'

'Nee. Dit zijn dure spullen, die bewaken we goed. Maar vraagt u gerust her en der, hoewel ik betwijfel of iemand het soort boten dat wij hier hebben zou gebruiken.'

'Waarvoor?'

'Een lijk dumpen.' Hij keek naar haar over zijn schouder. 'Suiker?'

Heel bijdehand. 'En melk graag, als u dat hebt.'

Hij overhandigde haar een beker en ging naast haar staan, zodat hij uitkeek over de rivier. 'Zoiets kun je niet veilig vervoeren in zo'n bootje.' Ze rook het zweet op zijn huid. 'Daarvoor zouden ze waarschijnlijk een Zodiac gebruiken.'

'Te lawaaierig.'

'Misschien. Maar we zitten hier precies onder een vliegroute. Zou het geluid van een tweelitermotor niet worden overstemd door de straaljagers?'

''s Nachts niet.'

'En een punter dan, het type dat je ziet bij roeiwedstrijden?'

'Sorry, ik heb niets met roeiwedstrijden,' antwoordde Jessie.

Nick keek naar Jessies leren broek en haar helm. 'Jammer...'

Ze wachtte.

'... want dan zou u weten dat ze breed zijn, in tegenstelling tot de skiffs. Ze hebben een plat uiteinde om op te staan en de onderkant loopt schuin af. Zo'n boot zou perfect zijn.'

'U hebt hier blijkbaar serieus over nagedacht.'

'Voornaamste onderwerp van gesprek sinds de meisjes dat skelet hebben gevonden. Het is hier een kleine gemeenschap, we kennen elkaar allemaal goed.'

Er verschenen nog twee mannen met duidelijke spieren in trainingspakken. Een van hen was lang, de ander iets kleiner.

'Niet weer, Nick. Hoe vaak moeten we je dat nog zeggen? Geen geflikflooi in het botenhuis.'

'Laat die studentes toch met rust. Ze komen hier om te trainen.'

'Ze is in elk geval menselijk,' zei de kleinste.

Ze bulderden om hun eigen grapjes.

'Wel, gedeeltelijk,' zei Jessie en liet haar politiepasje zien. 'Ik ben een politiebeambte.'

'Een inspecteur,' voegde Nick eraan toe.

'Shit, ik bedoel, sorry.'

'Ze is hier vanwege dat lijk,' vervolgde Nick.

De jongens lachten weer. Jessie kon alleen maar hopen dat dat van de zenuwen was.

'Ben jij echt een diender? Zo zie je er niet uit.' De kleine man probeerde met haar te flirten. Hij was er niet zo goed in als Nick.

Ze stapte dichter naar hen toe. 'Hoezo, maak je je zorgen om dat brok hasj dat je in je kastje hebt weggestopt?'

De kleinste roeier stikte haast. De langere kromp in elkaar. Jessie wendde zich weer tot Nick. 'Bestaat er een of andere organisatie waar de botenclubs bij aangesloten zijn en waar ze lijsten hebben van werven en verkochte boten?'

'Zeker, ik zal het nummer voor u opzoeken.'

Jessie volgde hem naar de achterkant van het botenhuis.

'Sorry voor die jongens.'

'Maak u geen zorgen. Ik heb drie broers, allemaal ouder dan ik. Ik heb alles al gehoord en voorbij zien komen.' Ze pakte het stuk papier dat hij haar overhandigde aan. 'Mocht u zich nog iets anders herinneren, bel dan dit nummer. U bent heel behulpzaam geweest, bedankt.'

'Wilt u niet nog een kop koffie? Het is een prachtige ochtend.'

Het was verleidelijk. Ze had al dagenlang niet rustig met een normaal mens zitten praten. Al weken. Ze dronk haar koffie op en stak de lege beker uit. 'Oké.' Hij was op weg naar de ketel toen haar pieper afging. Ze haalde het ding te voorschijn en las de boodschap: CARY CONRAD. PRESENTATOR VAN SPELLETJESPROGRAMMA. DOOD IN ZIJN HUIS GEVONDEN. REAGEER ZSM AUB. Ze greep haar helm en begon te rennen.

'Sorry,' riep ze over haar schouder, 'risico van het vak.'

'Wel, u weet me te vinden als...'

De drie mannen keken haar na.

'Lara Croft,' zei Nick.

'Zie hier de Terminator.'

'Zie hier de Boze Heks van het Westen.'

'Ze was geen heks,' zei Nick.

'Oh nee? En hoe wist ze dat dan van mijn hasj?'

Tarek reed Ray's BMW naar de American Car Wash. Ray had geen verklaring gegeven voor het feit dat hij een van de sleutels moest gebruiken om de deur te openen en een andere om te starten. Een van beide mechanieken was kennelijk vervangen. En dat betekende één ding voor Tarek. Gestolen. Hoezo bekeerde misdadiger? Was iedereen blind, of vonden ze het eigenlijk wel leuk om hun vrienden te kunnen vertellen dat ze een echte East-

End-gangster hadden ontmoet. Het maakte niet uit dat hij een moordenaar was, hij droeg een gouden ketting, een flitsend pak en een ring met zijn naam erop. Tarek stapte uit de auto en vertelde de bediende wat hij wilde. Moesten de wielen ook gewassen? Tarek keek omlaag naar de aluminium spaken. De auto zat vol aangekoekte modder. Zijn baas moest een uitstapje naar het platteland hebben gemaakt. Of anders had hij ergens lijken gedumpt. Eerlijk gezegd keek hij nergens van op.

'Alles erop en eraan,' zei Tarek. 'In de was zetten, de hele rataplan. Ik ga aan de overkant van de straat koffie drinken.'

Hij had geen bezwaar tegen dergelijke klusjes voor Ray. Vroeger moest hij vaak in een of andere vergeten hoek van Londen wachten op een man in een zwarte leren jas en schoenen met zachte zolen. Smeergeld. Informatie. Macht. Dat was opgehouden toen Alistair Gunner op het toneel verscheen. Nu was het Alistair die alle mannen met zachte zolen ontmoette. Ray St. Giles, de J. Edgar Hoover van de dagtelevisie. Richard en Judy konden maar beter uitkijken. Nu hij de dossiers had gezien, wist Tarek waar Ray mee bezig was.

Tarek bestelde koffie en vouwde de krant open. *The Times* had een artikel over het programma van St. Giles over Verity Shore. Toen hij het las, bekroop hem hetzelfde onrustige gevoel dat door hem heen was gegaan op het moment dat hij over de identificatie hoorde van het lijk dat langs de Theems was gevonden? St. Giles had een dossier opgebouwd van de 'beroemdheid' sinds ze had geweigerd in zijn programma te verschijnen. Hij was woedend geweest toen 'die kleine slet' weigerde. Hij had staan tieren dat ze zeker dacht dat ze te goed voor hem was, maar dat hij wel een paar dingen over haar wist en dat hij die tegen haar zou gebruiken tot ze hem smeekte in zijn programma te mogen komen. St. Giles wilde een dikke vette brok van Oprah's wereld. En Tarek begon langzaam te geloven dat hij nergens voor terugschrok om dat te krijgen ook. *News of the World* zou wat St. Giles had 'stukken' noemen, maar Ray noemde zijn dossiers fiches. Om mee te spelen op de roulettetafel van het beroemd-zijn. De prijs was roem en fortuin. Het beste waar de verliezers op mochten hopen, was vergetelheid. Ray St. Giles was echter geen man voor wie vergetelheid een optie was. Tarek had geluisterd naar zijn dronken gebral over zijn eerste gevechten in de boksring toen hij zeven jaar oud was en hoe zijn aangeboren voorliefde voor geweld de plaatselijke incassobureaus al snel was opgevallen. Hij had altijd iemand willen zijn. Wat echt beangstigend was aan St. Giles, was dat de meeste mannen van zijn slag het leeuwendeel van hun verhalen uit hun duim zogen, maar dat je bij Ray wist dat hij het leeuwendeel verzweeg. Zelfs wanneer hij dronken was, verloor hij nooit de controle. Een verdacht sterfgeval en Ray was weer een stap dichter bij het vervullen van zijn droom. De dood van Verity Shore kwam hem heel goed uit. En een sterfgeval dat goed uitkwam was voor Tarek hetzelfde als een veranderd autoslot. Er klopte iets niet.

De auto stond te glimmen in een korte straal zonlicht. De achterklep stond open en iemand was de binnenkant aan het stofzuigen. De inhoud had hij links van hem op een stapel gelegd. Een plastic jerrycan voor benzine. Een blik olie. Een spade. Een kartonnen doos. Eén golfschoen, een linker. Tarek liep naar de doos. Zijn nieuwsgierigheid zou hem nog eens in de problemen brengen, dat wist hij, maar hij kon zich niet inhouden. Hij tilde de deksel op. Er zat een hoofd in. Hij sprong achteruit van schrik. Slechts twee dagen daarvoor had Ray het gehad over Verity Shores hoofd. Hij was vastbesloten degene te zijn die het hoofd zou vinden. Dit hoofd was echter van glas. Hol. Of het was hol geweest. Tarek tilde het op. Het duurde een paar seconden voordat hij snapte wat erin zat. En toen het tot hem doordrong, liet hij het ding haast vallen. Het was stront. Zo te zien menselijke stront. Tarek hoefde niet naar de handtekening te kijken om te weten wie de kunstenaar was. Ray's nieuwe project.

Vijf jongens. Allemaal op dezelfde dag geboren, allemaal voorbestemd voor hetzelfde lot: een kindertehuis. Clare staarde naar hun namen. Ze kon het niet geloven. Vijf namen. Vijf mogelijkheden. Vijf vooruitzichten, terwijl ze er nooit meer dan één had gehad. Ze had ze allemaal opgeschreven. Met een zwarte viltstift. Op wit papier. Ze wilde het simpel houden, want het zou toch al ingewikkeld genoeg worden. Ze had haar tekeningen van de keukenmuur gehaald en er de vijf namen voor in de plaats geprikt. Onder elke naam hing de informatie die inspecteur Ward haar had gegeven. Naar welk kindertehuis de jongens waren gegaan, de namen en adressen van hun pleegouders, de andere kindertehuizen, de andere pleegouders. Achteruit en vooruit,

heen en terug, op en neer, vooruit en achteruit terwijl verbijsterde kleine jongens boze jongeren werden. Drie van hen hadden
een strafblad. Een was naar een jeugdgevangenis gestuurd. Niet
bepaald goede reclame voor kindertehuizen. Geen van hen had
een huidig adres. Slechts één van hen was officieel geadopteerd
en ook van hem was geen huidig adres bekend.

Elk van hen kon Frank zijn, maar, zoals inspecteur Ward
nadrukkelijk had aangegeven, misschien was hij er ook helemaal
niet bij. Ze vouwde de foto uit van Frank op de dag van de
begrafenis. Hij keek zo ernstig. Ze wilde niet worden herinnerd
aan die dag, alleen aan zijn gezicht. Ze wist niet meer dat er een
fotograaf op het kerkhof was geweest, maar ze wist eigenlijk nauwelijks nog iets van die dag. Behalve de blik van afschuw op haar
moeders gezicht toen haar vader wegzakte in de grond. Veronica
Mills was op haar knieën gevallen en had zich vastgeklauwd aan
de grond. Frank en zij hadden naar hun moeder gestaard – hulpe-
loos. Hopeloos. Iemand anders had haar overeind moeten helpen.
Die vuile vegen op haar moeders knieën hadden Clare honend
aangegrijnsd aan de achterkant van de garderobekast. Iemand
anders moest haar lossnijden.

De chef van dienst belde naar Jessies bureau. Er was iemand
voor haar. Jessie passeerde Niaz, die met zijn ene hand een
telefoon tegen zijn oor hield en met zijn andere een stuk papier
in haar richting wuifde. Hij legde zijn hand over het mondstuk.
'We zijn nog steeds kunstenaarsmodellen aan het interviewen en
de gegevens van botenwerven aan het controleren. Alle boten die
in het afgelopen halfjaar zijn verkocht en die contant zijn betaald.
Is er nog nieuws over Cary Conrad?'

'Ik heb een gesprek geregeld met degene die het onderzoek
leidt. Kun jij een speurtocht op de rivier organiseren? Burrows
kan je helpen met de administratie.'

'Verwacht u het hoofd te vinden?' informeerde Niaz.

'Nee. Het hoofd blijft verborgen, maar ik heb zo'n gevoel dat
het ergens zal opduiken. Nee, ik wil de rivier laten onderzoeken
naar een boot. Een boot laten zinken is gemakkelijker dan het
ding uit het water trekken en op een aanhangwagen wegvoeren.
Het kan door één persoon zijn gedaan.'

'Met alle respect, chef, u weet nog niet eens of het stoffelijk overschot per boot werd vervoerd. Nog niet zo lang geleden waren we bezig tunnels te doorzoeken en het huis in Barnes om te spitten op zoek naar een verband.'

'Dat weet ik. Het was ook de bedoeling dat ik dat deed. En het was de bedoeling dat ik daardoor tijd zou verliezen. Dat is ook gebeurd. Maar nu ben ik weer terug op koers. Het moet een boot zijn geweest.'

Niaz was niet overtuigd, ze kon het aflezen aan de manier waarop zijn olijfkleurige ogen zich terugtrokken in zijn smalle schedel.

'Als je een andere transportmiddel kunt bedenken waarmee die beenderen naar die modderige oever kunnen zijn gebracht zonder enig geluid te maken en zonder sporen achter te laten, vertel het me dan.'

Hij zweeg.

'Ik moet gaan, er staat iemand op me te wachten.'

Jessie drukte op de zoemer om de deur te openen en zag Maggie in de wachtkamer zitten.

'Oh, hallo.'

Maggie glimlachte stralend. 'Verwachtte je iemand anders? Iemand die iets beroemder is dan ik, misschien?'

'Nee.'

'Leugenaar! Je likte langs je lippen.'

Jessie vloekte in stilte tegen haar toen verschillende agenten hun oren spitsten.

'Kom op, Clouseau,' zei Maggie. 'Ik nodig je uit om koffie te drinken. Ik heb nieuws.'

'Vertel me nu niet dat Denise van Outen is omgekomen bij een bizar zeilongeluk en dat jij bent gevraagd voor *Big Breakfast*.'

'Jezus, jij loopt achter, zeg. Die heeft het programma al lang geleden verlaten. Jij zou zulke dingen trouwens niet moeten zeggen, niet bij de huidige stemming in het land.'

'Welke stemming?'

Maggie greep Jessies arm en ze liepen het politiebureau uit, het parkeerterrein over en recht naar het café waar Jones zo graag kwam. Jessie vroeg zich af of Maggie alleen maar hierheen was gekomen om alle monden te zien openvallen. Overal om hen heen volgden agenten hen met hun ogen.

'Je moet echt de sensatiebladen gaan lezen, schat. Ray St. Giles, de nieuwe man van het volk, is naar de pers gestapt met een dringende waarschuwing aan al die ongetalenteerde pseudo-beroemdheden in het land. Eerlijk, ik ga onmiddellijk pepper-spray kopen.'

'Waar heb je het over? En bovendien, jij hebt wel talent.'

'Je bent een beetje traag van begrip, Jessie, maar ik neem het je niet kwalijk.'

'Je maakt een grapje, toch?'

'Nee. Dankzij Ray St. Giles sluiten de bookmakers wedden-schappen af over wie de volgende zal zijn.'

'Wat?'

'Iedereen weet dat ze in zuur werd gedoopt, dat ze werd geïdentificeerd aan de hand van haar tieten en dat ze geen hoofd had. Een hersenloze blondine met grote tieten wordt onthoofd en met gespreide armen en benen achtergelaten in de modder – dit is geen toevallige overdosis. Dan volgt Eve Wirrel – het is te poëtisch voor woorden. En nu Cary Conrad...'

'Wat heb je over hem gehoord?'

Maggie glimlachte. 'Dus het is waar.'

Jessie legde haar vinger tegen haar lippen. Maggie knipoogde. 'Werk jij daaraan?'

'Niet direct, maar ik behoor tot het circuit. Ene hoofdinspec-teur Harris heeft de leiding. Hij klinkt aardig aan de telefoon. Zodra de autopsie is afgerond, heb ik een gesprek met hem. En bovendien, Maggie, kan een ongeluk niet worden uitgesloten. Vertel niemand hier ook maar één woord over.'

'Wat is er met hem gebeurd?'

Jessie zuchtte.

'Vertrouw je me niet?'

'Natuurlijk vertrouw ik je. Het punt is dat niemand weet wat er precies met hem is gebeurd. Nog niet.' Dat was niet waar. De presentator van spelletjesprogramma's was verdronken in zijn eigen stront. Hoe hij daarin terecht was gekomen, was hoofdin-specteur Harris aan het uitzoeken.

'Het is reuze opwindend, vind je niet?' zei Maggie. 'Je zou even door Oxford Street moeten lopen, Jess. De massa is opgeto-gen, het lijkt wel een koninklijk huwelijk of zoiets.'

'En wie is volgens de bookmakers de volgende op de lijst?'

'Waar moet ik beginnen?' vroeg Maggie theatraal. 'Alle leden van mannen-, vrouwen- en gemengde bands, vooral degenen die er leuk uitzien en die playbacken. De hele meute van Barbieachtige presentatrices. Glamourmeisjes, die afschu-

155

welijke dure jongens met titel, voormalige feestbeesten, de meeste voetballersvrouwen, modellen die hebben besloten alles te zijn behalve modellen – al de gebruikelijke flutfiguren.'

Jessie kon alleen maar haar hoofd schudden van verbijstering. 'Maar wat mensen echt ongerust maakt, is wanneer ze niet op de lijst voorkomen. Zo staat er bijvoorbeeld niemand op uit *Hollyoaks* of *Big Brother*. Het is begrijpelijk dat ze diep teleurgesteld zijn. Ze zitten onder de nullijn – min nul dus. En zoals we allemaal weten, ben je dan niet in beeld en wie in de media niet bestaat, bestaat helemaal niet. Oh, wat moeten al die arme, ongetalenteerde exhibitionisten nu beginnen?'

'Ik kan niet geloven dat we dit gesprek voeren. Ze worden liever gezien als potentiële moordslachtoffers dan dat ze helemaal niet worden gezien?'

'Ik geloof dat er zelfs enige strijd gaande is om de eerste plaats, het opperwezen van de min-nul-schepsels, zogezegd.'

'Hoe komt het dat dit soort ellende zo snel rondgaat?'

'Denk maar eens aan Jill Dando – mensen hebben dit verwacht.'

'Je bent gestoord.' Ze bestelden iets te drinken.

'Je hoeft geen genie te zijn om het uit te knobbelen en alle eventuele gaten die pers heeft opengelaten, heeft Ray St. Giles wel ingevuld. Hij moet ergens een spion in jouw departement hebben,' vervolgde Maggie.

'Ik moet eens een babbeltje maken met die aardige meneer St. Giles.'

'Wees maar voorzichtig, hij is een smerig stuk vreten.' Ze gingen in de erker zitten. 'Je wilt niet weten hoeveel mijn baas me heeft geboden om je over te halen tot een interview.'

'Dat meen je niet. Hoe weten ze dat jij me zelfs maar kent?'

'Het filmfeestje, lieverd, je ziet er fantastisch uit in een strakke leren broek. Men heeft je met mevrouw Henrietta Cadell zien praten, een vrouw die erom bekendstaat dat ze van een gewelddadige afloop houdt. Een paar dagen later verschijn jij op de nationale televisie omdat je de leiding hebt van het meest opwindende moordonderzoek sinds O.J. Simpson op de vlucht sloeg met het hele politiekorps van Los Angeles op zijn hielen. Televisiemensen worden heel goed betaald om dergelijke dingen op te merken.'

'Niemand weet of de sterfgevallen iets met elkaar te maken

hebben en of, zoals ik al heb gezegd, de dood van Cary Conrad sowieso wel verdacht is.'

'Verdronken in zijn eigen stront – en dat is niet verdacht?'

Jessies mond viel open. 'Hoe weet je dat?'

Maggie tikte tegen de zijkant van haar neus. 'Ik heb ook mijn bronnen. Hoe dan ook, sterke krachten willen je op het scherm, met je pruilmondje en je irritant hoge jukbeenderen en je aan-de-lucht-gedroogde haar. Heel eerlijk gezegd begint me dat best een beetje te irriteren.'

'Wat heb je hun verteld?'

'*Watchdog* heb ik beloofd dat ik hun je hoofd op een schaal zou brengen.'

Jessie lachte. Maggie viste een opgevouwen stuk papier uit de zak van haar jasje. 'In plaats van je te haten, wat ik eigenlijk zou moeten doen, kom ik met geschenken uit het Oosten.' Ze zwaaide met het papier naar Jessie. 'Raad eens wat dit is.'

'Jeffrey Archers DNA.'

'Beter. De directe lijn naar de showbiz-redacteur van *News of the World*. Lieve schat, hij is een goudmijn, een ware bron van kennis. Ik heb hem gisteravond op een feestje ontmoet en ik dacht dat hij wel eens nuttig zou kunnen zijn. De informatie die jij nodig hebt, vind je niet bij het doorploegen van eindeloos veel exemplaren van *Hello!*. Wat jij wilt, is het spul dat niet kan worden gedrukt. Vertrouw me hierin, ik ken mijn mensen.'

Jessie pakte het stukje papier aan.

'Oké, ik moet gaan, ik moet om twaalf uur een producent pijpen. Duim voor me, misschien wordt dit mijn grote doorbraak.' Maggie glimlachte. 'Ik zie je straks – en bel die vent.'

'Ik zal hem vertellen wat ik weet in ruil voor zijn dossier over jou,' riep Jessie haar na.

Maggie draaide zich eerst om en glimlachte pas later.

'Grapje,' zei Jessie. 'Hé, Maggie, heb je ooit nog zo'n dreigbrief gekregen?'

'Ach, lieverd, maak je om mij maar geen zorgen. Ik kan wel op mezelf passen.'

'Mag ik hem hebben?'

Maggie blies haar een kushand toe. 'Je piekert te veel.'

Jessie stuurde haar motor de parkeerplaats van een sjofele televisiestudio op. De bewaker bij het hek wees haar de weg. Ze klopte op de deur van de portakabin en liep zonder op antwoord te wachten naar binnen. Ray St. Giles zat in een grote leren draaistoel achter een bureau. 'Wat moet dat verdomme...'

'Politie,' zei Jessie. 'Ik wil u even spreken.'

'Jezus Christus, ik ben bezig. Kan dat niet wachten?'

Jessie keek naar de hoge hakken die onder het bureau uit staken. 'Misschien moet ze even een theepauze hebben.' Ray St. Giles bewoog zich niet, de voeten verdwenen onder het bureau. 'Nu,' zei Jessie met stemverheffing.

'Vooruit dan, donder op,' zei Ray terwijl hij zijn stoel achteruit schoof om het meisje eruit te laten kruipen. Ze was niet ouder dan negentien. De deur viel achter haar dicht.

'Een gewoonte die ik in de bak heb opgepikt,' zei Ray terwijl hij opstond en zijn gulp dichtritste. 'Hé, ik ken jou. Jij bent die rechercheur van de tv. Zoek je een expert om samen met jou bij *Crime Watch* te verschijnen?' Hij glimlachte en vertoonde zijn inmiddels bekende beschadigde tanden.

'Voor Hollywood zult u daar toch kronen op moeten laten zetten,' zei Jessie.

'Zelf dacht ik aan goud.'

'Goed kleurenschema,' antwoordde Jessie terwijl ze langzaam de keet rondliep.

'Ben je alleen gekomen, inspecteur?'

Ze draaide zich om en keek hem aan. 'U bezorgt me nogal wat last, meneer St. Giles.'

'Het spijt me dat te horen.' Hij glimlachte breed. 'Ik help de politie graag op elke manier die ik kan.'

'Ons schakelbord is helemaal vastgelopen door al die telefoontjes van medialievelingen die politiebescherming eisen. Alsof we nog niet genoeg om handen hebben wanneer de Amerikaanse sterren hierheen komen om de theaterwereld met hun aanwezigheid te vereren.'

'Het spijt me, maar ik begrijp niet hoe ik je kan helpen.'

'Ze schijnen te denken dat ze het doelwit zijn van een haatcampagne.'

'Schat, ik vertel het publiek alleen maar wat de politie allang weet,' zei Ray.

'U veroorzaakt paniek en paniek is nooit gunstig voor mijn werk.'

Ray tikte met een sigaret op het bureau en stak hem aan. Hij blies rookkringetjes in haar richting en haalde zijn schouders op.

'Ik had een afspraak met de pers om bepaalde details tot een latere datum verborgen te houden voor het publiek.'

'Ik ben de pers niet.'

'Waar hebt u uw informatie vandaan, meneer St. Giles?'

Hij glimlachte. 'Je kunt goede roddels niet stil houden in deze stad, inspecteur. Als Verity Shore het had kunnen doen, dan had ze het verhaal zelf naar ons doorgestuurd.'

'Ze heeft kinderen.'

'Mis. Ze had accessoires.'

'U mag haar type niet, als ik het goed begrijp?'

'Gewapende overvallers hebben sterke morele principes vergeleken bij haar soort.'

'Water zoekt zijn eigen peil, meneer *Sint* Giles.'

'Een extraatje dat ik aan mijn naam heb toegevoegd toen ik weer vrij man werd. Het heeft wel iets wanneer het publiek je naam gaat scanderen.'

'Doen ze dat?'

'Dat zullen ze doen.' Hij glimlachte weer en liet zijn ijsblauwe ogen over haar strakke, getrainde figuur glijden. 'Kan ik nog iets anders voor je doen, *inspecteur*?'

Hij boezemde haar geen angst in. 'Ontketen geen storm, meneer St. Giles. Dan geeft u uzelf een motief.'

Hij deed een stap in haar richting, maar Jessie gaf geen krimp. 'Pas op met dergelijke bedreigingen, inspecteur, anders geef je me er nog een.'

'Ik probeer een moordenaar te vangen,' zei ze.

Hij pakte haar hand, hief hem naar zijn mond en kuste hem. 'En ik probeer een programma te maken.'

Clare Mills stond op de verhoogde natuurstenen stoep met haar boeket in haar armen geklemd. Irene had haar haar geschiedenis, haar verleden gegeven. Ze wilde het goede nieuws het eerst aan Irene vertellen.

'Hallo, Clare. Kom binnen. Ik heb net een cake gebakken.'

'Misschien hebben we Frank gevonden!' barstte ze uit. 'Wel, ik niet, maar Mark – inspecteur Ward. In Sunderland. Hij wil me ontmoeten. Inspecteur Ward rijdt me er morgen heen. Hij heeft geen geboortebewijs. Dit is de eerste reële mogelijkheid. Hij is blank. Net als ik.'

Irene glimlachte niet. 'Dat is, eh...'

'Oh ik hoop dat hij het is, ik hoop het zo. Wees alsjeblieft blij voor me.'

'Ik wil alleen maar niet dat je verwachtingen te hoog zijn gespannen, Clare. Je weet wat er de vorige keer is gebeurd.'

'Dit is anders. Inspecteur Ward was zo aardig, echt waar. Aanvankelijk mocht ik hem niet zo, maar heus, hij is...' Ze nam een plak citroencake. 'Je zou hem eens moeten ontmoeten, hij is ongeveer van jouw leeftijd.'

'Ik geloof dat ik een beetje te oud ben om te worden gekoppeld.'

'Onzin, je ziet er fantastisch uit. Mam en jij waren altijd de knapste meiden uit de buurt. Ik weet nog dat jullie je opdoften voor zaterdagavond. Jullie waren geweldig. Ik heb Mark alle foto's laten zien die je me hebt gegeven, hij was heel erg onder de indruk.'

'Dat zijn persoonlijke dingen, Clare, dat heb ik je al eerder gezegd.'

'Sorry. Maar hij zei dat hij me kon helpen.'

'Nee, Clare. Het spijt me. Ze zullen er alleen maar met hun klauwen aanzitten en overal vette vingerafdrukken op achterlaten. Ze zullen er geen respect voor hebben. Dat moet je niet meer doen, Clare – beloof het me. Vertel hun geen privé-dingen. Dat zou je moeder niet prettig vinden. Ze waren trots, je ouders. Trots en eerlijk. Ik vind het geen prettig idee...' Irene trok Clare in haar armen. 'Sorry, lieverd, ik heb te hard gewerkt.'

Clare rook de geur van Elnett-haarlak en shampoo. Stilstaan bij het verleden was te pijnlijk voor Irene. In sommige opzichten had die zinloze verspilling van levens haar nog meer pijn gedaan dan Clare. Irene had haar beste vriendin verloren die ze al twintig jaar kende, haar hart was vervuld van herinneringen. Ze hadden hun kleren, hun vriendjes en hun geheimen gedeeld. Toen Veronica's moeder haar in de steek had gelaten, was ze bij Irene gaan wonen. Een dergelijke toewijding was overal zeldzaam, maar in de buurt waar zij waren opgegroeid, was hij al lang uitgestorven. Irene zei altijd dat ze niet wilde dat een of andere man haar weghaalde van alles wat haar toebehoorde. Haar kapsalon. Het huis waarin ze was geboren. Haar vrienden. Haar herinneringen. Het was hun speelterrein geweest, de plek waar ze alles uitprobeerden en volwassen werden. En de grond waarin Veronica, haar beste vriendin, was begraven. Haar verleden. Wat Clare miste was een verleden met duidelijke beelden. Dat wist ze. Haar herinneringen waren vaag en etherisch, als een droom. Behalve de dag van haar vaders begrafenis natuurlijk. Die stond haar altijd voor ogen alsof het gisteren was.

'Ze hebben twee huizen van de kapsalon vandaan een sushi-bar geopend,' zei Irene. 'Ik weet zeker dat wij als volgende aan de beurt zijn. Iemand zal me een aanbod doen dat ik niet kan weigeren en dan ga ik met pensioen. Reizen. Ik heb altijd al willen reizen.'

'Misschien kunnen Frank en ik met je meegaan.'

Irene glimlachte op die karakteristieke manier van haar, met treurige ogen. 'Wie weet,' zei ze.

Tarek liep langs Shoreditch High Street naar zijn flat. Voor het treinstation stond een verkoper van de *Evening Standard* en schreeuwde:

'EVE WIRREL STERFT VOOR DE KUNST! EVE WIRREL STERFT VOOR DE KUNST! POLITIE ZIT ERNAAST!'

Tarek overhandigde de man zijn kleingeld. Hij ging op een bank zitten en las:

Het lichaam van Eve Wirrel werd gevonden in Richmond Park door een man die aan het joggen was met zijn hond. Zo kort na de dood van Verity Shore beschouwde de politie haar overlijden direct als verdacht. Ze hielden essentiële informatie achter voor de pers en ruimden de plek waar ze werd gevonden leeg voordat er journalisten werden toegelaten. We kunnen nu echter exclusief onthullen dat Eve Wirrel in feite STIERF VOOR DE KUNST.

Internationaal befaamd fotograaf Anton Flame, een goede vriend en vertrouweling van de kunstenares, werd door Eve Wirrel zelf naar Richmond Park ontboden. Ze had hem verteld waar hij haar kon vinden en wat hij moest doen. Helaas werd haar lichaam gevonden door een nietsvermoedende voorbijganger die onmiddellijk de politie waarschuwde.

Anton Flame verklaart:

'Het was zo mooi. Elk van haar ledematen wees naar een van de vier majestueuze eiken waarop ze het woord DECOMPOSITION had gekerfd. Helaas besloot de politie de plek te behandelen als een plaats delict en niet als een doek. Ze begonnen onuitsprekelijke dingen met het lichaam te doen. Ze hadden totaal geen respect voor haar, voor waar ze voor stond en wat ze probeerde te doen voor de moderne kunst. Ik ben er compleet kapot van.'

Wirrel werd op slag beroemd met haar controversiële werk 'Een Bijzonder Zware Week,' waarin zeven gedragen slipjes een belangrijke plaats innemen. Het werk is te zien in Tate Modern. De politie moet nog bevestigen of Eve het tweede slachtoffer is in een reeks van verschrikkelijke moorden die zijn gericht op nationale beroemdheden, of dat het gaat om een van haar geruchtmakende 'installaties'.

'De klootzak!' Jessie smeet de krant op haar bureau. 'Kunnen we hem aanklagen?'

'Nee. Hij heeft geen foto afgedrukt. Maar het artikel somt de artistieke verdiensten van de fotograaf op en noemt een website.'

'Je wilt toch niet zeggen dat er foto's zijn!'

'Ik ben bang van wel,' zei Fry. 'De agent heeft hem gefouilleerd, ik was er zelf bij, maar die uitgekookte hufter moet dat filmpje in zijn broek hebben laten glijden. Heel toepasselijk eigenlijk, als je bedenkt wie het lijk was. Hoe dan ook, de foto's staan op de website, fan-extremis.com. Wie betaalt, mag ze downloaden.'

'Niet te geloven, verdorie. Waarom heb je me dit gisteren niet laten zien, toen die rotkrant uitkwam?'

'Sorry, ik ging ervan uit dat u het wel had gezien.'

'Kunnen we het tegenhouden?'

'Niet snel genoeg, nee. Kijkt u maar even op internet. Er is heel wat gedokterd aan die foto's.'

'Eerst St. Giles en nu deze klootzak!'

'Hoe staat het met die presentator van het spelletjesprogramma?' vroeg rechercheur Fry op zo'n beminnelijke toon dat Jessie hem het liefst door de hele kamer had gesmeten.

Ze keerde zich naar hem om. 'Zeg maar tegen Mark dat hij me dat zelf kan komen vragen.'

Fry deed zijn mond open om te protesteren, maar op dat moment kwam Trudi binnen. 'Inspecteur Driver, er is een jongeman voor u. Ik heb hem in het kantoor van Jones gelaten.'

'Wacht even, Trudi, ik moet...'

'Het is belangrijk en ik geloof niet dat zijn zenuwen het nog lang houden.'

Jessie opende de deur van Jones' ongebruikte kantoor. Een knappe man van gemiddelde lengte was net bezig een rugzak op zijn rug te hijsen. Zoals Trudi al had gezegd, kwam hij over als iemand die zich klaarmaakte om te vluchten.

'Gaat u ergens heen?' vroeg Jessie.

Hij keek zenuwachtig het kantoor rond. Zijn haar was met behulp van gel glad naar achteren gestreken en hij droeg design-kleding, maar hij zag er angstig uit. Jessie leunde tegen het bureau. 'Ga zitten,' zei ze vriendelijk. 'Wat kan ik voor u doen?'

Hij liet zich in de stoel vallen, maar bleef zwijgen.

'U hebt tegen Trudi gezegd dat u informatie hebt over de dood van Verity Shore en Eve Wirrel.'

Hij knikte. 'Kan ik vertrouwelijk met u praten?' Hij klonk beschaafd. Intelligent. Maar nog steeds angstig.

'Wel, dat hangt ervan af wat u me wilt vertellen. Ik ben geen priester, eigenlijk doen we hier het tegenovergestelde met beken-tenissen, maar als u bang bent of bescherming nodig hebt omdat u iets weet, dan kan ik u helpen.'

'Ik werk voor Ray St. Giles.'

Jessie leunde voorover. 'Ga door...'

'Hij haatte Verity Shore omdat ze niet in zijn programma wilde verschijnen. Ze weigerde een van zijn gasten te zijn en toen begon hij te graven om te zien of hij een of andere smerigheid over haar kon vinden. En die vond hij ook. Ik weet niet wat het was, maar hij was plotseling heel trots op zichzelf. Hebt u dat pro-gramma gezien dat hij over haar heeft gemaakt?'

'Nee, maar ik heb erover gehoord.'

'Deze dingen hier heb ik gekopieerd uit zijn dossiers. Hij bewaart ze achter slot en grendel, maar ik heb kort geleden uitge-vogeld waar hij de sleutels verstopt.'

Jessie bladerde snel door de informatie die St. Giles had verza-meld. Er waren foto's bij van Verity Shore die bij een gemetselde muur een man ontmoette. Ze overhandigde hem geld. Het kon een of andere drugsdeal zijn in een achterafsteegje, op een onge-bruikte binnenplaats of op een leeg parkeerterrein. Jessie ver-moedde dat Verity haar dealer ontmoette wanneer ze een van haar winkeluitspattingen had.

'Is dat het huis in Barnes?' vroeg Tarek.

Ze betwijfelde het. Er was daar wel een hoge tuinmuur, maar er was geen reden waarom ze zo'n deal buitenshuis zou sluiten en bovendien had Ray dan ook in het huis moeten zijn om de foto's te maken. Verder was er gedetailleerde informatie over Verity's fratsen thuis met de kinderen, zoals – volgens Tareks aantekeningen – naakt en krijsend door het huis rennen en dreigen kokend water over zichzelf te gieten.

Er was nog een foto. Een zwartwitfoto, net als de rest. Deze keer van Verity Shore aan de balie van een hotel in gezelschap van een oudere man, duidelijk niet P.J. Dean.

'Wie is dit?' vroeg Jessie en wees de man aan.

'Geen idee,' zei Tarek.

'Hij komt me bekend voor,' zei Jessie.

'Wel, ze was geen type om met de eerste de beste oudere man naar bed te gaan, dus hij zal wel belangrijk zijn.'

Jessie kon het Verity niet kwalijk nemen dat ze haar troost bij anderen zocht, maar ze begreep ook waarom P.J. zijn genadeloos ambitieuze vrouw opzij had geschoven. Ze hadden nooit een relatie moeten beginnen. Jessie had haar broer en schoonzus gadegeslagen en ze wist dat het laten slagen van een huwelijk een fulltime baan was. Verity en P.J. deden er zelfs parttime geen moeite voor. Dit was nog meer bewijsmateriaal dat Verity met jan en alleman naar bed ging. Kon P.J. werkelijk de enige zijn die dat niet wist?

'Wie heeft Ray al deze informatie gegeven?' vroeg ze terwijl ze het dossier ophield.

'Danny Knight, voordat hij zijn vijftien seconden in het programma kreeg. Ray heeft hem te kijk gezet als een bloedzuigende klootzak. Meneer Knight is woedend en blijft maar bellen om te zeggen dat Ray zijn geloofwaardigheid heeft aangetast en zijn kansen om een boek op de markt te brengen heeft geschaad.'

'Net goed,' meende Jessie.

'Meneer Knight kan maar beter voorzichtig zijn. Ray heeft een maatje dat heel graag informatie uit mensen perst en hen vervolgens tot zwijgen brengt. Ze onderschatten Ray altijd. Maakt u die fout alstublieft niet.'

'Wat zou er gebeuren als hij vermoedde dat u met mij hebt gesproken?'

Tarek hoefde geen antwoord te geven. De blik in zijn ogen vertelde haar alles wat ze wilde weten.

'We zullen hier kopieën van maken, dan kunt u alles het beste zo snel mogelijk terugleggen, voordat Ray iets mist.' Jessie keek Tarek recht in zijn ogen. 'U zou een andere baan moeten zoeken.'

'Daar ben ik mee bezig.'

'Loopt u geen gevaar wanneer u teruggaat?'

'Dat denk ik niet. Wat gaat u ermee doen?'

'Wel, Tarek, ik heb iets meer nodig dan dit. De politie moet heel voorzichtig zijn met mensen zoals Ray St. Giles. Uiterst voorzichtig.'

'Als u denkt dat ik het bij het verkeerde eind heb, kijkt u dan vanavond naar zijn programma. Dan gaat het over Eve Wirrel.'

'Ik weet het. Ik heb zijn optreden gisterochtend bij het ontbijtprogramma gezien,' antwoordde Jessie.

Tarek stond op en liep naar het raam, daarna wendde hij zich weer tot haar. 'Ja, maar hoelang is ze nu helemaal dood? Hij had een van haar werken achter in zijn auto, in een doos. En nu is het weg.'

'Bewijs?'

'Ik heb een foto genomen terwijl de bediende van de wasstraat de krant van die dag ophield en ik kan u nog meer brengen. Als u me daardoor wilt geloven.' Tarek overhandigde haar de foto. 'Ik heb hem laten opblazen.'

Jessie keek hem aan. 'Is dat...?'

'Fraai, nietwaar? Raad eens wat de titel is.'

Jessie wachtte. Als het iets te maken had met Cary Conrad, zou ze het zichzelf nooit vergeven.

'"Stront-Hersenen".' Hij lachte. 'Kunt u dat geloven? En ze krijgt er nog geld voor ook.'

En niet zo'n beetje, dacht Jessie. Meer dan de kabelmaatschappijen hun presentatoren konden betalen, als je op hun kantoren moest afgaan tenminste.

'Weet u dat ik hiervoor al bij uw baas ben geweest?'

'Is dat zo?' Hij klonk verrast.

'Was u dat niet? Die man op het parkeerterrein die probeerde niet op te vallen? Goed verpakt in een pet en een bruin leren jasje?'

'Oh nee, u bedoelt Alistair Gunner. Hij is Ray's onderzoeksassistent. Hij is degene die zo graag informatie uit mensen perst. Hij staat onmiskenbaar op de loonlijst, als u begrijpt wat ik bedoel. Ik ben ervan overtuigd dat ze elkaar uit de gevangenis kennen, maar daar zijn ze geen van beiden door veranderd. Het gerucht gaat dat Ray veel meer moorden op zijn geweten heeft dan waar hij voor is veroordeeld. En Alistair lijkt mij iemand van zware mishandeling.'

Jessie gaf een nietszeggend antwoord.

'Als u me niet gelooft, kijkt u dan naar het programma over Eve Wirrel. En vertelt u me daarna of Ray hier niet beter van wordt. Ambitie is net zo goed een motief als andere dingen. Uiteindelijk gaat het allemaal om geld.'

'U hebt echt een hekel aan uw baas, nietwaar?'

'Hij is een racistische, seksistische moordenaar en geloof me, als dat *mijn* motief was om hierheen te komen, dan kwam ik hier elke dag.'

Hoofdinspecteur Harris, de rechercheur die de leiding had van het onderzoek, liep tegen de vijftig. Hij had sprankelende blauwe ogen en gemakkelijke manieren. Jessie mocht hem onmiddellijk, niet in de laatste plaats omdat hij de moeite had genomen haar persoonlijk op de hoogte te stellen van Cary Conrads dood. Het lichaam was in zijn district ontdekt, maar gezien de recente gebeurtenissen rond Verity Shore en Eve Wirrel wilde hij een gezamenlijk onderzoek. Een dergelijke samenwerking was zeldzaam op een terrein waar statistieken de verschillende bureaus gescheiden hielden.

Jessie liep het ongelijke stenen bordes op van het tot monument verklaarde pand en werd rechtstreeks naar het souterrain gebracht. Ze had er niet veel tijd nodig. Daarna trokken ze zich terug in de woonkamer en gingen op een fluwelen bank zitten omringd door reproducties van prerafaëlitische schilderijen.

'De vrouw die ons heeft gebeld bleek zijn echtgenote te zijn,' vertelde Harris. 'Cary Conrad hield haar en de kinderen verborgen voor het publiek. Schandalig, als je het mij vraagt. Hij dacht dat zijn fans hem in de steek zouden laten als hij niet nichterig overkwam. Ik kan daar niet bij.'

Jessie knikte terwijl ze het autopsierapport over Cary Conrad las.

'Ooit naar zijn programma gekeken?'

'Nee.'

'Een of ander supermarktspelletje. Huisvrouwen zijn er blijkbaar gek op.'

'U weet dat er zowel bij Verity Shore als bij Eve Wirrel een slagader werd doorgesneden. Maar niet bij Conrad.'

'Ja, maar net als bij Eve Wirrel is er geen spoor van geweld en er is ook niet ingebroken. Dit kan heel goed zijn geënsceneerd als een of ander pervers spelletje dat verkeerd is afgelopen of als zelfmoord – én hij is een bekende persoonlijkheid.'

Ze had Harris verteld over het schilderij dat was verstopt achter Eve Wirrels muur en hij had haar een andere geheime deur laten zien, een luik. Naar de onderbuik van de roem.

'Eve Wirrel werd verdoofd, het bloed van Conrad is schoon,' zei Jessie.

'Dat geldt ook voor Verity Shore, toch?'

'Schoon zou ik het niet willen noemen, eerder beneveld. Maar u hebt gelijk, er zat niets in dat haar buiten bewustzijn zou hebben gebracht, zoals bij Eve Wirrel.'

'Omdat alleen Eve Wirrel op een openbaar toegankelijke plek is gestorven. Ze moest stil worden gehouden. En er zijn verwondingen op Conrads polsen en enkels die aangeven dat hij minstens enkele minuten moet hebben tegengesparteld.' Jessie dacht aan de zwartwitfoto boven Eves bed.

'Ik denk,' vervolgde Harris, 'dat Cary Conrad er meestal niet zo dichtbij kwam.'

Het was een onvoorstelbare manier om te sterven. 'Hoe is het met zijn vrouw?' vroeg Jessie.

'Buiten zichzelf, natuurlijk. Ze denkt dat haar man is vermoord.'

'Is haar iets bekend over fetisjisme?'

'Nee, maar je zult ook wel weten dat de partner altijd de laatste is die daar achter komt. Niet dat ik daar persoonlijk ervaring mee heb, begrijp me niet verkeerd.'

'Ik zal u dan maar op uw woord geloven, chef.'

'En wat denk je ervan?'

'Laten we onze aantekeningen vergelijken, maar ik moet u wel zeggen dat ik op dit moment nog heel weinig heb.'

'Kom, kom, Driver, dat moet je niet zeggen. Ik heb gehoord dat je een vrouw bent met buitengewone kwaliteiten.' Het duurde enkele seconden voordat Jessie besefte dat het niet sarcastisch was bedoeld.

'Dus we zijn een team, inspecteur Driver?' Harris stak zijn hand uit. Jessie greep hem. 'Mooi, want ik ben ervan overtuigd dat deze gevallen met elkaar in verband staan.'

Jessie haalde de foto te voorschijn die ze van Tarek had gekregen. Het was het hoofd dat Eve Wirrel had gemaakt. Harris fronste zijn voorhoofd. 'Is dat...?'

'Ja. Weer een uitgelezen creatie van Eve Wirrel. Tot vandaag wist ik niet dat ze met menselijk uitwerpselen werkte.'

'Nog een verband?'

Jessie haalde haar schouders op. 'Dat is mogelijk. We zijn nog steeds op zoek naar het hoofd van Verity Shore. Maar ik geloof dat we deze informatie stil moeten houden.'

'Groot gelijk, anders krijgen we nog paniek. Iedereen die slechts een klein rolletje heeft in *The Bill* zal om politiebescherming smeken. Je kent die types wel – Jezus, wat hebben die een opgeblazen beeld van hun eigen belangrijkheid!'

Ray St. Giles glimlachte naar de camera. Zijn lichtblauwe ogen glinsterden in de schijnwerpers. 'Goedenavond en welkom bij *Ray Vandaag*. Eve Wirrel, de dochter van sir Edward en lady Fitz-Williams – landadel dames en heren,' hij knipoogde en vervolgde: 'is dood. De kunstwereld, meestal een ontoeschietelijke club, is verscheurd. Heeft ze zichzelf van het leven beroofd of heeft iemand het voor haar gedaan? Moeten ze rouwen om het verlies van dit jonge talent of moeten ze haar moed bejubelen? U kent mij, kijkers, ik ben een tamelijk rechtlijnig soort man en ik heb geen flauw idee waar die kunstfanaten het over hebben. We hebben een enquête gehouden in de plaatselijk supermarkt hier en het blijkt dat de meesten van u het ook niet snappen. We hebben mensen afbeeldingen laten zien van bekende eigentijdse werken om een gevoel te krijgen van wat de natie denkt van al die moderne kunst.'

Het gezicht van Ray St. Giles brak in duizend stukken en smolt weg. De supermarkt verscheen op het scherm.

'Hier in de studio hebben we replica's van de kunstwerken die we aan het winkelend publiek hebben laten zien.'

Het eerste werk – een mannequin met een vrouwelijke bovenhelft en een manlijke onderkant en een stapel rauw vlees op het hoofd – werd door het publiek in de studio begroet met een collectief gekreun. Daarop volgde een vissenkom met de opgezette goudvissen tegen de buitenkant gelijmd. Daarna kwamen een reusachtige klos katoen en een piepklein knoopje en een grijs doek met iets uit het midden een oranje vierkant erop geschilderd. Er was nog meer, maar de ware blikvanger vormden zeven vuile herenslips.

St. Giles glimlachte naar de camera. 'Het vrouwelijke personeel was er niet toe te bewegen hun bezittingen ter beschikking te stellen, maar de toegewijde jongens van de techniek waren stuk voor stuk bereid hun eigen meesterwerken te doneren in het belang van de kunst – met hulp van beloftes van veel bier na het programma. Zie hier de Ray-St.-Giles-versie van "Een Bijzonder Zware Week" van wijlen de befaamde Eve Wirrel...'

Jessie bestudeerde de beelden van de winkelende mensen: sommigen grijnsden, anderen lachten, een man maakte zich kwaad over de verspilling van belastinggeld en een aantrekkelijk jong meisje hekelde in bloemrijke bewoordingen de loterij als een belasting voor de armen die werd uitgegeven aan de excessen van de rijken.

'Actrice,' zei Tarek die was teruggekeerd naar het bureau om samen met Jessie naar het programma te kijken. 'Geen spoor van "Stront-Hersenen", is u dat opgevallen? Als u denkt dat dit erg is,' vervolgde hij toen hij haar gezicht zag, 'wacht dan maar op wat er nog komt.'

St. Giles introduceerde nu een 'deskundige'. Ene meneer Bloomberg.

'Meneer Bloomberg, wilt u ons eenvoudige stervelingen alstublieft uitleggen wat het belang is van deze werken die gezamenlijk zijn aangekocht voor 7,2 miljoen pond, waarvan 4 miljoen afkomstig uit de Nationale Loterij.'

'Wel, in de allereerste plaats moeten we concluderen dat hun belang op dit moment al door u wordt aangetoond, alleen al door het feit dat u erover praat op de nationale televisie. Kunstwerken van dit kaliber zijn onontbeerlijk. Ze verlenen evenwicht en doel aan een soms naïeve wereld. Ze weerspiegelen deze naïviteit en wijzen hem tegelijkertijd af.'

'Jawel, meneer Bloomberg, maar wat *betekent* dat?'

Er klonk een onderdrukt gegiechel uit het publiek.

'Dat betekent dat deze werken ons, de maatschappij weerspiegelen.'

'Omdat we naïef zijn?'

'Soms?' Meneer Bloomberg glimlachte. Hij ging voor raadselachtig. Dat doen wetenschappers graag.

St. Giles liep naar de mannequin. 'Dus wat de kunstenaar hier

169

wil zeggen is dat we in een vrouw-man kunnen veranderen als we maar vlees eten?'

'Ha, ha, ha, ha, haaaa. Nee, natuurlijk niet.'

'Wat dan wel?'

'Jez Tamoikay, de schepper van het origineel, gebruikt dagelijkse voorwerpen en bagatelliseert ze door middel van een handeling. Je moet zijn hele oeuvre overzien om echt te begrijpen waar hij heen wil. Dit werk drukt uit dat vrij seksueel verkeer, het routinematige en onzinnige paren van manlijke en vrouwelijke lichamen, een ziektekiem in de maatschappij zal produceren die de groeiende geobsedeerdheid met seks zowel zal verteren als voeden. In dit geval is deze ziektekiem vlees en wordt de ziekte weerspiegeld in de kapitalistische, milieuvijandige wereld van de fastfoodketens en natuurlijk de menselijke vorm van BSE. Het is niet duidelijk waar hij de schuld legt, alleen dat het een kwestie is van oorzaak en gevolg'.

'Oh,' zei St. Giles. 'Nu begrijp ik het. Dank u, meneer Bloomberg, dat u dat zo duidelijk hebt uitgelegd. En hoe zit het met het werk van Eve Wirrel?'

'Zij shockeerde graag.'

'En?'

'Wel, we staan bekend als een gereserveerd volk, we zijn geneigd terug te deinzen voor alles wat publiekelijk, demonstratief of expliciet is. Toch pluizen we de sensatiebladen uit naar roddels en prikkelende verhalen. Ik geloof dat ze daarop zinspeelde.'

'Dus de geruchten dat ze een ongetalenteerde exhibitioniste was zijn ongegrond?'

'Absoluut. Niemand kan ontkennen dat haar geest een creatieve kern was en dat haar talent als kunstenaar een kanaal vormde voor het bijbehorende gedachtegoed.'

Ray fronste zijn voorhoofd. 'Eve Wirrel. Is ze gesprongen of werd ze geduwd? Na de pauze ziet u onze volgende gast, Eves vroegere lerares van de kunstacademie. Misschien kan zij wat licht werpen op de creatieve kern die Eve Wirrel heette.'

'Waar haalt hij die mensen vandaan,' zei Jessie terwijl ze het geluid van de televisie uitzette tijdens de reclame. Een gewoontegebaar. Dat deed ze thuis ook. Als televisiemaatschappijen het volume opschroefden voor de reclame, dan rebelleerde zij door het geluid uit te zetten. Geluidscontrole was het sleutelwoord.

'Hij heeft nog geen woord van spijt betuigd dat die vrouw is overleden.'

'Dat komt omdat het hem niets kan schelen, zolang hij zelf maar de aandacht kan trekken. Hij wist hoe ze is gestorven voordat de pers dat wist, ik zweer het u, hij wist het.'

'Hoe komt hij dan aan die informatie? vroeg Jessie.

Tarek haalde zijn schouders op. 'Als je iemand lang genoeg volgt, ontdek je zijn of haar zwakheden. Als Ray hier niet achter zit, wie dan wel? Een of andere gek? Een beledigd sterretje? Daarvoor zit het te geraffineerd in elkaar.'

Jessie wendde zich tot Niaz. 'Wat denk jij?'

'Hij is nogal agressief, vind ik. Hij heeft een rancune tegen iedereen die op een of andere manier een bekende persoonlijkheid is geworden. Maar hij is dom en onze moordenaar is slim. Hij maakte een hatelijke opmerking over Eves ouders, maar iedereen weet dat iemand met de naam Fitz niet meer is dan een afstammeling van een onwettig koningskind. Niet bepaald iets om trots op te zijn. Deze moorden zijn markant, maar tegelijkertijd ook subtiel, te subtiel voor het slag mensen waartoe Ray St. Giles behoort.'

'Laat je niet voor de gek houden, hij heeft allerlei studies gedaan toen hij in de bajes zat. Waaronder sociale geschiedenis en wiskunde. Hij is niet de botte misdadiger die je denkt. Onderschat hem niet, dat heb ik al eerder gezegd,' antwoordde Tarek.

Burrows klopte op de deur. 'Kan ik u even spreken?'

Jessie liet Tarek en Niaz achter bij de televisie.

'Wie is dat?' vroeg Burrows. Jessie legde uit wat Tarek vreesde en vertelde over de dossiers die St. Giles had aangelegd over Verity Shore en Eve Wirrel. Mogelijk kwam ook Cary Conrad voor in een dossier. Tarek had er slechts vluchtig naar gekeken en herinnerde zich die naam niet. Burrows was het niet eens met haar theorie. 'Hij heeft negen jaar in de bajes gezeten, waarom zou hij daarnaar terug willen?'

'Misschien denkt hij dat dat niet zal gebeuren. We weten allebei dat we geen exacte tijd voor die twee sterfgevallen kunnen bepalen. We hebben geen getuigen, geen echt motief, op dit moment zou het moeilijk zijn meer te bewijzen dan gerechtvaardigde twijfel. Deze moorden draaien helemaal om planning. Tarek zegt dat St. Giles informatie heeft over mensen en hij had zeker alle tijd om te plannen. Negen jaar om zich te ontwikkelen en het klappen van de zweep tot in de puntjes te leren.'

'Maar waarom, chef?'

Ze wist niet waarom, ze kon zelfs niet bedenken waarom en dat was ook de zwakke kant van haar theorie.

'Wilt u weten wat de jongens denken?' vroeg Burrows. Jessie knikte. 'Vergeet Cary Conrad. Hij is verdronken in zijn eigen stront, we hebben wel ergere fetisjismes meegemaakt.'

'Zijn dood is de afspiegeling van een of andere zonde, net als bij de anderen, en hij hield zijn vrouw verborgen. Zij was het geheim. En dan zijn er nog de huizen. Die staan stuk voor stuk op de monumentenlijst.'

'Toe nou, chef. Alles wat lang genoeg wordt gemanipuleerd, past uiteindelijk in het plaatje.'

'Dat grapje over de spermabank kan ik tolereren, zelfs dat over die dildo, maar dit vind ik ronduit beledigend.'

Burrows was niet in de stemming voor excuses. 'Ik heb met een vriend van me gesproken die voor Harris werkt. Ze pluizen Conrads computer uit en ze moeten vrij zeker weten dat ze iets zullen vinden, anders zouden ze die kosten niet maken. Zijn privé-secretaris schijnt met verlengd verlof te zijn gegaan zonder een adres achter te laten waar hij bereikbaar is. Cary Conrad versluiert de zaak waar het om gaat. En het gaat om P.J. Dean. Dat is de enige oplossing. Eerlijk gezegd vroegen we ons al af waarom u hem niet hier hebt laten komen voor een verhoor.'

Jessie sloeg haar armen over elkaar en keek opzij.

'Hij heeft het geld,' vervolgde Burrows. 'En zijn drugsverslaafde, met geld smijtende vrouw naaide Eve Wirrel. Er stond openlijke vernedering op het spel, en misschien zelfs het verlies van die kinderen om wie hij volgens u zoveel geeft.'

Jessie keek Burrows aan. 'Ik hoor je wel – heus wel – maar ik denk niet dat hij het heeft gedaan.'

'Waarom laat u hem dan niet komen?'

'Ik haal liever een gerechtelijk bevel, zodat ik die dossiers van Ray St. Giles kan nakijken.'

'U bent niet serieus...'

De deur van het kantoor ging open. Het was Niaz. 'Ray is weer terug,' zei hij.

'We moeten hierover praten, chef.'

Niaz bleef in de deuropening staan.

'Later,' smeekte Burrows.

Jessie keek over haar schouder. 'Ik moet naar *Crime Watch*. We zullen er morgen over praten.'

Daarop keerde ze terug naar de televisie en keek hoe St. Giles Eve Wirrel aan flarden scheurde.

De bruine synthetische vloerbedekking knisperde tegen de rubber zolen van haar schoenen. Elke deurknop van geborsteld aluminium vormde een volmaakte geleider voor de elektriciteit die ze verzamelde terwijl ze achter het strakke kontje van de productie-assistente aan liep. Er spatte weer een vonk uit haar vingertop.

'Nerveus?' vroeg het twintigjarige televisiepopje dat een klembord onder haar arm knelde.

Crime Watch. Live-publiek. Nick Ross. 'Nee,' zei Jessie. 'Ik ben *bloed*nerveus. Ik ben zo godvergeten nerveus dat ik elektriciteit opwek.'

'Wacht hier, ik kom u halen wanneer ze er klaar voor zijn. U kunt hier het programma volgen, maar zet het geluid niet te hard.' Jessie haalde een paar laarzen met hoge hakken uit haar tas. Het televisiepopje bekeek haar van top tot teen. 'Het is inspecteur, nietwaar?'

Jessie kneep haar ogen half dicht. 'Dat staat tenminste op mijn politiepasje.'

Het meisje wipte de kamer uit – met haar op maat gemaakte legerbroek en roze sportschoenen. Werd Jessie ouder of werd iedereen jonger? Vrijmoediger? En beter gekleed? Jessie liet haar vingers door haar haar glijden dat plakte van de haarspray van de visagiste. Ze trok de laarzen aan, zodat ze de indrukwekkende lengte van ruim 1,85 meter bereikte, en wachtte, terwijl ze probeerde eraan te denken dat ze moest dooradеmen. Uiteindelijk werd ze naar de set gebracht, zo vertrouwd dat het vreemd aandeed. Nick Ross vatte de moord op Eve Wirrel samen. Zoals afgesproken had hij niets gezegd over Verity Shore of Cary Conrad. Jessie wilde het vuurtje van Ray St. Giles niet aanwakkeren. '...en hier is inspecteur Driver van West End Central.'

'Goedenavond. Eve Wirrel is afgelopen woensdag op een bepaald moment naar Richmond Park gegaan, wij vermoeden met haar moordenaar. Ze hielden een rudimentaire picknick, waarin het medicijn Rohypnol was verborgen. Toen ze eenmaal bewusteloos was, werd Eve in de Isabella Plantation achtergelaten om te sterven. We willen graag in contact komen met iedereen

173

die in het park was en haar heeft gezien. Daarnaast zouden we graag willen praten met een fietser die op vrijdag elf oktober vroeg in de ochtend, zo rond zes uur, in die buurt was.'

'Hebt u een kaart waarmee u de kijkers kunt laten zien waar ze eventueel kan zijn geweest?'

'Ja.' Jessie wendde zich tot het bord achter haar, maar realiseerde zich toen dat dit geen briefingruimte was en draaide zich weer om. Ze stond erbij als een weervrouw en wees naar Eves huis, de plek waar ze werd gevonden en de routes die het slachtoffer en de moordenaar hadden kunnen nemen.

'En u bent ook op zoek naar modellen die voor haar hebben geposeerd.'

'Op het moment van haar dood werkte Eve aan een serie tekeningen van mannen. We vragen degenen die we nog niet hebben gesproken om het nummer te bellen dat nu onder aan het scherm verschijnt – uiteraard is dit strikt vertrouwelijk – zodat we hen uit ons onderzoek kunnen elimineren.'

'Dus even samenvattend,' zei de presentator, 'als u op woensdag de zestiende in Richmond Park was of als u voor de kunstenares hebt geposeerd, bel dan alstublieft dit nummer. En nu over naar Fiona voor de nieuwste informatie...'

'We gaan over naar camera twee,' zei de stem in Jessies oor. 'Vijf, vier, drie, twee, een. U bent uit de lucht.'

Nick Ross wendde zich tot Jessie. 'Heel goed. Als u niet bij de politie was, zou ik me zorgen maken over mijn baan.' Hij glimlachte en wendde zich weer af. Het televisiepopje dook op van achter een massa snoeren en camera's en wenkte haar. Jessie slaakte een zucht van verlichting. Ze kon naar huis gaan en in alle rust natrillen.

Maggie sprong op van de lage bank in de receptieruimte van het BBC-gebouw en sloeg haar armen om haar heen.

'Je was geweldig! Heus, je kwam zo kalm over, zo Poirot.'

Jessie peuterde de identificatiesticker van haar leren jasje en rolde hem op tussen haar vingers. 'Lief van je om te komen. Breng me nu maar ergens heen en voer me helemaal dronken.'

'Je leek absoluut niet nerveus. Die Nick Ross kon zijn ogen niet van je af houden. Eerlijk, straks zit je nog achter mijn baan aan.'

'Niet bloederig genoeg dat werk van jou,' zei Jessie, terwijl ze de draaideur doorgingen, de purpergetinte Londense avondlucht tegemoet. 'Ik wil martini's, een heleboel graag.'

'Laten we naar Claridge gaan, de bloemetjes buiten zetten. Dit is tenslotte al je tweede televisie-optreden in een week. We laten gewoon een of andere stomme zakenman betalen – met al die studio-make-up en dat strakke pak zou je best beroeps kunnen zijn.'

'Waarom begrijp ik nu direct dat je daarmee geen advocaat of arts bedoelt...'

'Of een diender. Jessie Driver, een politie-inspecteur, op de televisie, moorden aan het oplossen zoals ze altijd heeft gezegd. Ik kan haast niet geloven dat het je echt is gelukt, jij wel?'

'Nee,' zei Jessie eerlijk, terwijl ze een taxi aanhield. Er was haar nog niets gelukt.

Bossen bloedrode rozen vulden de lage, vierkante vazen, de leren stoel slokte haar op en de kaarsen weerspiegelden zich als duizenden vlammetjes in de spiegels van geslepen glas die tegen de muur hingen. Er verscheen een magere ober met de tweede ronde wodka-martini's.

'Ik begin me nog maar net weer een beetje normaal te voelen,' zei Jessie, terwijl ze met vaste hand het glas naar haar mond bracht. 'Ik snap niet hoe jij dat elke dag volhoudt. Ik vond het doodeng.'

'En dat uit de mond van een meisje dat een met een bijl zwaaiende moorddadige gek tegen de grond worstelde. Bedankt. En nu niet meteen omkijken, maar er staat een man aan de bar die steeds deze kant uit gluurt en na hem heimelijk te hebben gadegeslagen moet ik tot mijn spijt bekennen dat hij als een bloedhond naar jou lonkt en niet naar mij of naar mijn L'Oreal-kapsel.'

'Ik dacht dat je daar overheen was?'

'Dat was tijdelijk. Wacht maar tot ik echt beroemd ben – dan zorg ik dat Joshua Cadell nooit meer een woord publiceert. En wat zijn moeder betreft, die laat me overkomen als een amateur. Ze heeft al mijn informatie over mijn nieuwe programma over Frankrijk alleen maar gebruikt om zichzelf erin te wurmen. Ze heeft de producent opgebeld en gezegd dat dat mijn idee was, dus ik kan er niet eens kwaad om worden. Ze is een professional. Ik zit een week met die twee opgescheept.'

'Vind je het niet raar dat Joshua overal met zijn moeder meegaat?'

'Als je toch altijd alleen maar bekend zult zijn als één ding, kun je je daar maar beter bij neerleggen en ervan profiteren.'

'En dat is?'

'Vrouwe Henrietta Cadells zoon. Oh mijn God, hij komt hierheen.'

'Wie?'

'Die man bij de bar.'

Jessie zei geluidloos 'nee' met haar lippen, maar het was al te laat. Maggie schonk hem haar bekende-persoonlijkheids-glimlach, zodat hij op hen af kwam.

'Het spijt me dat ik u stoor, normaal gesproken doe ik zoiets niet, maar eh...' Hij keek naar Jessie. 'Heb ik u niet net op *Crime Watch* gezien?'

'Dat klopt,' antwoordde Maggie.

'Dat dacht ik al. Raar is dat, u ziet er precies hetzelfde uit.'

'Ongelooflijk, niet?' zei Maggie plagend. De man scheen het niet op te merken.

'Het is een verbazende zaak. Ik bedoel, het is enorm.'

Jessie nam een diepe teug van haar martini en stikte er haast in.

'Politiemensen zien er meestal niet uit zoals u,' zei de man.

'Behalve in Bangkok,' merkte Maggie op. Jessie schopte haar.

'Mijn vrienden zullen dit niet geloven. We zaten op kantoor naar het programma te kijken. Ik bedoel, wow, *Crime Watch*... Wel, het is goed om ernaar te kijken, je weet maar nooit. En mag ik misschien uw handtekening?'

Maggie spuwde haar drankje uit en brulde van het lachen. 'Handtekening! Handtekening – Jezus, ik zou minder geschrokken zijn als u haar had gevraagd om een vluggertje in het herentoilet. Sorry, mijn vriendin deelt geen handtekeningen uit.' Ze wendde zich tot Jessie. 'Toch?'

Jessie schudde haar hoofd en keek naar de man die nu een vuurrood hoofd had. 'Sorry, maar dat is voorschrift bij de politie.'

Hij deed een stap achteruit. 'Natuurlijk, sorry. Veel succes dan, ik hoop dat u hem te pakken krijgt.'

'Wie?'

'De nullenlijst-moordenaar.'

'De wie?'

176

'Ach, weet u, er doen wat grapjes de ronde op internet. Afijn, sorry dat ik u heb gestoord. Dag.'

'Dag,' zei Jessie. 'De nullenlijst-moordenaar – ik bedoel, nu vraag ik je.'

'Ik heb het je gezegd,' merkte Maggie theatraal op. 'Het houdt het land bezig.' Ze zag dat de man terugkeerde naar de bar. 'Ik kan het haast niet geloven, hij herkende me niet eens.'

Irene stond op de betonnen stoep en bonsde op de deur. 'Clare! Doe open! Ik weet dat je thuis bent!'

Een stukje verder op de galerij ging een raam open. 'Hé, kan het wat minder? Sommige mensen proberen te slapen.'

'Sorry, maar ik maak me ongerust over Clare.'

'Bent u een smeris?'

'Zie ik er zo uit?'

'Er is een politieman bij haar geweest en sinds die tijd hebben we haar niet meer gezien. We dachten al dat ze was gearresteerd.'

'Clare? Doe niet zo idioot.'

'En waarom is ze dan niet bij de oude dame geweest die twee flats bij haar vandaan woont? Die vrouw rekent helemaal op Clare.'

'U zou zelf kunnen gaan.'

'Dat zijn mijn zaken niet, schat.' De man trok zijn dikke hoofd weer naar binnen. Irene knielde voor de brievenbus. 'Clare, ik ben het lieverd, Irene. Doe de deur open.' Ze rommelde in haar grote handtas van zacht leer. 'Oké dan, ik bel ik de politie. Negen, negen...'

Clare verscheen in de deuropening aan het eind van de korte gang. Irene wist heel goed dat Clare als ze nog leefde niet zou willen dat de hulpdiensten voor niets voor haar uitrukten. Daar was Clare heel duidelijk in. Ze hoefde niet te weten dat Irene niet eens een mobieltje bezat.

'Zo is het goed, lieverd, doe de deur open.'

Clare opende de deur.

'Jezus, lieverd, wat is er gebeurd?'

'Frank is dood.'

'Wat?' Irene duwde Clare die stokstijf bleef staan naar achteren en sloot de voordeur. Ze sloeg haar arm om haar heen en bracht haar naar de woonkamer. Er was een video van een oud programma van Ray St. Giles zonder geluid te zien op het televisiescherm. Irene negeerde het. De bank vertoonde één enkele ingedeukte plek. Clare keerde precies naar deze plaats terug en liet zich nog dieper wegzinken dan tevoren. Irene zag een laagje stof op de nepmahoniehouten bijzettafel. Er lag ook stof op de vensterbank en er dwarrelde stof in het lamplicht. Dat was het enige wat bewoog – behalve St. Giles geluidloos op het scherm. De tijd stond stil voor Clare Mills. 'Ik zal thee voor ons zetten en dan kun je me vertellen wat er is gebeurd.'

Irene goot een fikse scheut whisky in de thee, voegde een paar lepels suiker toe en haalde een dekbed. Ze trok Clares ellebogen van haar knieën en spreidde het dekbed erover. Clare hield de beker met twee handen vast. Onzeker. Als een kind.

'Ik zet dit af, lieverd. Dat doet je geen goed.'

'Hij heeft mijn familie vermoord, Irene. Die man heeft mijn familie vermoord en daar zit hij en lacht me uit.' Ze keek naar Irene. 'Hij had mij ook moeten vermoorden.'

'Zo moet je niet praten.'

'Waarom niet? Hij heeft me achtergelaten en ik klampte me vast aan de hoop dat ik Frank zou vinden. En nu weet ik dat hij dood is. Waar diende het allemaal voor? Al die jaren dat ik sterk was. Dat ik deed alsof ik het aankon.'

'Vertel me eens over Frank. Wat is er gebeurd?'

'Die politieman is hier geweest. Hij was er zelf ook van in de war, hij maakte zich zorgen dat hij me te veel hoop had gegeven. We waren namelijk naar Sunderland geweest om een man te ontmoeten. Hij was zo aardig. We hebben allebei een DNA-test gedaan. Natuurlijk is hij mijn broer niet. Frank is dood. Ik heb mezelf veel te lang voor de gek gehouden.'

'Wacht even, die politieman heeft je dus niet gezegd dat hij dood is? Je weet het niet zeker?'

'Ik weet het' – ze wees naar haar borst – 'hier binnen. Hij is dood. Als dat niet zo was, zouden we elkaar hebben gevonden.'

'Ach lieverd, hij weet waarschijnlijk niet eens dat hij ooit een zus heeft gehad. Hij kan een volslagen ander persoon dan jij zijn.'

'Nee, Irene. Ik ben een goed mens. Mamma en pappa waren ook goede mensen. Frank zou ook goed zijn geweest. Niemand kan hem vinden.' Ze stond op en liep naar de keuken. De vijf namen die met zwarte viltstift op wit karton waren geschreven, hingen nog steeds tegen de muur.

Ze scheurde de eerste los. 'Stewart – keerde terug naar zijn moeder toen hij zes was.'

Ze greep de tweede naam. 'Gevangenis. Hij werd geboren in Ierland.'

De derde. 'Clive. Woont in Sunderland, ouders onbekend, DNA komt niet overeen.'

De vierde. 'Deze arme drommel pleegde zelfmoord. Onwettige zoon van een priester een een prostituee.'

De vijfde en laatste. 'Gareth Blake. Gestorven op vierjarige leeftijd. Kreeg een jaar nadat hij in een tehuis terecht was gekomen een of andere ziekte. Hij kan Frank zijn geweest, misschien. Zijn ouders zijn nooit getraceerd. Maar Frank was een gezond jongetje toen ze hem meenamen. Een kindertehuis was een smerige instelling, maar ze wilden niet dat we doodgingen, dat maakte een slechte indruk. Het betekende dat er mensen kwamen controleren. Bij het minste hoestje werden we al naar de dokter gebracht. We moesten gezond en vrolijk zijn voor hun kwaadaardige praktijken.'

Irene sloeg haar arm om Clares magere schouders. 'Het spijt me, ik had jullie zelf in huis moeten nemen.'

Clare draaide zich naar haar om. 'Ons allebei?'

'Natuurlijk. Dat bedoelde ik. Ik had jullie allebei in huis moeten nemen.'

'Bedankt, Irene, je bent een goede vriendin geweest. Mam had geluk dat ze jou had.'

Haar team mocht dan denken dat ze krankzinnig was, de politierechter liet zich gemakkelijker overtuigen: hij had haar direct het huiszoekingsbevel verleend. Ray St. Giles deed de deur voor Jessie open. Het team dat ze persoonlijk had uitgekozen voor deze klus – Burrows, Fry en nog een rechercheur – stond achter haar. Ray St. Giles glimlachte.

'Zo snel terug, inspecteur?'

'Ik heb een bevel om deze ruimtes te doorzoeken,' verklaarde Jessie. Ray St. Giles pakte de papieren die Jessie naar hem uitstak niet aan.

'Luister, schat, ik weet wanneer een smeris corrupt is en daar hoor jij niet bij. Ik hoef die papierwinkel van jou niet door te lezen, toch? Wat ik wel graag zou doen...'

'Zo is het genoeg, Giles,' zei Burrows en stapte naar voren.

'St. Giles voor jou.'

'Dat dacht ik niet.'

Jessie begon haar team door de reeks met elkaar verbonden bouwketen te loodsen die het rijk van St. Giles vormden. Het stelde niet veel voor. Dunne blauwe synthetische vloerbedekking. Een geluiddicht plafond met gaten erin op een rooster van zwakke metalen staven. Goedkoop kantoormeubilair. Het geheel trilde onder de voetstappen van de zoekende politiemensen. Ze wist natuurlijk precies waar ze moest kijken, maar ze speelde het 'zoektochtspel' en opende elke lade en elke kast tot ze bij de archiefkast kwam waarover Tarek haar had verteld. Het ding was op slot. Zoals ze van tevoren wist.

'Mag ik de sleutels, alstublieft,' vroeg Jessie.

Ray St. Giles gooide ze naar haar toe. Ze ving ze op met haar linkerhand. Hij grijnsde zelfgenoegzaam. Het gaf haar een dom gevoel. Door die blik op zijn gezicht wist ze al wat ze in die kast zou vinden. Ze maakte hem open. Niets.

'Nogal een groot meubelstuk voor deze, wel, laten we eerlijk zijn, vrij benauwde kantoren.'

'Je hebt gelijk. Ik heb erop aangedrongen dat ze dat ding zouden weghalen. We hebben het hier niet nodig. Hoe dan ook, ik ben niet van plan nog lang van deze kantoren gebruik te maken.'

'Wie werken hier?'

Ray St. Giles schudde zijn hoofd. 'Oké, inspecteur, als je die schertsvertoning wilt opvoeren. Ik heb een productie-assistent met de naam Tarek Khan, een aardige jongen, een harde werker. Je zou hem wel mogen, Driver. Dan heb ik een onderzoeksassistent, een jongen die Alistair Gunner heet. Hij is nieuw. Hij is bereid voor een habbekrats te werken om maar bij de televisie te zijn, maar dat is niet mijn probleem. Er zijn ook nog anderen – de receptioniste, de secretaresses, de meisjes van de make-up – maar die komen hier niet vaak binnen.'

Jessie moest denken aan het meisje op haar knieën. 'Ik kan me niet voorstellen waarom niet.'

Het had weinig zin, maar ze ging door met het doorzoeken van de kantoren tot ze alles van muur tot geprefabriceerde muur had doorsnuffeld. Nog steeds niets. Ray St. Giles had geweten dat ze zou komen. Ze maakte zich ongerust over Tarek. Ze vroeg zich af waar hij was.

Het glas van de ramen werd beschermd door een metalen

rooster. Buiten stond een slanke man. Hij wendde zich af toen hij zag dat Jessie naar hem keek.

'Voelt u zich zo beter thuis, meneer St. Giles?' Ze knikte naar de beveiliging voor de ramen.

'Ik heb mijn tijd uitgezeten, inspecteur. Kom je zoveel bewijsmateriaal tekort dat je ex-bajesklanten moet gaan lastigvallen?'

'Gewoon routine-onderzoek.'

'Routine, vertel mij wat. Ga weg, inspecteur Driver. Ga terug naar je bureau en je theorieën en begin overnieuw. Stoute meid, ga achter in de klas zitten. Ik had meer van je verwacht.'

Jessie stak haar stekels op. 'De kabelmaatschappij kan zich niet veroorloven u veel te betalen, nietwaar?'

Ray pakte een sigaret en stak hem aan.

'Toch bezit u een prachtig huis. In het noorden van Londen nog wel. Dat moet nu, wel, ongeveer een miljoen waard zijn?' zei Jessie met één oog op de jongen die buiten rondhing.

Ray St. Giles liep naar de plek waar Jessie stond en legde een hand stevig in het midden van haar rug. Hij schoof haar weg van het raam met een sterke, vastberaden duw in de richting van de deur. Burrows kwam naar voren.

'Rustig, jongen,' zei Ray St. Giles. 'Je hoeft niet kwaad te worden, maar ik geloof dat we de zaken hier hebben afgehandeld, nietwaar?'

Jessie knikte naar de mannen dat ze de kamer uit moesten gaan.

'U hebt me niet gevraagd waarom ik hier ben,' zei Jessie, terwijl ze voelde hoe de warmte van Ray's hand onaangenaam door haar leren jasje drong.

Hij legde zijn mond naast haar oor. 'Dat hoef ik niet te doen,' fluisterde St. Giles.

Jessie draaide zich naar hem om, maar Ray legde zijn wijsvinger tegen haar mond. 'Mijn carrière is belangrijk voor me, inspecteur Driver. Heel belangrijk. Mensen beschermen de dingen die hen ter harte gaan. Ik vermoed dat jij hetzelfde doet.'

'Is dat een bedreiging?'

Ray lachte. 'Je hebt te veel van die gangsterboeken gelezen. Jou bedreigen, dat zou wel heel afgezaagd zijn. Nee, ik geef je alleen maar wat carrière-advies. Hoe oud ben je, tweeëndertig, drieëndertig? Je moet wel ambitieus zijn. Je zou geen aanklacht wegens stalking in je dossier willen, toch? Zoiets is de doodsteek voor een politievrouw in deze oh-zo-overgevoelige tijden.' Hij bracht haar naar de deur en begon hem dicht te doen. Ze keek naar hem door de steeds smaller wordende kier. 'Tot ziens, inspecteur...' zei hij terwijl de deur dichtging en de fragiele aluminium deurpost schudde.

Burrows legde zijn hand op haar schouder. Ze schrok.

'Nieuws van Niaz. Hij heeft uw boot gevonden.'

Jessie haalde haar motor. Dat ging sneller en hier wilde ze bij zijn. Eindelijk had de veel-bekritiseerde zoektocht op de rivier de eerste echte aanwijzing voor twee, mogelijk drie moorden opgeleverd. Ze had ongelijk gehad op het punt van de tunnels. Dat was een afleidingsmanoeuvre geweest. Maar wel een waardoor ze in bedompte, ongebruikte holen was gestuurd terwijl het antwoord, net als Verity zelf, al die tijd klaarlag op de modderige oever. Maar niet op dezelfde oever. Op de tegenoverliggende. Dat was slim. Jessie had nooit verwacht dat de moordenaar de rivier zou oversteken. Dat leek te gevaarlijk. Ze had alleen de zuidelijke oever afgezocht, maar nu ze erover nadacht – hoe riskant was het eigenlijk om zonder iets verdachts aan boord het water over te steken, mits je niet bang was voor de rivier zelf?

De boot was een punter, zoals de roeier Nick Elliot al had gezegd. Hij had een platte achtersteven en weinig diepgang. Perfect om over de modderbanken te glippen. Jessie bereikte de rivier op het moment dat de kraan de boot omhoog tilde. Er stroomde brak water door een gapend gat dat in de bodem was geslagen. Het bewijsstuk was tot zinken gebracht. Weggewerkt in de vrij diepe geul tussen de noordelijke oever en Richmond Eyot. Bij laag water liepen er honderden mensen langs dit deel van de rivier. De voetafdrukken van de moordenaar zouden zich hebben vermengd met die van vele anderen tot de volgende vloed de oever weer gladstreek. Richmond. Een aardig detail. Het was geen raadsel. Het was een geheugensteuntje.

P.J. Dean zou niet al deze moeite hebben gedaan alleen maar om van een ontrouwe echtgenote af te komen. Deze moorden droegen het stempel van een veel sinisterder motief. Als P.J. Verity's dood had gewild, had hij haar alleen maar een overdosis hoeven geven. En zelfs al was Eve een doorn in zijn vlees geweest, dan zou het nog heel moeilijk voor haar zijn geweest om zijn goede naam aan te tasten. Oké, zijn huiselijke situatie was bizar, maar bij welke bekende popzanger was dat niet zo? Dat was niet genoeg om hem tot een moordenaar te maken. Niet een van dit kaliber. Dit was zorgvuldig voorbereid. Maandenlang, misschien wel jarenlang. Dus wie dan wel? Wie was jaloers genoeg op Verity Shores, Eve Wirrels en Cary Conrads status van bekende persoonlijkheid om hen te vermoorden? En wat leverde hun dood op?

De kraan zwaaide de boot rond en begon hem boven de wachtende sleepauto te laten zakken. De toeschouwers werden besproeid met bruin water. De zijkant was beschilderd. Een naam. Jessie kwam dichterbij. De restanten van een naam, in groene letters. T.M.T... De rest was weggekrabd. Jessie nam zich voor uit te zoeken aan wie dit bootje had behoord. Wie had het gekocht? Wie had het verkocht? Wie had het gemaakt en wanneer? Ze gaf haar vragenlijst aan het forensisch team en liep terug naar haar motor. Eindelijk had ze Jones iets te melden. Ze moest hem ook het slechte nieuws vertellen: St. Giles had hen door.

Jessie hing onderuit op de bank. Het was een rotweek geweest. Ray St. Giles werkte tegen en de boot bleek moeilijk te traceren. Ze hadden bewijsmateriaal gevonden in het huis in Barnes en ze hadden er zelfs DNA uit kunnen halen, dat van bekende drugsdealers bleek te zijn. Twee van hen zaten echter achter de tralies op het moment van de moord en een was in het buitenland. Ze hadden nog meer – ongeïdentificeerde strengen DNA, maar niets wat overeenkwam met bewijzen uit het bos, uit de kerk of uit Cary Conrads huis.

Maggie kwam binnen met een schaal toastjes en twee kopjes thee. 'Het was niet zo erg als ik had verwacht,' zei ze, en gaf Jessie toastjes. 'Henrietta is een dominante oude teef, maar Joshua valt best mee wanneer je hem eenmaal leert kennen.'

'Hm...'

'Als zijn moeder hem maar niet zo verstikte. Ze verstikt iedereen – het draait allemaal om haar, haar, haar. Iedereen was gemakshalve vergeten dat het eigenlijk mijn programma had moeten zijn. Ze is een kreng, dat zeg ik je, maar ik had al snel een manier gevonden om haar te irriteren.'

'Wat heb je dan gedaan?' vroeg Jessie terwijl ze op haar kleren kruimelde.'

'Met haar zoon geflirt, natuurlijk. Het was heel grappig om te zien. Elke keer dat ik maar bij hem in de buurt kwam, dook zij op in een wolk van Opium. Iedereen eet uit haar hand, alsof ze van koninklijken bloede is, maar in werkelijkheid is ze alleen maar een verlepte oude vrouw met een oedipuscomplex.' Maggie rilde. 'Joshua heeft nogal een reputatie als rokkenjager, dus ik denk niet dat het wederzijds is.'

'Is er ook een meneer Cadell?'

'Ja zeker, Christopher, hij was documentairemaker totdat zijn vrouw hem volledig overschaduwde. Henrietta beweert dat hij het heel druk heeft, maar niemand weet waarmee. Ze zijn nog steeds een stel, maar het gerucht gaat dat hij ook nogal dol is op de dames. Arme Henrietta, het lijkt erop dat ze er altijd naast grijpt. Geen wonder dat ze zulke afgrijselijke boeken schrijft over seks en moord. Allemaal historisch verantwoord, uiteraard,' zei ze en bootste Henrietta's stem na. 'Ze heeft me verteld dat Ray St. Giles meer mensen heeft vermoord dan waarvoor hij is veroordeeld.'

Jessie ging rechtop zitten. Die woorden had ze eerder gehoord.

'Ha, nu heb ik je aandacht. Henrietta zei dat hij twee vrouwen heeft vermoord die in zijn club werkten, allebei prostituee. Ze heeft er research naar gedaan. Ze wil weten hoe een man zoals hij toch zijn eigen televisieprogramma kan krijgen. Ze kan zijn bloed wel drinken.'

'Ze is niet de enige.' Jessie wreef in haar ogen. 'Waarom verschijnt ze dan in zijn programma als ze zo'n hekel aan hem heeft?'

'Oh, ze heeft pas daarna besloten dat ze een hekel aan hem heeft. Het was een goede gelegenheid om haar boek te promoten en die greep ze. Je zou denken dat een vrouw die zo beroemd is zich geen zorgen hoeft te maken over verkoopcijfers, maar jawel hoor, samen met haar entourage reist ze het land rond naar boekhandels, radiostudio's en wat er verder maar bij komt. Succes komt je niet aanwaaien, dat heb ik altijd al gezegd.'

Jessie ging op de bank liggen. Ray St. Giles en twee prostituees. Wel, dat veranderde de zaken. Misschien had hij hen laten vermoorden, misschien liet hij nog steeds mensen vermoorden, misschien was er iets in het verleden van Gunner en St. Giles...

Maggie tikte Jessie tegen haar been. 'Word wakker, we gaan uit.'

Jessie kreunde. Maggie stond op. 'Kom op, ga je klaarmaken. Deze keer kom je er niet onderuit. We hebben iets te vieren.'

Jessie trok een vermoeide wenkbrauw op.

'Die klus die ik graag wilde hebben? Die heb ik gekregen!'

Jessie vloog met plotselinge energie overeind. 'Goed zo. Ik heb je toch gezegd dat je geweldig bent.'

Maggie glimlachte. 'Godzijdank dat we al die avonden thuis zijn gebleven en hebben geoefend met bananen. Nee, Jessie, ga nu niet weer liggen...'

'Oké, oké, geef me...' een paar minuten, ik ga me nu onmiddellijk klaarmaken, ik zal... Shit! Mijn broer is vandaag jarig, ik moet hem bellen.

'Wat moet ik je geven?' Maggie stond naast haar.

'Wat?'

'Je doet het weer, zomaar midden in een zin wegdromen.'

'Oh, sorry, ik ben bekaf. Iedereen denkt dat ik P.J. Dean moet arresteren en hem op het bureau moet verhoren.'

'Dat kun je niet maken. Overal ter wereld zouden vrouwen diep verontwaardigd zijn.'

Jessie ging rechtop zitten. 'Maggie je gaat het niet vertellen...'

'Mijn lippen zijn verzegeld. Zoals altijd. Trek die obsceen strakke leren broek uit, stap in het bad en laten we dan gaan fuiven.'

'Je brengt het zo subtiel, hoe kan ik dat weigeren?' Jessie hees zich van de bank af en liep naar de telefoon. 'Je moet zingen,' zei ze tegen Maggie. 'Colin is jarig vandaag.'

'Hallo?'

Jessie gaf Maggie een por en samen begonnen ze 'Lang zal hij leven' te zingen. Vals.

'Wat een aria,' merkte Colin op.

'Heb je een leuke dag gehad?'

'Fantastisch. De meisjes hebben me vanochtend om halfzes mierzoete lauwe koffie en kleffe toast gebracht.'

'Verrukkelijk.'

'Ja. Aandoenlijk. Hoe gaat het met Bill?'

'Geweldig, zoals altijd. Werkt onder ijselijke omstandigheden met meer opgewektheid dan menselijk is, eigenlijk. We hebben een vaag plan om de Nijl af te zakken wanneer hij weer een tijdje verlof heeft – hoe denk jij daarover?'

'Ik denk dat je dat beter met mijn vrouw kunt bespreken.

Waarom kom je het weekend niet? De kinderen zullen het heerlijk vinden je te zien.'

'Dan kan ik niet. Sorry.'

'Ze willen ook met je praten, leg het ze voorzichtig uit.'

'Jessiiieee,' klonken twee gillende stemmen door de telefoon. 'We maken een indianentent in de tuin met pappa's oude overhemden,' zei Charlotte.

'Dat heet een wigwam, als je dat nog niet wist,' kwam Ellie.

Jessie liep naar het raam en vroeg hun om de beurt wat ze hun vader voor zijn verjaardag hadden gegeven. Ellie, de oudste, was midden in een verhaal over een Bob-de-Bouwer-sweater die ze voor Colin had uitgezocht, toen Jessie afwezig het gordijn opzij trok. Iets op straat deed haar opschrikken. Niet iets, iemand. Iemand die naar het huis stond te kijken.

'Vertel het maar aan Maggie,' zei ze, en duwde de telefoon in Maggies hand. Ze rende naar haar slaapkamer. Zonder het licht aan te doen keek ze weer uit het raam. Niets. Ze keek naar beide kanten de straat langs. Niemand te bekennen. Haar ogen hielden haar voor de gek. Het was Ray St. Giles. Hij had haar de stuipen op het lijf gejaagd. En dat was ook precies zijn bedoeling. Die verrekte kerel met zijn ondoorgrondelijke ogen.

Maggie hield een adembenemende zwarte jurk met glinsterende spaghettibandjes omhoog toen Jessie de woonkamer weer binnenkwam.

'Potverdorie,' zei Jessie. Maggie draaide de jurk om. Hij had geen rug, maar wel een groot label. 'Armani? Heb je opslag gekregen?'

'Zoiets. Ik zie het graag als een bonus.' Ze grijnsde ondeugend. 'Ik heb een fotosessie gedaan voor *Glamour* – meiden van het scherm, zo'n soort artikel. Afijn, dit fantastische kledingstuk kwam zomaar toevallig in mijn tas terecht.'

'Maggie...'

'Eerlijk, ik heb geen idee hoe het daar is gekomen. Ik vind dat jij het moet aantrekken.'

'Ik?'

'Kom op, misschien komt P.J. Dean ook wel.'

'Dat betwijfel ik. Zijn vrouw is onlangs in zuur gedoopt, waarschijnlijk is hij niet in een feeststemming.'

'Naar wat ik heb gehoord was dat huwelijk een schijnverto-

186

ning. Net als alle andere dingen tegenwoordig. Dus, kom nou, wees geen spelbreker.'

'Dat kan ik niet doen, dat is gestolen goed.'

'Doe alsjeblieft niet zo raar en trek het ding aan.'

Jessie kon de verleiding niet weerstaan. 'En jij dan?'

'Ja, zo eigenaardig, er is ook nog iets anders in mijn tas gevallen.' Maggie hield een witleren broekpak op.

'Oeps.'

'Dat smeekt om wodka,' zei Maggie. 'En mocht iemand vragen stellen, dan heeft jouw suikeroompje ons aangekleed.'

Toen ze een uur later naar buiten stapten, keek Jessie naar beide kanten de straat af. Er was niemand te zien. Toch maakte ze voordat ze in de wachtende taxi stapte nog een snelle sprint naar de boom waarachter ze volgens haar iemand had zien staan. Op het trottoir lag een gedeeltelijk opgerookte sigaret met een wit filter, half platgedrukt tegen het natuursteen van de stoep. Met behulp van een plastic zakje uit haar handtasje pakte ze het peukje en borg het op. Instinct en plastic zakjes. Dat waren de instrumenten van haar vak en ze ging nooit zonder van huis.

Tarek deed de deur van de portakabin op slot en trok zijn jasje dichter om zich heen. Hij had toen de anderen al weg waren lang doorgewerkt aan het regelen van sollicitatiegesprekken voor zichzelf. Ray was de hele dag opgewekt geweest. Het programma over Eve Wirrel was een succes. De telefoons begonnen te rinkelen met waar gebeurde verhalen over 'sterren' die zich weerzinwekkend, verderfelijk of obsceen gedroegen. De fluwelen handschoenen waren uit. Deze mensen konden zich niet meer verstoppen. Tarek hoopte dat de politie snel zou handelen, anders werd Ray te groot om tegen te houden.

Om de een of andere reden scheen Alistair niet zo blij te zijn met Ray's bliksemsnelle opgang. Hij glimlachte niet één keer. Eerlijk gezegd leek hij nog afstandelijker dan anders. Hij was tot een uur geleden in het kantoor blijven rondhangen. Tarek werd in hoog tempo nog onrustiger van Alistair dan van Ray. Hij stak de parkeerplaats over, waarbij hij de met regenwater gevulde kuilen vermeed, en duwde het hek van kippengaas open. Een nieuwe baan kon hem niet snel genoeg opduiken. Tarek had honger en daarom besloot hij ergens een kebab te gaan eten voordat hij naar huis liep. Etenstijd was al uren voorbij.

Het Franse modehuis L'Epoch had op Bedford Square een grote feesttent opgezet. Jessie stapte achteruit toen de camera's voor Maggie flitsten. Dat was altijd een vreemd moment, bedacht Jessie, die plotselinge activiteit, dat gedrang van mannen met grote lenzen die duwden en stootten tegen de dunne afscheiding tussen hen en hun prooi. Wie joeg eigenlijk op wie, Jessie was er nooit zeker van.

'Maggie! Maggie, deze kant hier! Maggie! Ja, mooi zo...'

Jessie keek hoe haar huisgenote poseerde en glimlachte, hoe ze haar lange dikke haar schudde en haar kin optilde. Ze telde tot vijf en daarna kwam Maggie weer in beweging. Het waren altijd vijf tellen. Maggie zei dat je het risico liep je doel voorbij te schieten als je langer bleef staan. Mensen die al te happig waren, werden afgemaakt.

Ze leverden hun uitnodigingen in en kwamen direct terecht in een flessenhals. Als vee dat naar de slachtbank werd geleid rolden magere vrouwen en mannen in Gucci met hun ogen en zetten hun hakken schrap in de grond om de druk van de menigte achter hen te weerstaan. Niemand wilde als eerste de lege tent binnengaan. Gasten en personeel keken naar elkaar over de met zeegras bedekte ruimte heen. Maggie greep Jessies hand. 'Zit niet zo aan die jurk te trekken, je ziet er geweldig uit. Houd me vast en kijk niemand aan. Als we er nu doorheen breken, zijn we als eersten bij de bar.'

Ze doken door de razende menigte en wurmden zich moeizaam in de richting van de bar. Een barman overhandigde hun borrelglaasjes die in vergruizeld ijs stonden. Ze dronken elkaar toe en gooiden de op smaak gebrachte wodka door hun keel.

'Daar komen ze,' zei Maggie, en keek achterom naar de dringende massa genodigden die plotseling openspleet en zich als tentakels uitspreidde naar de verschillende bars. 'Schapen.'

Jessie had nog meer wodka nodig. 'Nemen we er nog een?'

'Zeker,' zei Maggie, terwijl haar ogen de ruimte doorzochten. Plotseling draaide ze zich om. 'Shit!'

'Wat? Wie is het?'

'Cosima Broome. Laten we maken dat we wegkomen.'

'Te laat, ze komt deze kant op.'

Het meisje werd omringd door een horde inteelt mannen, die allemaal wedijverden om haar aandacht en aan haar pikten als kippen. Maggie besloot de benen te nemen op het moment dat Cosima in hun richting keek. Hun ogen ontmoetten elkaar een seconde lang en ze verstijfden beiden. Daarop wendde Cosima zich als een DVD die weer begon te spelen zonder een teken van herkenning opnieuw tot de mannen. Maggie vluchtte recht in de geopende armen van vrouwe Henrietta Cadell. Niemand had iets gemerkt. Behalve Jessie. Ze was erop getraind dergelijke dingen op te merken. Eigenlijk ben ik niet veel anders dan die roddelaars, bedacht ze terwijl ze haar huisgenote volgde door een wereld vol rijkdom, veilig beschermd onder een nachtelijke hemel vol twinkelende sterren. Kunstmatig, net als alles eronder.

De befaamde koningin van de literaire kringen begroette Maggie met een stekelige opmerking over haar 'overal opduiken', maar Maggie glimlachte dwars door de belediging heen. Jessie vroeg zich af wat er zou gebeuren als iemand die ouwe tang eens trotseerde en haar een paar harde waarheden vertelde over haar stuitende gebrek aan manieren, haar smakeloze gedrag en haar algehele minachting voor iedereen behalve zichzelf. Waarschijnlijk zou ze dan in elkaar schrompelen, net als alle echte bullebakken.

'Je mag haar niet, hè?'

Geschrokken keerde Jessie zich om.

'Ik ben Josh. We hebben elkaar eerder ontmoet op een filmfeestje.'

'Sorry, ik was mijlenver weg,' zei Jessie.

'Geeft niet, ik vind het niet erg. Je moet haar leren waarderen, vermoed ik.'

'Eerlijk, ik dacht aan...' Ze zweeg even. 'Ze is wel wat arrogant, dat geef ik toe.'

Joshua glimlachte. Zijn gezicht veranderde volledig. 'Een eerlijk antwoord! Een zeldzaam verschijnsel in deze contreien.'

'Wel, gelukkig hoor ik niet thuis in deze contreien.'

'Nee. Je bent een beetje van je werkterrein afgeweken, inspecteur.'

Jessie was onaangenaam verrast. Haar officiële titel detoneerde altijd bij sociale gelegenheden. Ze keek in de richting van

Maggie. Die meid was gewoon niet in staat ergens haar mond over te houden.

'Ik heb je persconferentie gezien.'

'Oh nou, ik...'

'Sorry, ik wilde je niet in verlegenheid brengen. Ik ben gewoon onder de indruk. Modellen, actrices, presentatrices, daar ontmoet ik er zoveel van, allemaal saaie, egocentrische, incapabele vrouwen die alleen maar over zichzelf praten. Toen ik jou voor de eerste keer zag, voelde ik direct dat jij anders was. Nu weet ik waarom. Jezus, wat ratel ik door. Sorry.'

Jessie onderdrukte een glimlach. 'De meeste mensen maken dat ze wegkomen.'

'Dat komt omdat ze zich geïntimideerd voelen.'

'Denk je? Ik dacht altijd dat het hun slechte geweten was.'

'Misschien een beetje van beide.'

'Maar jij niet?'

'Ik voel me niet geïntimideerd door vrouwen. Toen ik twee was, wist ik al dat zij het superieure ras zijn. En wat dat slechte geweten betreft, dat klopt. Ik heb mijn goudvissen overvoerd om te zien of ze uit elkaar zouden barsten.'

'En?'

'Nee. Wat een teleurstelling.'

Jessie voelde het effect van de wodka door haar lichaam gloeien. Ze ontspande zich terwijl Joshua de mensen om hen heen aanwees. De onbetekenende popsterren, de onaantrekkelijke modellen, de graatmagere actrices. En in welke richting ze ook keken, overal verkeerden prachtige vrouwen in het gezelschap van kalende, grijzende mannen.

'Oude impressario's, clubeigenaren, criminelen, wapensmokkelaars,' legde Joshua uit.

Jessie pakte een stukje brie van een passerend dienblad.

'Maar natuurlijk altijd de ware liefde,' zei hij, en knipoogde. Jessie glimlachte, maar had er direct spijt van. Plotseling stond Maggie naast hen. Tussen hen.

'Waar staan jullie zo gezellig over te babbelen?'

Joshua keek naar Jessie en glimlachte vriendelijk.

'We lachen om die afgrijselijke modellen, die met de ingevallen borstkas,' antwoordde hij.

'Waarschijnlijk zit er een aardige hoeveelheid crack in hun met nepdiamanten overdekte tasjes,' zei Maggie, en legde haar hand op Joshua's arm.

'Ik heb geen dienst,' antwoordde Jessie en stapte achteruit.

'Betekent dat dat je niet een paar van die plastic handboeien in je tas hebt?' vroeg Maggie sluw.

'Zo erg geen dienst nu ook weer niet.'

'Dacht ik al.' Maggie lachte. 'Ik weet zeker dat de meeste mannen in deze tent graag het nummer van hun dealer zouden opgeven om door jou te worden gearresteerd. Denk je ook niet, Joshua?'

Hij leek van de wijs gebracht.

'Dat laat ik over aan de narcoticabrigade. Ik ben uitsluitend een moordmeisje,' zei Jessie.

'Er is hier geen ruimte voor twee moorddeskundigen, schat, en ik ben bang dat ik er het eerst was.'

Ze draaiden zich alledrie om en zagen Henrietta met opgestoken zeilen over de vloer aankomen. 'Vechten jullie tweeën nu al om mijn zoon? En het is nog zo vroeg.' Henrietta Cadell wreef met een met juwelen bedekte hand langs Joshua's lange, magere rug. Maggie knipoogde tegen Jessie. Moeders en enige zonen. Een fatale combinatie.

'Moeder, ik...'

'Joshua, schat, ze schijnen helemaal geen Grey Goose bij die bar te hebben en ik weiger pertinent om die goedkope Oost-Europese raketbrandstof te drinken. Wil je even naar de auto rennen en de chauffeur vragen wat te gaan halen?'

'En een glas champagne dan?'

'Als ik champagne wilde, Joshua, dan was ik niet helemaal hierheen gekomen om jou te vragen wodka voor me te regelen, toch?'

'Sorry, ik ga meteen,' zei Joshua. Hij begon weg te lopen.

'Ik houd je wel gezelschap,' zei Maggie, en glimlachte breed tegen Henrietta.

'Wat jammer, ik wilde je spreken over een idee dat mijn agent heeft gehad. We zoeken een presentatrice...'

Maggie deed een stap terug. 'Oh.'

'Lopen maar, Joshua,' drong Henrietta aan.

Lopen maar? Besefte Henrietta niet dat haar zoon geen korte broek meer droeg? 'Als jullie toch over het vak gaan praten,' zei Jessie impulsief, 'dan kan ík net zo goed meegaan.' Joshua probeerde het te verbergen, maar Jessie zag dat hij het leuk vond. Ze liepen samen de grote tent uit, terwijl Maggie en Henrietta hen nastaarden.

Alistair maakte zich los van de stenen muur en stapte geluidloos uit de schaduw. Hij volgde Tarek de straat door en zag hoe hij linksaf de hoofdweg in sloeg. Na vierhonderd meter bleef Tarek staan voor de voetgangersoversteekplaats en wachtte tot het licht op groen sprong. Toen Tarek naar links en naar rechts keek, dook Alistair weg onder de luifel van een krantenkiosk. Tarek stak over en Alistair glipte tussen de langzaam bewegende auto's door. Hij liep nu parallel aan Tarek. Tarek liep altijd naar huis. Hij deed er een uur over, maar zo spaarde hij geld uit. Alistair kende de route op z'n duimpje. Hij had hem al drie keer eerder gevolgd. Over een paar minuten zou hij de drukke straat verlaten en rechtsaf een steegje inslaan dat naar de achterkant van een woonwijk leidde. Door zich tussen de fietswerende hekjes door te slingeren, zou hij de kortste weg door de woonwijk nemen en afdalen in een labyrint van voetgangerstunnels, waar hij uit het zicht was en door niemand zou worden gehoord.

Alistair liet zijn knokkels kraken en versnelde zijn pas. Bij de hekjes draaide hij naar links en begon te rennen. Hij opende de deur van een nabijgelegen flat, sprong de trap op en een gang door. In de diepte kon hij Tarek zien die over de binnenplaats liep in de richting van de voetgangerstunnel. Hij haastte zich verder, ging door een andere deur, sprintte een andere trap af en een verlaten speeltuintje door. Daarop sprong hij over een lage schutting, rende langs een rij met rolluiken gesloten winkels en dook weer op bij de drukke weg aan de andere kant. Alistair zocht zijn weg om het late verkeer heen en liep de ondiepe betonnen treden van de voetgangerstunnel af, de duisternis tegemoet. De lamp die hij de vorige avond kapot had gemaakt, was nog niet gerepareerd. Hij drukte zich in een nis die naar urine stonk, greep de koude ijzeren staaf goed vast en wachtte op de echo van Tareks voetstappen.

De zilverkleurige Mercedes S500 stond buiten het hek geparkeerd. Jessie en Joshua moesten opnieuw langs de fotografen, maar na een vluchtige blik keerden de paparazzi terug naar hun sigaretten en opschrijfboekjes. Jessie en Joshua waren geen foto waard. Joshua leek het niet op te merken, maar Jessie wist dat de reactie totaal anders zou zijn uitgevallen als zijn moeder bij hem was geweest. Ze wilde hem er net naar vragen, toen hij een geüniformeerde chauffeur op zijn schouder tikte.

'Heb je het niet koud?' vroeg Joshua.

De chauffeur wierp een zenuwachtige blik op de auto. 'Ik was even een sigaret aan het roken,' zei hij. Jessie keek instinctief naar de lege handen van de man en vervolgens naar de grond. Er lag geen peukje op de grond. De chauffeur bleef maar naar de getinte ramen van de auto kijken.

'Het maakt mij niet uit, maar moeder wil graag dat je wat Grey Goose voor haar gaat halen. Vind je dat erg?'

'Nu?'

'Ik ben bang van wel.'

'Oké. Ik breng het wel naar binnen, u hoeft hier niet te wachten.'

'Mooi zo.'

De chauffeur bleef op het trottoir staan. Joshua deed hetzelfde. De chauffeur staarde naar de auto. Joshua ook. Jessie had het ook gehoord. Er was iemand in de auto.

'Godverdomme!' spuwde Joshua. 'Niet weer, hè.'

De chauffeur opende zijn mond, maar deed hem toen weer dicht.

'Jezus Christus, het ziet hier zwart van de fotografen!'

'Het spijt me, meneer.'

Jessie stapte achteruit. Ze wilde niet zien hoe Joshua de chauffeur de les las. Een man die tweemaal zo oud was als hij.

'Het is niet jouw schuld,' zei Joshua. 'Zorg nu maar dat ze zo snel mogelijk verdwijnen. Wie is het?'

De man haalde zijn schouders op. Joshua leek ineen te krimpen. Terwijl hij zich omdraaide naar Jessie, ging de deur van de auto open. Een in een pak gestoken been stapte het trottoir op. Joshua bewoog zich snel als een kat.

'Blijf in de auto. Jij ook. Jezus, heb het fatsoen in elk geval te proberen discreet te zijn, als het niet voor Henrietta is, dan voor jezelf.' Joshua smeet de deur dicht en gaf de chauffeur een teken snel weg te rijden. 'Laat hen niet gezamenlijk terugkomen.' De chauffeur knikte. 'En vergeet de wodka niet.'

Hij voegde zich weer bij Jessie op het trottoir en ze zagen de auto soepel wegglijden.

'Het spijt me heel erg dat je daar getuige van moest zijn,' zei Joshua.

Daar was Jessie het helemaal mee eens. De man die gedeelte-

193

lijk uit de auto was gekomen, was dezelfde die ze op het feestje van de filmpremière van het meisje had af getrokken. En erger nog, hij was ook de man met wie Verity Shore een hotel was binnengegaan. Christopher Cadell. Ze had gelijk gehad, ze had hem eerder gezien.

'Mijn vader heeft een hang naar jonge vrouwen. Hij schijnt het heerlijk te vinden om mijn moeder te vernederen. Ze mag dan een onbeschofte, dominante nachtmerrie zijn, ze is wel een diep ongelukkige onbeschofte, dominante nachtmerrie. Ze heeft niemand anders dan mij. Ik denk dat ik haar daarom ook verdraag. Ik ben aan een borrel toe.'

Jessie kon zich niet bewegen. Joshua keerde naar haar terug.

'Sorry, het is altijd een schok wanneer je de eerste barst in de façade ontdekt. Ik wil niet onaardig zijn, maar ik ben heel blij dat jij het was die dit heeft gezien en niet Maggie. Ik ben bang dat je huisgenote er haar voordeel uit zou slaan. Vertel het haar alsjeblieft niet. Moeder beschermt haar goede naam heel fanatiek.'

Een goede naam die zojuist was toegevoegd aan een zeer korte lijst van verdachten. 'Nee,' antwoordde Jessie. 'Ik zal het niet aan Maggie vertellen.'

Er was iets waardoor Tarek halverwege de voetgangerstunnel bleef staan om te luisteren. Hij kon de voetstappen achter zich niet meer horen, maar nu dacht hij dat hij ergens voor zich in de duisternis iets hoorde. Plaatselijk tuig dat zin had in een beetje ontspanning? Als hij iets had geleerd van het werken voor Ray St. Giles, dan was het wel dat een vaste routine je je leven kon kosten. Vanaf morgen zou hij met de bus naar huis gaan, of misschien zou hij een fiets kopen.

Jessie liet het aan Joshua over om zijn moeder aan haar drankje te helpen en voegde zich weer onder de feestgangers. Hoeveel vernedering zou vrouwe Henrietta Cadell accepteren? Anonieme blondjes waren één ding, maar Verity Shore... Dat was een klap in haar gezicht. Zowel P.J. Dean als de historica hadden goede redenen om die informatie geheim te houden. Had Henrietta Cadell net zoveel invloed op de pers als P.J., of zou ze haar

194

toevlucht nemen tot middeleeuwse methodes? Jessie had er spijt van dat ze Joshua aardig begon te vinden.

Maggie bevond zich niet meer in de groep rond Henrietta. Ze zat in haar eentje aan een tafeltje en woelde in een tas. Jessies tas. Maggie haalde Jessies telefoon eruit en hield het ding tegen haar oor. Jessie begon te rennen, maar ze slaagde er niet in haar huisgenote op tijd te bereiken.

'Met het toestel van inspecteur Driver.'

Jessie zag Maggies mond openvallen. Haar ogen zochten driftig de ruimte af. Jessie zwaaide en bleef rennen.

'Het is P.J. Dean! Hij zegt dat hij je nodig heeft.'

Jessie griste de telefoon naar zich toe. De muziek was hard en de ontvangst slecht.

'Ze hebben haar hoofd in een doos gestopt!'

'Wat?'

'Een of andere klootzak heeft een doos bij de poort neergezet met haar hoofd erin! Je zei dat ik naar huis kon gaan en dus heb ik de kinderen vanavond teruggebracht.'

'Ik heb gezegd dat u moest wachten tot ik met de geüniformeerde dienst had gesproken.' Jessie probeerde niet te schreeuwen terwijl ze de tent uit rende.

'De kinderen waren al genoeg in de war.'

'Weet u zeker...'

'Ik weet niets! Ik hoorde een geluid. Ik ben op het moment een beetje paranoïde over de jongens. Misschien ligt het aan de drugs die ik vroeger gebruikte of misschien komt het doordat MIJN VROUW IN ZUUR WERD GEDOOPT!'

'Rustig aan, zo maakt u de kinderen wakker.'

'Ik bedoel, welke schoft doet nu zoiets? Stel je voor dat Paul het had gevonden. Hij zou stapelgek zijn geworden. Ik word al misselijk wanneer ik eraan denk.'

'Iemand weet dat u weer thuis bent.'

'Dat kun je wel zeggen! Dat varkensbloed dat iemand tegen de poort heeft gegooid en al die andere idiote dingen – die brieven, die doodsbedreigingen... Als dat nu eens geen geintjes waren? Als dit nu eens echt over Verity en mij en Eve gaat...?'

'Hoe bedoelt u, u en Eve?'

'Als ze nu eens achter de jongens aan zitten? Help me, alsjeblieft. Als er iets met hen zou gebeuren... Jezus, ik begin mijn verstand te verliezen. Degene die dit doet, is gestoord, verdomme!'

'Kalm aan. Ik kom u wel halen.'

'Ik breng de jongens niet terug naar die schuilplaats. 's Nachts blijft daar steeds een auto langsrijden. Ze weten het. Op de een of andere manier weten ze het. Er zijn ook dingen in de brievenbus gestopt.'

'Waarom hebt u me dat niet verteld?'

'Omdat ik zo niet wil leven. Altijd maar bang.' Hij huilde. Jessie kon het horen door de telefoon.

'P.J., u moet een paar dingen doen. Vertrouwt u me?'

Jessie hoorde zijn adem fluiten door de telefoon. 'Ja. Jezus Christus...'

'Houd op. Haal de jongens uit bed, gooi een paar spijkerbroeken en sweaters in een tas – warme kleren, genoeg voor een week of zo. Ik ben over een halfuur bij jullie.'

'Sorry, ik wilde niet zo mijn zelfbeheersing verliezen.'

'Dat geeft niet. Ik kom eraan.'

Ze stopte de telefoon weer in haar tas en wenkte Maggie om bij haar te komen.

'Zeg tegen niemand een woord, Maggie.'

'Mijn lippen zijn verzegeld. Ga je weg?'

Bescherm wat je dierbaar is had Ray St. Giles gezegd.

'Ik moet wel. Misschien lopen die kinderen ernstig gevaar.'

Joshua kwam op haar af. Een fles Grey Goose in zijn hand. 'Waar ga je heen?' vroeg hij met een blik op haar jas.

'Het spijt me.'

'Ik heb je in verlegenheid gebracht...' fluisterde hij in haar oor.

'Dat heeft er niets mee te maken. Maar ik moet weg.'

Hij keek haar nogal teleurgesteld aan. 'Mag ik je bellen?'

Ja. Nee. 'Geef je nummer maar aan Maggie.'

Maggie liet haar arm door die van Joshua glijden. 'Maak je niet ongerust,' zei ze. 'Ik zorg wel voor hem.'

Het was te donker. Te donker en te stil. Tarek bleef voor de tweede keer staan. Hij was bijna aan het eind van de lange tunnel. Nog één hoek om en een ondiepe trap op, dan was hij weer in het land van de levenden. Hij voelde gebroken glas onder zijn schoenen. Hij keek op naar het gewelfde dak van de tunnel en zag alleen maar duisternis waar het sissende oranje licht had moeten zijn. Een kapotgemaakte lamp was hetzelfde als een sterfgeval dat goed uitkwam, hetzelfde als een veranderd slot. Er klopte iets niet. Hij zou nooit precies weten waarom hij zich omdraaide en op de vlucht sloeg, maar op het moment dat hij het deed, had hij durven zweren dat er iets langs zijn oor vloog.

Jessie keek de patrouillewagen na die wegreed met de schedel. Er was slechts één ander voertuig voorbijgekomen, een lege minitaxi. Het was bijna ochtend. De mensen die nog naar huis wilden, waren gegaan en degenen die niet naar huis wilden, zouden wachten tot de ochtend hen in het gezicht sloeg. Jessie liep de granieten oprit af naar het huis. Ze ging langs Eve Wirrels creatie op het geluid af naar de keuken.

'Hallo, Jessie, we zijn proviand aan het inpakken. Broodjes met worst, gesneden kaas en vruchtentaartjes, omdat u die lekker vindt,' zei Paul, die was gekleed in een spijkerbroek en een sweater.

'Waar gaan we heen?' vroeg Ty.

'Een ritje maken,' antwoordde Jessie.

'Zal ik je jas aannemen?'

'Graag.'

Haar dikke wollen jas gleed van haar schouders en ze herinnerde zich net te laat dat ze nog altijd de Armani-jurk zonder rug aanhad. Ze wendde zich tot P.J. om het uit te leggen en ving zijn blik op die juist weer omhoog kwam om de hare te ontmoeten.

'Wow!' zei Ty. 'Iemand heeft een gat in uw jurk geknipt.'

Jessie lachte.

P.J. keek verrukt.

'Ik vind hem mooi,' zei Paul.

'Ik ook,' voegde P.J. eraan toe.

'Mag ik die glimmende stukjes even zien?' vroeg Ty.

'Natuurlijk mag dat. Kom maar hier, dan til ik je op.'

Paul en P.J. keken toe hoe Ty langzaam naar Jessie liep. Hij keek een poosje nadenkend, maar strekte toen toch zijn armen uit. Jessie tilde het vijfjarige jongetje met gemak op.

'Net sterretjes,' zei hij. Hij legde zijn hoofd tegen haar schouder en deed zijn ogen dicht. Paul giechelde.

'Doe die thee maar in een thermosfles, dan gaan we weg,' zei Jessie zachtjes.

P.J. knikte, maar bleef naar Ty kijken.

'Verbazingwekkend.' Hij keek haar aan met een dankbare glimlach op zijn gezicht. 'Lukt het zo?' vroeg hij.

'Ja hoor, maar ik heb wel iets van een sweater nodig voor onderweg.'

'Paul, ga jij even naar mijn kamer, pak wat kleren voor Jessie en neem ze mee naar beneden.'

'En mammies kleren dan?'

'Ik wil niet dat Ty me in zijn moeders kleren ziet wanneer hij wakker wordt. Daar schrikt hij misschien van.'

Paul knikte ernstig. 'Goed bedacht, Batman.' Hij rende de kamer uit.

'Sorry dat ik je midden in een feestje heb gebeld. Ik hoop dat ik niet iets heb verstoord.'

'Nee. Helemaal niet. Ik was eigenlijk net van plan naar huis te gaan... Waar zijn Craig en Bernie?'

'In een hotel. Craig wilde hier niet meer heen. Zij hebben hier niets mee te maken.'

'Dat zult u mij moeten laten beoordelen.'

'En kun je goed oordelen?'

Misschien niet, dacht ze. 'Ik veroordeel niet snel, als u dat bedoelt. Ik was het die u vertelde over Craig en Verity, weet u nog? Ik zei dat hij zorg nodig had.'

'En daar had je gelijk in.'

'Daarmee lijkt de vraag me wel beantwoord.'

Ty bewoog zich in Jessies armen, deed zijn ogen open, keek naar Jessie en sloot ze weer.

'Het is nogal een lange rit,' fluisterde Jessie, 'dus ik raad u aan de comfortabelste auto uit uw wagenpark te kiezen. En hij moet ook zijn opgewassen tegen een hobbelige weg af en toe.'

'Dus niet de Porsche?' fluisterde P.J. terug.

Jessie schudde haar hoofd.

'De Aston Martin?'

'Nu schept u op.'

Hij glimlachte. Een prettige aanblik. 'Ik weet het al, de Bentley Turbo.'

'Ordinair. Vreselijk ordinair.'

'Geen paniek, ik heb precies de juiste auto.' Hij lachte zachtjes en keek haar recht aan. 'Ik ben zo dankbaar dat je bent gekomen. Ik geloof niet dat ik ooit in mijn leven zo bang ben geweest.' Hij deed een stap in haar richting.

Ze was blij dat ze Ty in haar armen had. Een bufferzone. 'We moeten gaan.'

Jessie zat opgekruld in de enorme stoel van de Hummer. Het navigatiesysteem leidde P.J. steeds verder naar het noorden terwijl zij zich in zichzelf terugtrok. De jongens hadden tien minuten lang naar *Toy Story* op DVD gekeken, maar waren toen in slaap gevallen. Ze had geprobeerd hetzelfde te doen, maar elke schok van de auto herinnerde haar eraan wie er bij haar was en waar ze hem heenvoerde.

'Ik weet dat ik prikkelbaar ben,' zei P.J.

Jessie hield haar ogen gesloten.

'Bernie en Craig betekenen veel voor me. Ik denk dat ik overbeschermd ben.' Hij wachtte even. 'Ze horen bij de familie. Bernie heeft veel meegemaakt. We woonden in een ruige wijk aan de buitenkant van Manchester. Het was er afschuwelijk, vooral voor meisjes. Wij konden tenminste nog voetballen, rugby spelen... Ze was de beste vriendin van mijn zusje.'

Jessie deed haar ogen open, maar bewoog zich niet.

'Mijn zusje is verdronken.'

Jessie wachtte af.

'Het is al lang geleden gebeurd, maar het voelt nog steeds als gisteren. Niemand praat over haar en de pers is wel zo wijs haar niet te noemen in een artikel. Julie was dertien toen ze stierf. Bernie en zij waren bij de monding van de rivier aan het spelen. Mijn zusje ging een beetje te ver het water in en werd meegesleurd door de stroming. Helaas kon ze...'

'...niet zwemmen,' zei Jessie zachtjes.

Hij keek kort in haar richting. 'Hoe weet je dat?'

Jessie ging rechtop zitten. 'Dat heeft u zich een keer laten ontvallen toen u verdrietig was. Ik dacht toen dat u het misschien over Bernie had.'

'Bernie kon ook niet zwemmen. Ze is nog steeds doodsbenauwd voor water. Ik heb haar zwemles aangeboden, maar dat heeft ze geweigerd. Ik kan er wel inkomen.'

Jessie dacht aan de punter in de rivier en aan het zwembad bij P.J.'s huis. Het zou niet de eerste keer zijn dat een fobie een overtuigend alibi vormde.

'Wat is er verder gebeurd?'

'Bernie rende weg om hulp te halen, maar tegen de tijd dat we de plek bereikten, was mijn zusje verdwenen. Ik heb urenlang naar haar gezocht. Tot ik blauw was van de kou. Het lichaam is nooit gevonden. Bernie werd een soort surrogaatzusje voor me. Ze was alles wat ik had. Mijn familie was niet erg...' Hij wreef over zijn gezicht. 'Een paar jaar lang verloren we het contact met elkaar. Ik ging naar Amerika en daar kreeg ik al snel succes. Toen we elkaar weer tegenkwamen, zocht zij een baan om Craig te kunnen onderhouden. Ik had een huishoudster nodig en zij was bereid dat werk te doen. Ze is trots, ondanks alles.'

'En wat denkt zij van Craig en Verity?'

'Ze is erdoor geschokt, maar niet om wat je denkt. Ze is niet boos op Craig, hij is nog maar een kind, en zoals je zelf al zei, hij is heel erg in de war. Ik heb hen naar een opvangcentrum in de Zwitserse bergen gestuurd.'

'U zei dat ze in een hotel zaten.'

'Het is ook een hotel, er zijn daar alleen ook mensen aanwezig met wie hij kan praten. Het is een soort rouwverwerkingscentrum met activiteiten en therapie.'

'In Zwitserland! Ze hadden het land niet mogen verlaten, P.J., en dat wist u best. We zitten hier midden in een moordonderzoek.'

'Het spijt me. Ik probeerde te doen wat het beste voor hen is, dat is alles. Je denkt toch niet echt dat Bernie er iets mee te maken heeft? Ik ken haar, ze kan al die dingen onmogelijk hebben gedaan en dat geldt ook voor Craig.'

'Verity sliep met haar zoon. Een jongen van zeventien. Twee jaar ouder dan Bernie was toen ze zwanger raakte.'

'Dat heeft er niets mee te maken,' zei hij kwaad.

'Hoe weet u dat zo zeker?'

'Omdat ik haar beter ken dan mezelf. Zij heeft Verity net zo min vermoord als Ty dat heeft gedaan. Bernie is een vriendelijke, liefhebbende, zorgzame, prachtige vrouw die zó goed is dat wij nog niet in haar schaduw kunnen staan.'

Jessie wilde weten hoe diep deze gevoelens gingen. Hield P.J. werkelijk van haar als een zusje, of zat er meer achter? Ze vermoedde dat dat wel zo was. 'Hoe zit dat tussen jullie?'

'Dat heb ik je net verteld. Is dat niet genoeg?'

'Ik denk dat u iets voor me achterhoudt.'

'Nee, dat is alles!'

'Wilt u me iets vertellen over Craigs vader?'

Hij staarde haar aan, maar richtte zijn ogen toen weer op de weg. 'We hebben benzine nodig,' zei hij, en ging van de snelweg af. P.J. sprong uit de auto, stak een Marlboro Light op en liep weg, zijn schouders opgetrokken tegen de kou.

Een enorme oranjerode zon hing boven Lake Ullswater. De kale stammen van de grove dennen gloeiden roze op onder een baldakijn van diep groen. Flarden oranje flitsten over het metaalgrijze water toen de opkomende zon een nieuwe dag aankondigde. Jessie stond op de waranda van het houten huis en keek hoe de wapperende zeilen van houten boten naar het midden van het meer kropen. Ze luisterde naar het gekletter van lepels in kommen dat uit de keuken kwam waar haar broer en schoonzus een onbekende troep te eten gaven. Haar nichtjes, dat wist ze zeker, zouden het prachtig vinden. Ze zouden deze twee kleine patiënten van de moderne wereld die ze in de hunne had gebracht onder hun hoede nemen. Ze keek neer op P.J.'s spijkerbroek en sweater, nu vierhonderdvijftig kilometer verwijderd van de dreiging van afgehakte hoofden, zwavelzuur, krankzinnige obsessies en septic tanks. Ze maakte zich geen zorgen om de kinderen. Ontrouw was wat haar bezighield. Verity Shores ontrouw met Christopher Cadell.

'Jessiiieee,' riep Charlotte. Ze sleepte P.J. en de jongens de waranda op. De meisjes waren enthousiast. De mannen leken verdwaald.

'We gaan onze indianentent laten zien,' zei Ellie.

'Dat heet een wigwam,' merkte Charlotte op.

Jessie glimlachte. 'Dan moeten jullie eerst maar laarzen zoeken voor de jongens.'

De jongens drukten zich tegen P.J.'s benen aan.

'We hebben pijlen en bogen,' zei Charlotte. 'We kunnen indiaantje spelen.' Ze pakte Ty's hand. 'Ik zal je al onze geheime verstopplekjes laten zien.' Ty liet zich zowaar meenemen.

'Ga met je broertje mee,' zei P.J. met een zacht duwtje in Pauls rug.

'We komen jullie over een halfuur of zo halen,' schreeuwde Jessie hen achterna, terwijl ze P.J. het huis weer binnenleidde.

'En het meer?' vroeg P.J.

'Maak je niet ongerust, ze weten dat ze niet in de buurt van het water mogen komen, tenzij ze zwemvesten aanhebben,' antwoordde Colin.

P.J. keek bezorgd. Colin overhandigde hem een kop dampend hete koffie. 'Ik zou me eerder bezorgd maken dat de meiden hen meenemen, de bomen in, dan dat ze te dicht bij het water komen.'

'Te veel Driver-genen,' zei Kate.

'Jessie was precies hetzelfde,' beweerde Colin. 'Nergens bang voor.'

'Moet ik me nu beter voelen?' vroeg P.J., en deed zijn best de kinderen in de gaten te houden die verdwenen in het stuk bos dat aan de achterkant aan de tuin grensde. Een wirwar van bomen die wachtten om tot leven te komen zodra ze even niet opletten.

'Ga zitten,' zei Colin. 'Je kinderen zijn veilig. Anders had Jessie hen niet helemaal hierheen gebracht. Straks halen we de boot en dan nemen we hen mee het meer op, in de volgende baai zijn een paar heerlijke rotsen om op te klimmen.'

'Oh God, ik ben veel te veel een stadsmens.'

'Dat gaat wel over,' zei Colin. 'En vertel me eens, waarom heeft Jessie jullie hier gebracht?'

Kate kuchte. 'Wil je nog pap, Jessie?'

Mark Ward liep de poort door die de ingang vormde van de begraafplaats van Woolwich. Door de heldere nacht was de grond hard bevroren. Volgens de overlijdensverklaring was het korte leven van Gareth Blake geëindigd op elf april 1979. Het was een troosteloze plek die zwaar gebukt ging onder verlatenheid. Een plek voor de armen en vergetenen. Of waren ze alleen maar verloren, zoals Clare had gezegd tijdens die lange, vruchteloze tocht naar Sunderland? Hij dacht aan Clare, die de paden op en af moest zijn gelopen en elke grafsteen had gelezen tot ze ergens die van haar ouders had gevonden. En nog altijd op zoek naar een graf van Frank Mills. Altijd voorbereid om op zijn laatste rustplaats te stuiten. Hij was een gezond jongetje geweest, had ze gezegd.

Gareth Blake was ook gezond geweest. Tot aan zijn plotselinge dood als gevolg van een longontsteking. Dat zat hem dwars. Het kind was nooit eerder ziek geweest. Volgens de papieren was hij eigenlijk een volmaakt kind. En dat voor een kind in een kindertehuis, was dat geen tegenstelling? Geen driftbuien. Geen aanleiding tot straffen. Geen psychiatrische rapporten. Bijna alsof hij er niet was geweest. Tot zijn plotselinge dood. Mark had nu het jaar gevonden: 1979. Hij begon langzaam langs de rij graven te lopen: 2 januari, 29 januari, 9 februari, 11 april. Gareth Blake. RIP.

Hij knielde en veegde de dorre bladeren weg. Ze vielen uiteen onder zijn vingers. As tot as. Stof tot stof. Het had Frank kunnen zijn, bedacht hij. Nu zouden ze het nooit weten.

De stekelige doppen van afgevallen beukennootjes kraakten onder hun schoenen toen Jessie en P.J. hun weg zochten door het bos.

'Je broer en je schoonzus zijn alleraardigst,' zei P.J. 'Zijn jullie allemaal afkomstig uit deze streek?'

'Nee. Ze zijn na hun trouwen hier naartoe verhuisd. Kate is sommelier. Een van de besten in haar vak. Haar vader bezat wijnmakerijen, daar heeft ze het geleerd. Nu verkopen ze aan particuliere klanten en hotels. Eigenlijk is ze een beetje een superster.'

'Is geen van de anderen getrouwd?'

'Hemel, nee. Stel je voor, moeten concurreren met Kate.'

'Of met jou.'

'Met mij?'

'Wel, kijk eens naar jezelf...'

Jessie hoorde ergens links van hen een tak knappen. Ze wees.

'Hé, jongens!' schreeuwde P.J.

'Sssst, laat hun niet weten dat we komen. Dan worden we omsingeld en is het allemaal in een paar seconden voorbij. Hier, neem dit...' Jessie raapte een boemerangvormige stok op.

'Waarom is dat?'

'Dat is je geweer, natuurlijk. Wij zijn de cowboys.'

'O ja?'

'Een beetje fantasie alsjeblieft.'

P.J. nam een stoere houding aan. Jessie giechelde. 'Het lijkt wel of je pijn in je buik hebt.'

Hij tikte tegen een imaginaire hoed. 'Dank u, mevrouw.'

'Doe je nooit spelletjes met de jongens?'

Hij liet onmiddellijk zijn sheriff-pose varen. 'Jawel. Playstation.'

'En Craig? Speelde je met hem toen hij jonger was?'

Nu leek P.J. zich ongemakkelijk te voelen. 'Niet echt.'

'Wel, dan staat je een verrassing te wachten. Hier moet je zelf spelletjes verzinnen.'

P.J. legde zijn handen op zijn heupen. 'Eigenlijk ben je heel irritant.'

'Daar zouden mijn broers het roerend mee eens zijn.'

'Colin vertelde me dat je aan bergbeklimmen doet.'

'Dat is een psychologisch foutje, ik wil dezelfde toppen bereiken als zij.'

'Welke bergen?'

'De Kilimanjaro.'

'Nee toch?' zei P.J. spottend.

'De Mont Blanc. Op ski's.'

'Nu schep je op.'

'De Eiger.'

'Dat is ordinair, Jessie Driver. Vreselijk ordinair.'

'Touché,' zei Jessie.

'Aanvallen! Aanvallen!'

'Wat?' P.J. draaide zich razendsnel om.

'Oeps, ik geloof dat we zijn ontdekt.'

P.J. en Jessie gingen met hun ruggen tegen elkaar staan. Vier kinderen renden over de open plek in het bos onder het slaken van indiaanse oorlogskreten. Ze hadden vogelveren in hun haar gestoken en Ty had een oude Hiawatha-pruik op.

'Gooi je wapens neer,' schreeuwde Ellie.

'Welke wapens?' fluisterde P.J.

'Het geweer.'

P.J. gehoorzaamde braaf.

'Nu zijn jullie gevangenen, jullie moeten precies doen wat wij zeggen.'

'Wat willen jullie?'

'We hebben honger. Jullie moeten naar het huis van de rijke boer gaan en Coca-Cola en pannenkoeken en chocoladekoekjes stelen.'

'Die kan ik maken,' zei Paul.

'Echt?' vroeg Charlotte onder de indruk en liet haar stok zakken.

'Laten we ze dan nu gaan maken,' zei Ellie.

'Ja!' riepen Ty en Charlotte.

'Wat dachten jullie van een hele picknick om mee te nemen op de boot?' vroeg Jessie.

'Een indianen-picknick,' zei Charlotte.

'Ja!'

'Weet je zeker dat je dit wilt doen?' vroeg P.J. aan Paul, en knielde naast hem.

'Het is oké,' antwoordde hij. 'Ik ben niet verdrietig.'

Ze lieten allevier hun wapens vallen en renden brullend terug naar het huis. P.J. wendde zich tot Jessie. 'Wat een geluk dat we daaraan zijn ontsnapt.'

'Je hebt geen idee. Ik ben al eerder door die twee gevangen, ze kunnen onvoorstelbare dingen bedenken om hun slachtoffers te laten doen.'

Ze wilde net weglopen toen P.J. haar arm greep. Ze draaide zich weer om. Zijn hand gleed langs haar onderarm en greep haar hand.

'Wat?' vroeg ze en probeerde de zenuwachtigheid uit haar stem en de paniek uit haar hoofd te houden.

'Er is iets wat ik graag wil doen.'

Hij trok haar naar zich toe. Ik moet hier een eind aan maken, dacht Jessie. Hij sloeg zijn armen om haar heen en drukte haar tegen zich aan. 'Bedankt,' mompelde hij in haar nek. 'Bedankt dat ik de jongens hier mocht brengen.'

Er kroop kippenvel langs Jessies armen omlaag als vallende dominostenen, maar ze hield ze resoluut langs haar zij geklemd.

De kinderen – koud, nat en tevreden na een lange dag vol ongekende vrijheid – werden door Kate in het bad gestopt. P.J. straalde. Jessie vergat voortdurend waarom ze daar waren, tot de zaterdagse televisie haar vierhonderdvijftig kilometer naar het zuiden sleurde en haar teruggooide in de Theems, de stinkende modder, de gebleekte botten. Het was Ray St. Giles. Jessie sloot de deur van hun toevluchtsoord en staarde naar de televisie.

'Ken je hem?' vroeg P.J.

Jessie gaf geen antwoord.

Colin keek in de televisiegids. 'Bekentenissen van een beroemdheid' met Ray St. Giles. Hier wil je toch niet naar kijken, Jess?'

'Hoe laag zal deze man zinken?' Dat was P.J., en ook hij staarde gefascineerd naar het scherm.

'Ze hebben een meisje in het programma. Ik geloof dat ze in een band zat en daarna een solocarrière is begonnen, nou hier komt ze.' Colin zette het geluid harder.

'...ik wil niet de volgende zijn. Ik bedoel, als er een of andere maniak losloopt. En daarom dacht ik dat ik niet op zijn lijst zou komen als ik zou bekennen.'

'Op wiens lijst?' vroeg St. Giles, alsof hij niet wist waar ze op doelde.

'Die van de nullenlijst-moordenaar.'

Het publiek begon enthousiast te klappen. Eindelijk een moordenaar die het niet op hun dochters, hun vrouwen of hun zusters had gemunt. Het was slechts een kwestie van tijd voordat ze de pagina's van *OK* en *Hello!* gingen uitpluizen op zoek naar het volgende slachtoffer. Waarna de heer St. Giles ongetwijfeld klaar zou staan met een onthullend stukje film en wijze raadgevingen voor het slachtoffer. Was dit de nieuwe trend van reality-tv?

'Je zit dus al zeven jaar in de muziekwereld, je was lid van een succesvolle band en nu heb je een platina solo-album op je naam staan. Wat wil je bekennen?'

De camera draaide om in te zoomen op de zangeres.

'Ze kan helemaal niet zingen,' zei P.J.

Colin en Jessie keken naar hem.

'Ik weet het zeker – ik heb haar in de studio gehad. Verity zong nog beter dan zij en Verity kon absoluut niet zingen.'

Het meisje bleef op haar lip bijten. Ze was bang.

'Toe maar, vertel het maar aan ome Ray.'

'Ik kan niet zingen,' fluisterde ze.

Het publiek hapte naar adem. Oprecht geshockeerd.

'Stomme idioten,' merkte P.J. op.

'Taalgebruik,' zei Colin uit gewoonte.

'Sorry, maar dat wisten ze allang. Er is een reden waarom deze mensen nooit live zingen.'

'Mijn stem wordt door een computer elektronisch bijgewerkt. Het is me per contract verboden om live te zingen. Waar dan ook. Zelfs niet thuis in de badkamer, voor het geval iemand van het personeel me hoort.'

'Dat moet verschrikkelijk zijn, leven in een leugen.'

'Jasses, wat een enge klootzak,' zei P.J.

'Taalgebruik,' zei Colin weer.

'Waarom zeg je dat?' vroeg Jessie.

'Hij heeft geprobeerd Verity en mij in zijn programma op de kabel te krijgen, hij zei dat hij over informatie beschikte. Pure chantage, die kloo... Sorry.'

'Hoe is dat afgelopen?'

'Ik heb hem gezegd dat hij dat maar moest waarmaken.'

'En?'

'En Verity ging dood. Ray St. Giles heeft het programma uitgezonden, maar hij liet mij eruit. Tegen die tijd zaten mijn advocaten hem al op zijn nek, maar Verity heeft hij door de gehaktmolen gedraaid. Na alles wat ik had gedaan om haar uit de pers te houden, flapte dat gore zwijn het er allemaal uit. En wat die achterbakse, geldhongerige Danny Knight betreft – hem zou ik met liefde vermoorden.' Hij staarde naar de televisie. Colin en Jessie wisselden een blik.

'Zet het af,' zei Jessie.

'Zaterdagavond, prime time, die vent wordt nog groter dan Noel Edmonds.'

'Hoe krijgt hij zoveel greep op mensen?' vroeg Jessie aan niemand in het bijzonder.

'Waarschijnlijk bezit hij een video-opname van haar acterende echtgenoot die een snuifje neemt vanaf de dij van een of andere blondine. En hebben ze besloten haar carrière op te offeren om die van hem te redden. Die van haar was eigenlijk toch al voorbij.'

'Snuifje?' vroeg Colin, die het niet kon volgen.

'Cocaïne,' legde Jessie uit.

'Dat is afschuwelijk.'

'Nee, zo is het leven,' antwoordde P.J.

'Het mijne niet,' hield Jessies broer aan.

'Nee,' zei P.J., 'maar het mijne wel.'

'Wat had hij dan over jou P.J.?'

'Niets. Het ging om Verity. Ze was in een hotel gezien met een of andere man. Ik weet niet wie, dus vraag me dat niet. Ik heb ook geen moeite gedaan het uit te zoeken.'

Jessie wist echter wel wie het was. Vrouwe Henrietta Cadells echtgenoot. Een vrouw die, volgens haar zoon, haar reputatie wilde houden zoals hij was. Daarin leek ze wel op P.J. Dean.

'Praten jullie er samen maar verder over,' zei Colin, en trok zich terug.

'Waarom heb je me verteld dat die affaires niet meer waren dan geruchten?'

'Bij de meeste was dat ook zo,' antwoordde P.J.

'Ik beschik over vrij veel bewijzen van het tegendeel. En jij begint steeds meer op de jaloerse echtgenoot te lijken.'

P.J. lachte hatelijk. 'Jaloers? Op Verity? Toe nou, ze was zo zielig. Het enige domme wat ik heb gedaan was proberen haar te beschermen. Ray St. Giles wist alles over haar. Hij wist het van Eve, hij wist dat Verity verslaafd was, hij wist alles wat Danny Knight wist. Het was een publiek geheim. Ik had het nooit moeten proberen.'

'Het was dus waar – Eve en Verity?'

P.J. knikte zwijgend terwijl hij toekeek hoe St. Giles over het podium paradeerde. Het publiek begon juist zijn naam te scanderen toen P.J. naar de afstandsbediening greep.

'St. Giles.'

'St. Giles.'

'St. Giles.'

Mark Ward had tweeëneenhalf uur buiten Elwood Lane 7 staan wachten toen hij eindelijk een vrouw van midden vijftig de straat in zag komen. Uit de bobbel onder haar regenjas leidde hij af dat ze geld bij zich droeg. En gezien de manier waarop ze liep, moest het veel geld zijn. Ze liep snel. Met opgetrokken schouders en ogen die steeds om zich heen keken. Mark liet zich omlaag zakken in de auto en wachtte. Hij wilde haar niet laten schrikken. Hij had zijn huiswerk gedaan over Irene. Ze was meer dan de eigenaresse van een kapsalon. Ze bezat er verschillende. Eigenlijk had ze in de loop der jaren een heel imperium opgebouwd. Ze verhuurde ze allemaal, op één na. De zaak waarin ze was begonnen. De zaak waar ze elke dag naartoe ging en dezelfde vrouwen behandelde die ze al jaren behandelde.

Hij wachtte tot ze zo'n tien minuten in het huis was en belde toen aan.

'Wie is daar?'

'Inspecteur Ward. Ik wil u graag spreken over Clare Mills.'

'Mag ik uw pasje zien, alstublieft?' De koperen klep van de brievenbus ging open en er verscheen een benige hand. Mark overhandigde zijn portefeuille.

'Gaat u eens een stukje achteruit, zodat ik u goed kan bekijken.'

Mark ging twee stappen achteruit en wenste dat iedereen zo voorzichtig was als deze dame. Maar aan de andere kant hadden niet veel mensen zoveel te beschermen als deze dame.

'Welke kleur heeft Clares keuken?'

'Pardon?'

'Luister eens, iedereen kan zo'n pasje tegenwoordig namaken, dus geef antwoord op mijn vraag, anders zult u uw vragen vanaf het trottoir moeten stellen.'

'Geel.'

'En wat doet ze voor werk?'

'Straatveger.'

'Oké, inspecteur, nu mag u binnenkomen.' Er werd een ketting teruggeschoven en de deur ging open. 'Dien de gemeenschap en zet een pot thee,' zei Irene. 'Ik heb de hele dag gestaan en ik ben bekaf.'

Mark liep de woonkamer in met de thee op een blad. Hij had zelfs wat koekjes op een schaaltje gelegd. Eigenbelang. Hij had honger.

'Verdorie, ik vroeg u om thee te zetten, niet om te doen alsof u thuis bent.'

'Ik vond u eruitzien als een dame die de dingen graag heeft zoals het hoort.'

'Nou, dat vond u verkeerd.'

Mark schonk thee in en ging in een stoel tegenover haar zitten. Irene had haar schoenen uitgeschopt en haar benen voor zich uitgestrekt op de bank. Ze had mooie benen. Ook nu nog.

'Wat kunt u me vertellen over de ouders van Clare?'

'Niets wat u niet al weet. Ik ben ervan overtuigd dat Clare u alles heeft verteld.'

'Ik wil graag dat u me de rest vertelt. De dingen waar alleen vriendinnen onder elkaar over praten.'

'Zoals?'

'Zoals hoe haar huwelijk was.'

'Zoals een huwelijk is.'

'Clare schijnt te denken dat het ideaal was.'

'Dat is haar goed recht.'

'Dus dat was niet zo?'

'Kent u huwelijken in deze buurt die ideaal zijn?'

'Waarom duurde het zo lang voordat Frank werd geboren?'

'Luister, inspecteur, waarom wilt u dit nu allemaal opgraven? Ze zijn dood en begraven en Clare mag geloven wat ze wil geloven. Gun haar dat tenminste.'

'Bedoelt u dat er problemen waren?'

'Ik bedoel dat u de zaak moet laten rusten.'

'Ik denk dat die gedachte Clare de das omdoet. Ze kan niet doorgaan met haar leven.'

'Soms kun je de waarheid beter niet weten.'

'Dus u denkt dat de waarheid haar einde zou kunnen betekenen?'

'Misschien. Wat is de waarheid, behalve zoals je die zelf ziet?'
Irene wreef afwezig over een eeltknobbel. 'Kijk me niet zo aan. Ik
ben niet dom en mijn gezonde verstand zegt me dat als Clare tot
de conclusie is gekomen dat Frank dood is, dat ook het beste is.
Vindt u niet?'

'Ik weet dat u niet dom bent. U hebt hier in de buurt een aardig imperium opgebouwd.'

'Wat heeft dat er in vredesnaam mee te maken?'

'Het betekent dat ik mijn huiswerk heb gedaan.'

Irene gaf geen antwoord. Mark schoof onrustig in zijn stoel.
Dit werd geen koud kunstje. Irene was niet gemakkelijk te over-
reden. Ze had haar hele leven lang geheimen begraven. Maar hij
had antwoorden nodig en zij was de enige die ze hem kon geven.

'Clare weet niet dat u het was die haar en haar broertje heeft
overgedragen aan de kinderbescherming, nietwaar? Ze weet ook
niet dat Veronica u die volmacht had gegeven in het geval van
haar dood.'

Irene bewoog zich niet.

'Clare houdt vol dat haar moeder niet wist wat ze deed toen
ze zich ophing op de dag van Trevors begrafenis. Het lijkt wel
buitengewoon toevallig dat ze de benodigde papieren twee
dagen daarvoor had getekend.'

Irene bewoog zich nog steeds niet.

'Toe nou, Irene. Waar was Veronica zo bang voor? Wat had ze
te verbergen?'

'Hoe komt u aan die informatie?'

'Dat doet er niet toe, het gaat erom wat u weet over Frank.
Ik heb vanochtend een graf gevonden. Gareth Blake. Geboren
op dezelfde dag als Frank Mills. Zegt die naam u iets, Gareth
Blake?'

'Nee.' Irene leunde naar voren om haar kop en schotel op de
salontafel met glazen blad te zetten.

'En Ray St. Giles?'

Het porselein rammelde. Irene keek op, maar herstelde zich
snel.

'Wat denkt u? Hij heeft Trevor vermoord. Hij tiranniseerde
deze buurt totdat hij achter de tralies belandde. Hij perste winke-
liers af, viel jonge meisjes lastig, manipuleerde de paardenraces...'

'Jonge meisjes zoals u?'

Irene gaf geen antwoord.

'Zoals Clares moeder?'

'Ja, meisjes zoals wij.'

Trevor was lange tijd werkloos. Dat moet moeilijk zijn geweest zonder geld. Clare heeft me de foto's laten zien die u haar hebt gegeven. Jullie zagen er geweldig uit – zoals zij het uitdrukte. Hoe kon dat dan, als Trevor niets verdiende?'

'We werkten. In mijn kapsalon. Wel, in wat mijn kapsalon werd.'

'Clare vertelde me dat u bent begonnen met aanvegen en theezetten. Dat moet zo rond de tijd zijn geweest dat deze foto's werden genomen. Veronica had een kind, een echtgenoot. Wilt u me vertellen dat u met uw armzalige salarisje die bontjassen en juwelen kon betalen?'

'Het was allemaal namaak.'

'Dat geloof ik niet. Ik denk dat u dat tuig rond Raymond kende, dat u naar de clubs ging en daar wat extraatjes, drankjes en af en toe een cadeautje oppikte. De manier waarop jullie eruitzagen zou al genoeg zijn geweest. Ik kan het weten, ik kom uit dezelfde buurt. Maar uw vriendin Veronica raakte er dieper in verstrikt, nietwaar? Ze begon met een van die criminelen naar bed te gaan. Wie was het, Irene?'

Irene veegde haar ogen af. 'Dit is nergens goed voor. Als u uit ervaring weet hoe het in die dagen toeging, blijf er dan af. Veronica is tot stof vergaan. Clare leeft nog, laat haar met rust. Dit zou haar dood betekenen.'

'Ik heb dus gelijk?'

Ze zou hem die genoegdoening niet geven.

'Met wie ging ze naar bed?'

'Ik heb hier genoeg van.'

'Wie was het, Irene?'

Ze bleef naar het lege televisiescherm staren. 'Vertel het me, alstublieft.'

Hij hoorde het elektronische geluid van de televisie die aansprong. Hij wierp een blik op Irene. Ze had de afstandsbediening in haar hand en staarde naar het scherm.

'Irene, vertel het me.'

Het programma liep op z'n eind. Het publiek scandeerde een naam. Mark ging rechtop zitten.

'St. Giles.'

'St. Giles.'

'St. Giles.'

Mark draaide zijn hoofd om naar Irene, zijn mond open.

211

Het geroep ging door. Haar ogen gleden opzij tot ze die van hem ontmoetten en keerden daarna weer terug naar de televisie. Ze boog haar hoofd en begon te huilen. Mark liep de kamer door en sloeg zijn arm om haar schouders.

Jessie keek door de glazen deur naar P.J. en Colin. Naast hen stond een geopende fles Bechevelle 1966. P.J. sneed komkommer voor de salade. Hij stond erbij alsof hij zijn hele leven niets anders had gedaan. Boven haar hoofd gluurden de sterren uit de donker wordende hemel. Ze had niet veel zin het goede nieuws dat ze zojuist van Jones had gehoord door te geven, maar toch schoof ze de deur open en stapte van de waranda de met stoom gevulde keuken binnen.

'Goed nieuws,' zei ze, en probeerde overtuigend te klinken. 'Je kunt weer veilig naar huis gaan. De schedel was namaak. Achtergelaten door twee veertienjarige fans. De vader van een van die meiden is osteopaat. Ze hebben de informatie klaarblijkelijk van een website met de naam fan-extremis.com. Die is anoniem. Het is onmogelijk te achterhalen wie het op internet heeft gezet. Sorry.'

'Hebben fans een schedel achtergelaten?' Colin keek verontrust.

'Sommige mensen zijn zo fanatiek dat ze je zouden doodschieten,' antwoordde P.J. droog.

'Ongelooflijk,' zei Colin.

'Het is mijn schuld. Ik had die doos moeten controleren,' zei Jessie.

Jones had er door de telefoon geen enkele twijfel over laten bestaan wat ze volgens hem nu moest doen.

'Dat betekent dat je weer naar huis kunt gaan,' zei Jessie, en keek naar P.J. Hij ging door met komkommer snijden. 'De jongens en jij lopen geen gevaar meer. Je kunt veilig naar huis.'

'Je kunt nog niet weggaan,' meende Colin. 'We willen je bedanken omdat je je de hele dag met de meiden hebt beziggehouden. We hebben een heerlijke middag gehad en de...'

Jessie hield haar hand omhoog. 'Bedankt, Colin, we begrijpen wat je bedoelt.'

'Bovendien is het al laat. Afgelopen nacht hebben jullie helemaal niet geslapen. Jullie hebben een maaltijd nodig en een lange nacht slaap. Morgen is het zondag en het zou heel onbeleefd zijn voor de lunch weg te gaan.'

'Maar...'

'De jongens liggen al in bed en ze kunnen onmogelijk weggaan zonder afscheid te nemen van de meiden. Om maar niet te spreken van het feit dat de maaltijd bedorven zou zijn en dat de wijn werd verspild. Kortom, jullie blijven waar je bent.'

'Het probleem is...'

Colin viel haar opnieuw in de rede. 'Jessie, moet je werkelijk vanavond naar Londen terugrijden?' Hij gooide wat kruiden in de pan en roerde even. Koppigheid was een familietrekje.

'Zij is niet van plan weg te gaan.' P.J. liet zijn mes zakken en keek Jessie aan. 'Toch?'

Het was waar. Zij kon blijven. De gedachte aan een lange autorit was niet aantrekkelijk. Het idee dat P.J. zonder haar zou weggaan was verontrustend. De gedachte aan Jones' afkeuring maakte het niet gemakkelijker.

'Ik ga de jongens halen,' zei P.J.

'Doe niet zo belachelijk. Het is gevaarlijk voor je om te rijden – je hebt gedronken, je hebt een nacht niet geslapen en het is een lange reis. Als politievrouw zou Jessie je moeten verbieden om te gaan.'

'Hoeveel heb je gedronken?' vroeg Jessie.

'Twee biertjes en een half glas wijn, de wijn bij de lunch niet meegerekend.'

'Een groot glas, niet een half glas,' zei Colin. 'Hij mag niet rijden. Jullie blijven allebei hier.'

Mark besefte dat Irene te moe van alles was om niet te praten. 'Het is al die tijd een hel geweest. Clare haat die man. Als ze er ooit achter kwam...' Irene keek Mark aan. 'Wie denkt u dat ervoor heeft gezorgd dat ze Frank nooit kon vinden? Ik. Ik heb haar al die tijd de verkeerde kant op gestuurd, want ik zeg u, er zou iets verschrikkelijks gebeuren als ze er achter kwam. Daar ben ik mijn leven lang al bang voor.'

'Wat is er gebeurd, Irene? Wat is er met Veronica gebeurd, waarom heeft ze zelfmoord gepleegd?'

Irene zakte in elkaar op de bank. 'Als ik het vertel, maakt u dan een eind aan dit onderzoek?'

'Dat kan ik niet doen, maar ik zal zorgen dat Clare nooit te weten komt wat ik zal ontdekken.'

'Veronica voelde zich zo schuldig. Ze hield van Ray, of dat dacht ze aanvankelijk althans. Het was spannend en Trevor, lieve hemel, hij was een beste man, maar... Nou, u begrijpt wel wat ik bedoel. Ray was stapelverliefd. Veronica had dat effect op mannen. Toen werd Veronica zwanger van Frank. Trevor was dolgelukkig, natuurlijk. Zijn wonderbaby.'

'Waarom is ze niet bij hem weggegaan? Met de kinderen.'

'Ray wilde Clare niet. Hij was stapelgek op Veronica, maar ook trots en daarom wilde hij Clare niet. Veronica wilde haar niet achterlaten, ze wilde die kinderen niet uit elkaar halen. Ze kwam zelf uit een vreselijk gezin, vervuld van haat. Ze was door hen in de steek gelaten, totaal in de steek gelaten. Daarom kwam ze uiteindelijk ook in ons gezin wonen. Dat wilde ze haar kinderen niet aandoen. En toen verdwenen die twee vrouwen. Prostituees – in die tijd kon het niemand iets schelen. De politie arresteerde er een of andere vrachtwagenchauffeur voor. Hij zat tot zijn nek in allerlei dingen en de moorden bleven aan hem hangen. Veronica had die vrouwen echter in Ray's club gezien. Ze hadden een hoop geld van hem gestolen. Ray was woedend op die twee meiden. Voordat we het wisten, waren ze dood. Die man is gewelddadig, en niet op een normale manier. Het is een soort gewelddadigheid die eerst moet ontdooien. Hij ontploft niet. Hij gaat langzaam en berekenend te werk.

Wel, na die tijd was Veronica doodsbang. Hij bleef haar zijn eeuwige liefde verklaren. Toen werd Trevor doodgeschoten. Het was geen ongeluk dat dat wapen afging. Ray heeft Trevor in koelen bloede vermoord. Hij kende de route waarlangs Trevor naar huis zou lopen na zijn sollicitatiegesprek. Ray ging ervan uit dat hij niet zou worden gepakt. Hij nam aan dat Veronica met hem mee zou gaan, maar ze week niet van Trevors bed. Ze was doodsbenauwd. Ray wilde samen met haar en Frank het land verlaten, maar ze voelde zich veilig in dat ziekenhuis. Ik had de kinderen. Veronica wist dat zelfs Ray het ziekenhuis niet zou trotseren. Uiteindelijk werd hij gearresteerd. Een tip, zegt men. Niet van mij, let wel.'

'Dus al die tijd is Clare op zoek geweest naar Ray's zoon.'

Irene knikte, snoot haar neus en leunde achteruit tegen de kussens van de bank.

'Heeft Ray Frank?'

Irene haalde haar schouders op. 'Ik heb nooit de neiging gehad hem op te bellen en het hem te vragen. Waarschijnlijk wel. Hij heeft wel ergere dingen verdoezeld. Wat maakt het nu nog uit? Clare denkt dat Frank dood is. Kunnen we het daar niet bij laten?'

Mark haalde een flacon uit de binnenzak van zijn jasje en overhandigde hem aan Irene. Ze nam een flinke slok. En nog een. 'Geen familie is beter dan slechte familie, dat zei Veronica altijd. Geen familie is beter dan slechte familie.'

P.J. voegde zich bij Jessie op de waranda. Er was een derde fles opengetrokken. Jessie voelde zich omhuld door rode wijn. Ze hingen over de houten balustrade en staarden naar de weerspiegeling van de melkweg in het oliegladde oppervlak van Ullswater. Drijvende poedersuiker. Het lage, diepe gekras van een uil op jacht passeerde niet ver van hen. P.J. keek omhoog naar de maan die precies halfrond was en wees. 'De Mare Tranquilitatis. Hier lijkt hij dichterbij.'

Ze gaf hem een duwtje met haar elleboog. 'Zijn al je liedjes zo goedkoop als dat?'

'Heb je er dan nooit naar geluisterd?'

Jessie lachte. 'Pas op, je ego schijnt erdoor.'

Hij leunde dichter naar haar toe. 'Je hebt gelijk over deze plek,' zei hij. 'Het is magisch. Ik zou hier graag willen blijven en die jongens net zo zorgeloos zien opgroeien als Charlotte en Ellie. Ik wil niet dat ze zo opgroeien als de kinderen van andere beroemde mensen. Worden die ooit normaal? Wat zal er terechtkomen van Rocco Ritchie, Anaïs Gallagher, Brooklyn Beckham? Ze worden nooit zoals Charlotte en Ellie, dat weet ik zeker.'

'Ik voel een lange monoloog aankomen. Wil je soms pen en papier?'

Hij greep haar vast. 'Nee. Sssst, ik ben diepzinnig. Vroeger werden mensen beroemd als een ongelukkig bijverschijnsel van het vervullen van hun dromen...'

'Ach hemel...'

'Nu is beroemd zijn de droom zelf. Dat vereist gigantische ambitie en geloof in jezelf, je moet sterker zijn dan alle anderen. Het is de ijzeren bouwkunst van de roem. Dunne, platte lagen

215

worden in de massa gesmolten lava geduwd, onbeduidend tegenover de kracht van een enorme berg aanwezigheid. Maar hoe
hoog de toppen ook zijn, de dalen zijn dieper. De onzichtbare
keerzijde van roem en macht bestaat uit onzekerheid en neurose.
Word je daar een goede ouder van? Absoluut niet.'

'Volgens mij ben je dronken, P.J.'

'Ik ben serieus. Ik zal je een afschuwelijk geheim vertellen. Ik
weigerde met Verity te vrijen zonder condoom. Ik vertrouwde
haar niet. Als Paul en Ty er niet waren geweest, was ik van haar
gescheiden. Daar had je gelijk in, de gedachte dat ze zouden worden weggesleept naar een andere man, een ander huis, een ander
instabiel leven was te veel voor me. Kon niemand dan met verantwoordelijkheid omgaan? Deze jongens zijn mensen. Geen
objecten.'

Jessie ging rechtop staan Hij was werkelijk serieus. Bloedserieus. 'Ben je daarom in het huis van Verity's ex-man gaan wonen?'

'Je bent ook overal van op de hoogte, niet?'

Jessie gaf geen antwoord. Ze had genoeg 'thuis'-foto's van
Verity Shore en haar respectievelijke mannen gezien om alle
details van haar interieur te kennen.

'Zo wilde Verity het. Ik was er aanvankelijk tegen, maar ze
had gelijk, de jongens wilden niet weer verhuizen en ze willen
ook nu niet verhuizen.'

Hij keerde zich naar haar toe en legde zijn hand over de hare.
Ze trok hem niet terug. 'Ik heb een paar verschrikkelijke fouten
gemaakt met mijn familie, verschrikkelijke, onvergeeflijke fouten.
Die zal ik met Paul en Ty niet maken.'

'Praat je daarom niet meer met je vader?'

Hij knikte.

'En ben je daarom niet op je moeders begrafenis geweest?'

'Ja.'

'Heeft het iets te maken met het feit dat je zusje is verdronken?'

'Ergens wel, vermoed ik.'

'En ben je daarom zo vastbesloten voor die jongens te zorgen, de zonen van iemand anders?'

'Ja,'

'En Bernie?'

'Natuurlijk, Bernie! Ik vertrouw je, Jessie. Ik wil je dingen
vertellen die niemand weet. Ik wil niet dat je me wantrouwt, ik
wil niet liegen, maar er zijn dingen waarvan ik heb gezworen ze

nooit aan een levende ziel te vertellen. Begrijp je dat? Na al die jaren kan ik het gewoon niet.'

Jessie fronste haar voorhoofd.

'Je weet het toch wel, nietwaar? Daarom denk je zo slecht over me. Ik zie het aan je gezicht.'

Hij had ongelijk. De twijfel in haar gezicht had alleen met haarzelf te maken. Maar ze begon te vermoeden waarom P.J. zich had gedragen zoals hij had gedaan. Dat kwam doordat ze hem die dag op de boot had gadegeslagen met de jongens, de dingen die hij zei, de dingen waar hij op zinspeelde. Ze begon te vermoeden dat er een relatie met Bernie was geweest, lang geleden, nadat zijn zusje was verdronken. Begrijpelijk, onder die omstandigheden. Het product daarvan was Craig. Hij had haar echter verlaten, een zwanger meisje van vijftien, om naar Amerika te gaan. Hij kwam terug als een popster en ging nooit meer naar huis. Of het nu door zijn jeugdige leeftijd kwam of door roekeloosheid, hij had Craigs hele kindertijd gemist en hij had de beste vriendin van zijn overleden zusje in de steek gelaten. Hij had zich minderwaardig gedragen en hij kon het niet meer goedmaken tegenover Craig en waarschijnlijk ook niet echt tegenover Bernie, hoewel hij nu voor hen beiden zorgde en hen financieel onderhield. Alles wat P.J. kon doen, was zorgen dat het niet weer gebeurde. Met Paul en Ty. Daarom was hij zo beschermend. Dat verklaarde ook waarom hij het had uitgehouden met Verity.

'Ik heb Verity niet vermoord. Dat probeer ik je wanhopig te bewijzen, zo wanhopig dat ik het vertrouwen zal beschamen van de enige mens in de wereld die werkelijk van me houdt en van wie ik ook houd, oprecht, zoals dat hoort onder familieleden.'

P.J. greep haar hand.

'Als Craig jouw zoon is, P.J., dan denken mensen misschien dat dat juist een motief is. Dat Bernie en jij Verity uit de weg wilden om gezellig gezinnetje te spelen. Begrijp je dat? Eve en Verity waren verliefd en verliefde mensen vertellen elkaar dingen, dus moest je ook met Eve afrekenen.'

'Ik dacht dat het je wel duidelijk was dat ik niet verliefd ben op Bernie. En als ik niet verliefd ben op Bernie, dan is er geen motief. Dus ga je gang, vraag het.'

'Is hij je zoon?'

P.J. knipperde met zijn ogen, die zich met tranen vulden. De deur naar de waranda gleed open en Kate en Colin kwamen lachend naar buiten. 'Oeps, sorry, ik wist niet dat jullie hier waren.

Neem ook een glaasje cognac – we hebben iets te vieren! Kate heeft het me net verteld, ze is zwanger!'

Jessie maakte zich los van P.J. die luid hoera riep. Alleen Jessie hoorde hoe zijn stem brak en ze wist dat hij juichte om zijn eigen pijn te verbergen.

Jessie omhelsde Kate. 'Wat ben ik blij voor jullie.'

'Op Kate,' zei Colin en hief zijn glas. 'De geweldigste vrouw ter wereld.'

P.J. hief zijn glas en sloeg zijn ogen op naar de maan. Hij dronk de cognac in één teug op en stak zijn glas uit voor meer.

Mark Ward liep langzaam door de uitgesleten gang van het politiebureau. Er scheen licht onder de deur van Jones' kantoor. Waarschijnlijk was Jones de enige persoon ter wereld met wie hij wilde praten. Hij klopte aan.

'Hallo, chef, wat doet u hier zo laat op de avond?'

'Het schijnt dat ik de duvelstoejager van inspecteur Driver ben geworden.'

Mark glimlachte. 'U en ik allebei.'

'Vrouwen. Deze revolutie gaan wij niet stoppen.'

'Hoe voelt u zich?'

'Nog een beetje wankel, maar over het geheel genomen veel beter. Ik heb een prachtig litteken. Wil je het zien?'

'Nee, dank u, ik wil mezelf geen nachtmerries bezorgen. Ik wil echter wel een slaapmutsje. Hebt u zin om mee te gaan? Ik wil graag iets met u bespreken.'

'Als het weer gezeur over Jess...'

'Nee, chef, het is iets belangrijkers.'

Ze liepen zij aan zij de gang door. Vermoeide mannen en vrouwen vertrokken omdat hun dienst erop zat en andere vermoeide mannen en vrouwen arriveerden. Een schoonmaker kletste een stokdweil tegen het vinyl op de vloer en begon het vuil domweg in kringen rond te draaien. Jones duwde de buitendeur open en werd begroet door een stroom koude lucht. Ze liepen zwijgend de straat over en de pub binnen.

'Ik wil met Ray St. Giles praten. Ik wil hem op het bureau laten komen.'

'Niet jij ook, hè? Is dit een of ander probleem tussen jou en...'

'Hij had een verhouding met Veronica. Ze pleegde zelfmoord

om te voorkomen dat dat bekend werd. Er is geen spoor van die jongen te vinden, dus Ray moet hem hebben.'

'Nee.'

'Hoezo nee?'

'Je kunt je hier niet zomaar in mengen, tenzij je het echt weet. Tenzij je zekerheid hebt. Jessie had zekerheid en dat lijkt niet goed uit te pakken. Die man is sluw, hij zal je belazeren.'

'Waar was Jessie dan mee bezig?'

'Ze had een tip gekregen dat hij betrokken was bij de reeks recente moorden.'

'Onzin. Van wie?'

'Van een insider.'

'Mooi. Laat haar hierheen komen, dan pakken we het gezamenlijk aan. Harmonieuze samenwerking. Het soort actie waar u gelukkig van wordt.'

Jones wreef over zijn gezicht. Mark snapte het direct. 'Waar is ze?' Jones was geen oneerlijk man, maar als hij die vraag beantwoordde, zou dat vrijwel zeker het einde van Jessies carrière betekenen.

'Chef?'

'De stad uit.'

Mark klakte met zijn tong. 'Midden in een moordonderzoek? Toe nou, waar is ze?'

Jones gaf geen antwoord.

'Ze voert iets in haar schild, nietwaar? Oh nee, het heeft toch niet iets te maken met die kerel, die popzanger, hè? Fry zei al dat ze die met fluwelen handschoentjes aanpakte.'

'Laat los, Mark.'

'Verdomme...'

'Laat los, zei ik.'

Mark zette zijn glas heel zorgvuldig neer. 'Dus even voor de goede orde: ik kan een moordenaar die mogelijk een kind heeft gestolen van de kinderbescherming niet ondervragen en ik kan niet bij Jessies insider komen omdat zij gezellig op stap is met de kerel die, als zij haar werk deed, de hoofdverdachte zou moeten zijn.' Hij leunde achterover. 'Het is fraai, chef. Ik wed dat u blij bent dat u haar die promotie hebt gegeven, niet?'

Jessie werd warm en verward wakker. Ze hoorde een gesmoord geroep, maar in het donker kon ze niet bepalen waar het geluid vandaan kwam. Van buiten of ergens in het huis. Van een dier of van een mens. Van een man of van een jongetje. Jessie ging recht-op zitten en zette haar ogen en oren wijd open. Ze hoorde het opnieuw. Het was van een mens. Een man. Een kind. Hij riep om zijn moeder. Jessie gooide het dikke donzen dekbed opzij en stapte naar de deur. De gordijnen in de gang waren niet dicht. Schaduwen van de bomen buiten gleden langs de muren en het maanlicht scheen op het bleke ronde gezichtje van Ty, die stokstijf midden in de gang stond. Hij staarde Jessie recht aan.

'Mammie?'

'Alles is goed, Ty. Ik ben het, Jessie. Ik ben er...' Ze ging op haar hurken zitten, zodat ze op ooghoogte met hem was en streek het vochtige haar uit zijn gezicht. Hij bleef even onbeweeglijk staan. Jessie dacht al dat hij nog sliep, maar plotseling schoot hij naar voren en legde zijn zachte armen om haar hals.

'Ik heb zo naar gedroomd.'

'Nu is alles weer goed.' Jessie voelde zijn natte wang tegen haar nek. Ze hield hem stevig vast en wiegde hem zachtjes. 'Alles is goed,' zei ze, terwijl er visioenen van gebleekte beenderen door haar hoofd dansten. Na een paar seconden werden Ty's spieren slap en ademde hij regelmatiger. Ze tilde hem voorzichtig op en droeg hem naar haar kamer. Ze pakte een zaklantaarn uit haar tas en stopte het ding in Ty's kleine handje. 'Nu kun je zien waar je bent,' zei ze.

Er klonk een geritsel van dekens en het piepen van matrasveren.

'Ik kon het lichtknopje niet vinden,' zei Paul in het donker. 'Ik hoorde hem huilen, maar ik kon het lichtknopje niet vinden.'

Jessie hield Ty op haar arm en tastte langs de muur. Toen het licht aanging, tilde Ty zijn hoofd van haar schouder en keek met grote, teleurgestelde ogen naar Jessie.

'Ik dacht...' Ty's stem stierf weg. Jessie wist wat hij dacht. Hij dacht dat zijn moeder hem naar bed droeg. Het licht had die droom verjaagd. De nacht kon dat doen, je zo voor de gek hou-den. Het was een prachtige, maar verraderlijke truc omdat het zo echt leek.

Jessie vertelde hun een verhaal totdat beide lijfjes ritmisch op en neer gingen. Ze wachtte zwijgend. Ze bewogen niet. Ty hield haar zaklantaarn nog in zijn hand geklemd. Ze liet het zo, dimde het licht en deed zachtjes de deur van de slaapkamer open. Ze schrok toen ze P.J. zag staan in een trui en een boxershort.

'Sorry, ik wilde je niet laten schrikken. Ik zag dat het licht aan was en ik vroeg me af of alles goed met hen was.'

Hij fluisterde en Jessie liet ook automatisch haar stem dalen. 'Alles is in orde. Ty had naar gedroomd.'

'Stond hij op de overloop? Ik vind Paul en Ty vaak op de overloop boven aan de trap. Ty slaapwandelt en Paul gaat naar hem op zoek.'

Jessie kruiste haar armen. Haar hemd en short leken ineens te zijn gekrompen.

'En hoe zou je verhaal verder zijn gegaan?'

Jessie opende haar mond. 'Jij stiekemerd! Je hebt geluisterd.'

'Ik wilde je niet storen. Je wist hen zo fantastisch gerust te stellen. Bedankt.'

'Ik heb Ty mijn zaklantaarn gegeven voor het geval hij weer wakker wordt.'

'Je hebt geen spullen meegebracht, maar wel een zaklantaarn?'

'Ik werk bij de politie. Sommige dingen heb ik altijd bij me, je weet maar nooit.'

'Zelfs naar feestjes?'

'Vooral naar feestjes.'

Ze liepen terug naar haar kamer. 'Wat neem je nog meer altijd mee?'

Ze legde haar hand op de deurknop. 'Handboeien.'

'En wat nog meer?'

'Diepvrieszakjes, een Bic-ballpoint, wat Tampax en lipgloss. Dat is het wel zo'n beetje.'

Hij stond slechts enkele centimeters van haar vandaan. Ze bewoog zich niet.

'We zouden dat gesprek moeten afmaken,' zei P.J.

'Nu niet,' zei ze. Te gevaarlijk.

'Alsjeblieft.'

Hij volgde haar haar kamer in. Dit was fout, maar op de een of andere manier kon ze het niet opbrengen om er een einde aan te maken. P.J. Dean had zijn vrouw niet vermoord. Dat kon iedereen zien. Toch?

Hij liet zijn hand langs haar arm glijden. 'Je hebt zo'n fantastische huid.'

'Niet doen, alsjeblieft. Dit kan niet,' zei ze.

'Wat kan ik doen om je ervan te overtuigen dat ik hier niet bij betrokken ben? Alles wat ik wil, is eindelijk iets normaals, een beetje zekerheid.'

'Vind je mij normaal?'

'Nee, ik vind je buitengewoon.'

'Je kent me helemaal niet.'

'Je verzint verhalen, je speelt cowboys en indianen in het bos en je eet afgrijselijke jamtaartjes om een jongetje meer zelfvertrouwen te geven. Ik moet toegeven dat die zwarte jurk zonder rug die je ongelooflijk goed stond er iets mee te maken kan hebben, maar niet zoveel als de aanblik van jou in een regenjas en laarzen vandaag op het meer. Dat weet ik wel, Jessie Driver, en ik weet ook dat ik nog veel meer van je wil leren kennen. Wat ik echter niet weet, is hoe ik jou ervan moet overtuigen dat ik ook de moeite waard ben. Geef me een kans.'

Ze staarde hem aan. Was ze zo betoverd door die groene ogen dat ze haar verstand kwijt was?

'Ik weet wat je wilt weten, Jessie, dus stel me de vraag, dan geef ik je een duidelijk antwoord, ja of nee. Vraag me echter niet het uit te leggen. Nog niet. Ik breek hiermee al mijn woord.'

Haar ogen waren zo aan het donker gewend dat ze de zorgelijke frons die zich permanent tussen zijn wenkbrauwen had genesteld kon zien. Zijn ogen hadden nu de kleur van een stormachtige zee. Jessie wilde geen antwoord. Niet nu. De waarheid was dat ze helemaal niet wilde denken aan Verity Shore of aan het leven van welke andere bekende persoonlijkheid ook. Ze wilde een moment voor zichzelf. Had ze daar soms geen recht op? P.J. trok haar naar zich toe. Hij streek met zijn hand door haar haar, langs haar nek en over haar kaak. Moordslachtoffers hadden één recht over – dat de moordenaar werd gepakt. Totdat dat haar was gelukt, had ze geen recht op dat moment.

'Ben jij Craigs vader?'

Zijn duim rustte tegen haar onderlip. Hij duwde er licht tegen en trok toen zijn hand terug. Hij keek haar recht aan, slechts enkele centimeters bij haar vandaan, zodat ze zijn adem kon voelen.

'Nee, ik ben niet Craigs vader en ik ben niet verliefd op Bernie. Noch ben ik dat ooit geweest.'

Hij trok haar naar zich toe en toen schakelde ze haar verstand uit en liet haar zintuigen het overnemen.

Om halfzeven werd Jessie wakker, alleen in bed. Haar geest was onrustig en haar geweten troebel. Ze zette pepermunt-thee in de keuken en ging bij de grote glazen wand staan die uit-zicht bood over het water.

'Morgen, zus.'

'Morgen, Colin. Waarom ben jij zo vroeg op?'

'Die kinderen hebben mijn biologische klok totaal geruï-neerd, dus ik wilde maar gaan joggen. Je hebt ze gisteren goed moe gemaakt, ze slapen allemaal nog.'

'De lus?'

'Ja. Ga je mee?' Ze knikte. Lopen. Stomweg lopen. En niet denken.

De lus was een route van zeven kilometer langs de rand van het water, de heuvel op, en dan verder over de toppen van de omringende heuvels waar het uitzicht adembenemend was en de wereld van jou alleen. Bill hield van joggen, Terry wilde er muziek bij en Colin praatte onder het lopen. En dat deden ze dan ook, de hele weg lang, behalve toen ze de heuvel op gingen, want dat was hijgen en puffen geblazen. Ze vertelde hem dat Ty mid-den in de nacht wakker was geworden. Meer vertelde ze hem niet. Tegen de tijd dat ze weer thuis waren – bezweet, warm en euforisch – had Colin het schuldgevoel uit haar weg gerend. Wankel op hun benen schopten ze puffend hun loopschoenen uit. Jessie boog zich voorover om haar tenen aan te raken en op dat moment viel haar oog op een kop van *News of the World* die ondersteboven aan haar voeten lag.

JAMI AANGEVALLEN
SNELLE ACTIE VAN STER
HOUDT NULLENLIJST-MOORDENAAR TEGEN

Jessie kwam te snel weer overeind, het bloed stroomde weg uit haar hoofd en ze viel haast voorover.

Popsensatie Jami is het slachtoffer geworden van een afschuwelijke aanval in haar eigen huis. De beproeving begon toen Jami de sleutel in de voordeur van haar prachtige huis in Chelsea stak. Een gemaskerde man greep haar vast om haar mond en keel. 'Ik voelde iets kouds tegen mijn nek en ik dacht dit is het, nu ga ik dood.'

Jessie schudde haar hoofd. Er stond een foto bij van Jami's ge-

223

kneusde gezicht. En ook een van een gebroken porseleinen klok.

Vervolgens sleurde de meedogenloze moordenaar haar naar binnen en ging verder met haar te wurgen. 'Terwijl mijn leven aan me voorbijflitste, kon ik alleen maar denken aan mijn familie, mijn vrienden en mijn fans. Op dat moment hoorde ik de stem van mijn grootmoeder tegen me schreeuwen: "De klok, de klok!" Die had ze me nagelaten in haar testament, hij stond op de tafel in de hal. Ik stond op het punt mijn bewustzijn te verliezen, maar dat gaf me de kracht het ding te grijpen...'

Jessie legde de krant neer. 'Wat een flauwekul. Die moordenaar heeft nog nooit een bewijsstuk achtergelaten, dus waarom nu dan wel?'

'Waarom zou ze liegen?'

'Oh Colin, wat ben je toch heerlijk onschuldig. Ik heb haar ontmoet, ze is me er eentje, ze zou alles doen om de voorpagina's te halen. Ze heeft dit zelf in elkaar gezet en deze keer komt ze er niet mee weg. Deze keer grijp ik haar voor het verknoeien van de tijd van de politie en wanneer ik met haar klaar ben, zal ze wensen dat ze nooit uit haar verdomde tapdansclubje was gestapt.'

Colin liet de vloek passeren. 'Betekent dit dat je niet blijft lunchen?'

'Ik had gisteravond al niet moeten blijven eten.'

'Maar ben je blij dat je dat wel hebt gedaan?'

Jessie glimlachte. 'Ja, ik ben blij dat ik dat wel heb gedaan.'

Hij gaf haar een por in haar ribben. 'Dat vermoedde ik al.'

'Waar heb je het over?'

'Laten we maar zeggen dat ik van te veel rode wijn slecht ga slapen.'

Jessies maag maakte een salto. 'Ik heb je al gezegd dat ik Ty op de overloop heb gevonden...' Ze trok zich terug in de keuken en draaide de koude kraan open.

'Ja, je hebt me verteld over Ty, je hebt me verteld over het verhaal, maar je hebt me niet verteld over...'

'Sssst,' zei Jessie en draaide de kraan dicht. 'Ik geloof dat ik mijn telefoon hoor.' Ze ging op het geluid af naar de woonkamer, waar haar telefoon op een tafeltje aan de oplader lag. Het was Jones. Hij moest de zondagkranten hebben gezien.

'Ik heb je thuis gebeld,' zei Jones kort.

'Ik ben nog steeds in het huis van mijn broer. Het was gisteravond te laat om weg te gaan en ze hadden al voor me gekookt. Ik kom vandaag terug.' Ze wilde zich niet schuldig voelen, ze had ook recht op een vrije dag. Ze voelde zich echter wel schuldig. Ze was hier niet heen gegaan voor een vrije dag.

'Vertel me dan nu dat meneer Dean en zijn kinderen niet bij je zijn blijven logeren.'

Ze had kunnen liegen. Ze waren per slot van rekening niet bij *haar* blijven logeren, maar bij haar broer en schoonzus.

'Jezus, Jessie, dit is een veel te gecompliceerde zaak zonder dat jij...'

'Het is oké, chef. Ik heb het onder controle.'

'*Wat* heb je onder controle, inspecteur?'

Ze dacht aan hoe hij haar had aangeraakt. Hoe hij naar haar over had geleund. Zijn gezicht tegen het hare had gedrukt. Hoe zijn handen over haar huid waren gegleden.

'Morgenochtend vroeg ben ik er weer, chef,' zei ze.

'Ik heb je eerder nodig dan dat.'

'Wilt u dat ik me bezighoud met Jami Talbot?'

'Wat is er dan met Jami Talbot?'

'Hebt u de kranten niet gezien?'

'Nog niet, nee.'

'Dus daarom belt u niet?'

'Nee, Jessie. Ik bel je omdat je me hebt gevraagd uit te zoeken wie Craigs vader is. Of weet je het antwoord inmiddels al?'

Jessie haalde diep adem terwijl ze dacht aan het gesprek onder vier ogen in het donker van de afgelopen nacht. 'Ja, ik weet het al.'

'Ik heb nog steeds vertrouwen in je oordeel, Jessie, en ik weet zeker dat P.J.'s verklaring overtuigend was, maar op dit moment concentreer ik me op Craig.'

'Craig?'

'Ik ben het met je eens dat P.J. daardoor niet meer of minder verdacht wordt. De overeenkomst kwam hem waarschijnlijk best goed uit. Ik vermoed dat P.J. zich drukker maakt om de kleinere jongens dan om Craig.'

'Het spijt me, chef, maar ik kan u niet volgen.'

'Craig wil dat soort aandacht ook voor zichzelf. Denk er maar eens over na. Hij had een sleutel van het huis aan de rivier, hij heeft laten doorschemeren dat hij met Verity slierp, hij beweert dat hij haar probeerde te helpen, maar Verity is er niet meer om al die dingen te bevestigen. Stel dat hij niet de tobberige, smoorverliefde tiener is? Stel dat dat een deel is van het rookgordijn en dat zijn tochtjes langs de regenpijp niet dienden om Verity te helpen, maar om haar kwaad te doen?'

'Waarom?'

'Waarom? Ik zou toch denken dat dat volmaakt duidelijk is. Verity stond zijn vader en moeder in de weg. Craig wilde dat zijn ouders weer bij elkaar kwamen, openlijk, zoals normale mensen. Wanneer Verity dood was, kon Craig een echte vader hebben, niet alleen maar een op papier. Iedereen kan een geboortebewijs krijgen. Waarschijnlijk weet Craig het al jaren, of misschien heeft Bernie het hem verteld... hoe dan ook, het is normaal dat een jongen wil weten wie zijn vader is. P.J. ging de situatie niet oplossen. Een scheiding betekende dat hij de kleine jongens zou verliezen en dus handelde Craig op eigen initiatief. Hij is erg jong, dat weet ik, maar hij heeft een obsessieve persoonlijkheid. Dat heb je nodig om een dergelijke moord te plannen. Tijd en geld en gelegenheid, die had hij alledrie en Eve Wirrel kende hij ook. Zij was de perfecte manier om de schijnwerpers van het gezin af te wenden. Ze woonde zelfs op zijn fietsroute. Je moet toch toegeven dat het feit dat Craig P.J.'s zoon is de zaak verandert.' Jones wachtte op Jessies antwoord. 'Jessie, ben je daar nog?'

Er kwam nog steeds geen reactie van Jessie.

'Jessie, ik weet dat je die knul graag mag, maar schuif je persoonlijke gevoelens opzij. Geen speciale behandeling meer voor die familie, zelfs niet voor P.J. Dean – vooral niet voor P.J. Dean. Hij heeft een meisje van vijftien zwanger gemaakt. Dit is niet anders dan de narigheid waar we dag in, dag uit mee te maken hebben. Hoe je het ook aan- of uitkleedt, het blijft dezelfde rottigheid. Jessie? Hallo, hoor je me nog? Jessie? Hè, die verrekte mobiele telefoons ook.'

Jessie smeet haar jurk en haar hoge hakken in een tas, liet P.J.'s kleren achter bij Colin en racete al langs de koeltorens van Sheffield toen P.J. verfrommeld en gedesoriënteerd om tien uur aan het ontbijt verscheen.

Jessie haalde diep adem en duwde de deur naar de meldkamer open. Haar team stond op haar te wachten, alert, vol verwachting. De kamer rook naar cafeïne en geroddel. Een fractie van een seconde stopte de conversatie en bleven de monden openhangen, maar toen bewoog iedereen tegelijk in een poging gewoon te doen – wat niet lukte. In de aanval dus, de beste vorm van verdediging.

'Ik weet dat jullie allemaal denken dat P.J. Dean bij deze moorden is betrokken. En misschien hebben jullie wel gelijk. Het is nu algemeen bekend dat Bernie en hij het motief en de middelen hadden en als hij niet over een waterdicht alibi beschikte, zou hij zeker onze hoofdverdachte zijn.' Iemand stak zijn hand omhoog. Jessie negeerde het. 'Er zijn echter,' zei ze luid, 'aspecten aan de dood van Verity die kunnen worden gezien als aanwijzingen die naar Eve Wirrel wijzen.' De hele groep keek verbaasd. 'Ten eerste werden de overblijfselen van Verity Shore gevonden bij een stuk oever dat vaak wordt gebruikt door een club kunstenaars. Ten tweede had het lichaam geen handen, geen hoofd en geen voeten, de lichaamsdelen die Eve Wirrel nooit schilderde. Er gingen geruchten over een lesbische relatie tussen de twee vrouwen. Beide vrouwen bloedden dood. Bloedden leeg. Zoals zij zelf het publiek leegzogen. Dat zou een boodschap kunnen zijn. Zo onverantwoordelijk het van mij was om P.J. Dean en zijn stiefkinderen naar een andere schuilplaats over te brengen, zo onverantwoordelijk zou het nu ook zijn om niet naar de aanwijzingen te kijken die zijn achtergelaten op de plek van Eve Wirrels dood. We blijven dus overal voor openstaan. Dit is wat jullie moeten doen.' Ze wees een van de rechercheurs aan. 'Zoek op internet naar alle informatie die je kunt vinden over Richmond. De naam, het park, de omgeving en met name de Isabella Plantation. We weten nu dat Eve Wirrel biseksueel was, laten we uitzoeken met wie ze nog meer contact had. Ik heb gehoord dat het een lange lijst is. Vergeet niet dat ze ondanks haar anarchistische protesten de dochter was van een baronet. Ga alle lijnen na.'

'En hoe zit het met het onderzoek naar Cary Conrad?'

'Daar zit ik bovenop.'

'En P.J. Dean?' vroeg Burrows.

'Zit u daar ook bovenop?' grinnikte Fry.

Het ontging Jessie niet. 'We laten hem hier komen om hem te verhoren.' De reacties virbreerden door de toehoorders.

'Daar ga ik onmiddellijk mee aan de gang,' zei Burrows.

Jessie schonk een glas water in en dronk het leeg om het misselijke gevoel te verdrijven.

'Heeft de technische recherche nog iets gevonden aan die boot?'

'Daar is Niaz nog mee bezig.'

'U laat u niet langer in de boot nemen, hè chef?'

Jessie voelde een overweldigende behoefte Fry een klap in zijn gezicht te geven. Zoiets zou het echter alleen maar erger maken. 'Verder wil ik elke foto die er van Verity Shore is op één stapel, die van Eve Wirrel op een andere en die van Cary Conrad op een derde. Ik wil dat jullie de feestjes die ze bezochten en de gastenlijsten van die feestjes in de computer invoeren. Vergelijk ze met elkaar. Begrijpen jullie wat ik bedoel?'

'Ja,' zei Fry. 'U zoekt naar een seriemoordenaar die beroemdheden afmaakt die in zijn of haar ogen die status niet verdienen.' Zijn stem droop van het sarcasme.

'Dat is mogelijk.'

'Maar niet waarschijnlijk.'

'Nee, Fry. Waarschijnlijkheid heeft de politie in de problemen geholpen die het korps momenteel heeft.' Er klonk gespannen gelach verspreid uit de groep. 'En je kunt inspecteur Ward vertellen dat ik dat heb gezegd.' Jessie pakte haar aantekeningen en verliet de kamer. Stelletje kloothommels.

Burrows haalde haar in toen ze naar haar kantoor liep. 'Dean komt pas morgen terug. Hij vraagt of u naar zijn huis kunt komen voor het verhoor. Zijn huishoudster is er blijkbaar niet en hij wil de jongens niet meenemen naar het politiebureau.'

'Nee.' Ze bleef doorlopen. 'Hij belazert de boel.'

'Hij suggereerde dat we de pers erbij zouden halen, chef. Hij wil niet dat die kinderen schrikken van de camera's.'

'Hij kan ook een oppas regelen.'

'Hij wil de jongens niet bij een vreemde achterlaten.'

'Komt hem dat even goed uit.' Ze was te boos om effectief te kunnen nadenken.

'Wat wilt u doen, chef. Als hij niet onder arrest staat, kunnen we hem niet dwingen hierheen te komen.'

'Stuur er morgen een vrouwelijke agent en iemand van de kinderbescherming heen. Jones kan hem verhoren.'

'Zal hij niet verwachten dat u hem onder handen neemt, chef?'

Jessie bleef staan en keek Burrows aan. 'Ik dacht dat die kinderen in gevaar verkeerden,' zei ze. 'Iemand had een schedel voor hun deur gezet. Dat was geen informatie die was vrijgegeven, Burrows. Wat moest ik anders denken?'

Burrows haalde zijn schouders op. 'Hé, ik oordeel er niet over.'

'Dat lieg je.'

'Oké, chef, het spijt me van die ongepaste opmerking.'

Plotseling voelde Jessie zich alsof ze in een boksring was geweest. 'Ik heb een fout gemaakt,' zei ze zachtjes.

Burrows begon op zachte, troostende toon tegen haar te praten. 'Ja, dat klopt. En maak er nu niet nog een. Als u hiervoor wegkruipt, smeren Mark en zijn troep u op hun boterham. U hebt gelijk, het had de schedel van Verity kunnen zijn. Blijf die boodschap vooral overbrengen. En doe in godsnaam niet alsof u P.J. Dean niet aankunt.' Jessie sloot haar ogen, beschaamd, maar dankbaar dat een rechercheur van lagere rang haar de waarheid zei. 'Ga naar het huis, chef. Er zijn vast wel enkele dingen die u nog eens moet bekijken. Ik breng Dean hierheen.'

Ze keek Burrows aan. 'Het spijt me dat ik je heb teleurgesteld.'

'Dat hebt u niet. Nog niet.'

Jessie deed de deur van haar kantoor dicht en leunde ertegenaan. Ze had zichzelf voor jaren schade berokkend door te vallen voor het keurig gearrangeerde pakketje dat P.J. Dean heette. De misleiding. De blunder. Het imago. Hij had tegen haar gelogen, dat was het enige waaraan ze kon denken. Hij had midden in de nacht tegen haar gelogen en als gevolg daarvan had ze...

'Zwaar weekend gehad?'

Jessie draaide zich met een ruk om. Mark zat in haar stoel, zijn voeten op haar bureau, zijn armen uitgestrekt achter zijn hoofd. Jessie staarde naar de zweetplekken op zijn overhemd. Hij genoot hier met volle teugen van.

'Wat doe jij hier?'

'Je moet iets voor me doen.'

Jessie lachte sarcastisch. 'Het is maar goed dat jij niet bij de diplomatieke dienst bent gegaan.'

'Eigenlijk heb ik altijd een groupie willen zijn.' Hij glimlachte en ontblootte daarbij zijn gele tanden en zijn leedvermaak. 'En je bent niet in een positie om te weigeren, aangezien jij het was die bij St. Giles binnenstormde en hem tegen de haren in streek.'

'Ik had goede redenen om...'

'Dat kan me geen donder schelen, Driver. Door jou kan ik die engerd nu niet zelf spreken. Jouw tipgever – die moet ik spreken.'

'Dit is mijn zaak. Jones had niet het recht dat aan jou te vertellen.'

Mark haalde zijn schouders op. 'In de eerste plaats heeft dit niets met jouw zaak te maken. In de tweede plaats moet je er misschien niet te veel op rekenen dat dit jouw zaak blijft.'

Jessie slikte haar woedende antwoord in en hield haar armen stevig langs haar zijden gedrukt. Haar broers hadden haar geleerd hoe ze moest vechten. Mark had geen schijn van kans. Het idee van hem plat op de grond met een gebroken neus was te verleidelijk. Hij moest het op haar gezicht hebben gelezen, want hij duwde zichzelf achteruit tegen de muur. 'Maar goed, ik ben niet echt geïnteresseerd in met wie jij aan de rol gaat. Het is mij om Ray St. Giles te doen. Geloof me, ik zou je niet om hulp vragen als het niet absoluut noodzakelijk was. We kunnen niet allemaal de hort op met popsterren, sommigen van ons moeten echte zaken oplossen. Sommigen van ons zijn zelfs oprecht betrokken bij de slachtoffers...'

'Kom ter zake, verdomme.'

'Ach hemel, een beetje gekibbeld?'

'Zo reageer ik nu eenmaal op zeurpieten, dus als je het niet erg vindt...'

Hij ging rechtop zitten. 'Oké dan. Ray St. Giles naaide Veronica Mills. Jarenlang – vijf jaar. Uiteindelijk werd ze zwanger en Frank werd geboren. Arme zielige Trevor Mills had geen idee, hij dacht dat de baby een wonder was. Een groot wonder. Hoe dan ook, Ray was bezeten. Hij wilde Veronica en Frank voor zichzelf. Hij verwachtte dat Veronica haar dochter zou achterlaten bij Trevor, maar Veronica wilde Clare niet achterlaten. Toen werd Trevor doodgeschoten. Veronica kon niet leven met het schuldgevoel en met wat de waarheid haar kinderen zou aandoen en daarom hing ze zich op.'

Jessie voelde haar benen slap worden. Ze ging abrupt zitten. 'Sodeju.'

'Die vent die voor St. Giles werkt – bel hem, zoek uit of er zich daar een St. Giles junior schuilhoudt. Een wonder. Een zoon en erfgenaam. Je bent er toch niet toevallig een tegengekomen, of wel?'

'Nee.'

'Je bent niet veel tegengekomen, nietwaar?'

De boosheid gleed uit haar weg. Arme Clare. Ze leunde naar voren en greep de telefoon op haar bureau. 'Dus daarom veranderde de kinderbescherming de naam van die kinderen. Dat was uiteindelijk dus toch om hen te beschermen.'

'Dat hoeft niet. Buiten Irene wist niemand dat Frank Ray's zoon was.'

'Maar als niemand dat wist, waarom werden hun namen dan veranderd?'

Mark Ward tikte driemaal tegen de zijkant van zijn hoofd. 'Nu begin je het te snappen.'

'Kom binnen, Tarek. Je leek me de laatste tijd te ontlopen.' Ray St. Giles trok een stoel bij.

'Het is druk geweest sinds je bliksemsnelle carrière.'

Ray glimlachte tegen zichzelf. 'Vleierij. Dat is verstandig. Slim. Maar je bent niet zo slim als je denkt, Tarek, mijn jongen. Jouw type moet ik niet vertrouwen, is me altijd geleerd.'

Tarek stond op. Het was tijd om weg te gaan. Alistair duwde hem weer omlaag. Hij was sterk voor zo'n magere man.

'Geloofde je echt dat ik bij die moorden was betrokken? Denk je dat ik niet genoeg tijd in die verdomde bajes heb doorgebracht? Hè? En zelfs al was ik erbij betrokken, denk je dan dat ik stom genoeg zou zijn om dossiers te laten rondslingeren die een nieuwsgierige kleine rat kan doorlezen?'

'Waarom ben je er zo zeker van dat ik het was?'

Ray knipte met zijn vingers. Alistair sloeg met de rug van zijn hand in Tareks gezicht.

'Alistair zou me nooit verraden. Zo weet ik dat.'

Het begon Tarek eindelijk te dagen. Alistair Gunner was niet zomaar een gluiperd, hij was Ray St. Giles' gluiperd.

'Informatie, jongen. Dat is alles wat ik had. Het blijkt dat Alistair een buitengewoon goede snuffelaar is, hij heeft er echt een neus voor. Afijn, het punt is dat ik weet dat je naar die smeris bent gegaan. Lekker strak kontje heeft ze, vind je niet?'

Alistair greep Tareks schouder steviger vast.

'Ik kan nog haast begrijpen waarom ook. Misschien zag het er wel vreemd uit, al die informatie over Verity Shore en de rest.' Hij strekte zijn armen wijd uit. 'Maar ik wist niet dat iemand die stomme teef zou vermoorden. Ik wilde haar alleen maar in het programma. Weet je nog wat ik tegen je zei? Geen vette meiden meer die mekkeren over hun ontrouwe vriendjes. Ze stond op het punt om in het programma te komen, die Verity Shore, maar toen ging ze verdomme dood. Het zou toch stom zijn geweest de informatie die we al hadden niet te gebruiken, vind je niet? Vooral omdat Danny Knight het allemaal als eerste wist. Het was nieuws, Tarek. De kijkers verdienden het om die dingen te weten. Ze werden voor de gek gehouden.'

Hij liep om zijn bureau heen en bracht zijn gezicht dicht bij dat van Tarek. 'Ik zou me kunnen verdedigen, als dat moest. Ik zou alibi's vinden en de beschuldigingen weerleggen. Maar dat wil ik niet. Kijk om je heen. Dit nieuwe kantoor is pas het begin. Ik zou heel ontevreden zijn als die schitterende krantenkoppen die we de laatste tijd hebben gekregen zich door jouw misplaatste gevoel van burgerplicht tegen me zouden keren. Dat begrijp je wel, toch?'

Tareks mobieltje begon te rinkelen. Hij keek naar de naam en het zweet brak hem uit.

'Neem hem op. Je bent geen gevangene.'

'Hallo, Karima,' zei hij op gekunstelde toon.

'Je kunt nu niet praten,' zei Jessie.

'Ik zit in een vergadering.'

'Eén vraag. Heeft Ray een zoon?'

'Zou kunnen. Hoe laat?'

'Zo'n jaar of achtentwintig?'

'Zoiets. Ik zal er zijn.'

'Bel je me later met een naam?'

'Komt Mohammed ook?'

'Mohammed?' vroeg Jessie.

'Nee. Dat is jammer.'

'Mohammed... Ali?' rolde er onwillekeurig van haar tong.

'Perfect.'

'Ali?'

'Iets langer, we zijn nog aan het werk.'

'Alistair? Alistair Gunner?'

'Ja, natuurlijk. Ik moet ophangen. Dan zie ik je straks.'

'De onderzoeksassistent?'

'Dag.' Hij drukte op 'einde gesprek'.

Ray glimlachte. 'Dat is mooi. Houd je bij je eigen kring. Dus? Begrijpen we elkaar?'

232

Tarek knikte.

'Goed zo. En donder nu op en ga koffie voor me halen. Ik moet piesen.'

Tarek kwam overeind en stond tegenover Alistair. De familiegelijkenis was niet opvallend. Maar hij was er wel. In zijn ogen. Dat verklaarde alles. Waarom Alistair zo dicht in de buurt van Ray bleef. Waarom hij geheime gesprekken met hem had. Waarom hij toegang had tot Ray's persoonlijke dossiers.

'Ik raad je aan een andere baan te zoeken,' zei Alistair. 'We kunnen niet hebben dat jij de plannen verstiert.'

'Zo vader, zo zoon...'

Alistair raakte hem laag, snel en hard. Tarek sloeg dubbel en viel op de grond.

'Ga hier weg. Als je weet wat goed voor je is.'

M ark en Jessie staarden elkaar aan. Het idee dat Frank de hele tijd aan Ray St. Giles' zijde was geweest, was verschrikkelijk deprimerend. Kon al die goedheid zijn opgeslokt door één man?

'Bestaan er gegevens dat een zoon hem heeft opgezocht in de gevangenis? Deze Alistair Gunner?'

'Nee. Raymond hield niet van bezoek, blijkbaar.'

'Vind je het niet vreemd dat hij zijn zoon niet op bezoek liet komen nadat hij zoveel moeite had gedaan om hem te krijgen? En hoezo Gunner? Waarom niet St. Giles?'

'Omdat Ray hem heeft gestolen van een of andere corrupte klootzak bij de kinderbescherming, daarom.'

'En waarom moest Clares naam dan worden veranderd?'

'Dat ligt voor de hand. Om het water troebel te maken. En laten we eerlijk zijn, het heeft gewerkt. Het heeft vijfentwintig jaar geduurd om deze rotzooi te ontrafelen. Ik vind het ook niet prettig, ik wil Clares hart niet breken, maar de waarheid is dat Ray St. Giles een kind heeft gestolen.'

'Zijn kind.'

'Daar gaat het niet om.'

'O nee? Gaat het daar niet juist wel om? Of Veronica het leuk vond of niet, Ray St. Giles had recht op die jongen. En wie heeft er voor hem gezorgd?'

'Ik vergat even dat ik het tegen een sentimenteel schoolmeisje had.'

'Houd op, Mark. Dit is belangrijker. Wat ga je nu doen?'

'Hem hierheen slepen. Hem laten veroordelen. Iedereen tevreden. Heb je een betere suggestie?'

'Ja. Verzamel meer informatie. Een kind kun je niet verborgen houden.'

'Waarom niet? Onzichtbare mensen zijn heel nuttig. En ik heb gehoord dat onze pas ontdekte stem van het volk niet precies de gerehabiliteerde kerel is die hij ons wil voorschotelen.'

'Begin geen oorlog met St. Giles.'

'Jij bent die oorlog begonnen, weet je nog?'

'Hij kan nog altijd betrokken zijn bij deze moorden. Vooral nu we weten dat hij een trouwe bondgenoot heeft. Waarom laten we hem niet schaduwen? Dan kunnen we...'

Mark kwam overeind. '*Wé? We* doen niets. Ik ben doodziek van jou, Driver. Probeer nu niet St. Giles die moorden in de schoenen te schuiven terwijl je heel goed weet dat je vriendje het heeft gedaan.'

'Dat neem ik je heel kwalijk.'

'Dat zal me een rotzorg zijn,' antwoordde hij en greep naar de deur.

'Kennelijk. Maar hoe moet dat met Clare?'

'Pech gehad. Het wordt tijd dat ze eens volwassen wordt. Clare wil Ray terug achter de tralies. Dat ga ik voor haar doen.'

'Tegen welke prijs?'

'Niet zoveel als wat door het land boemelen met P.J. Dean jou heeft gekost. Ik weet van de schuilplaats van je broer. Dus verbeeld je maar niets, Driver. Je hebt hier niet veel invloed meer. Je hebt het verbruid, meisje.' Hij deed de deur dicht, zodat ze in stilte kon lijden.

Jessie bewoog zich een halfuur lang niet. Door P.J. Dean te geloven had ze veel meer verloren dan haar zelfrespect.

Niaz klopte aan en stak zijn hoofd om de deur. Ze keek op. 'Vertel me alsjeblieft dat je weet wie die boot heeft gekocht.'

'Sorry, maar dat komt nog.' Jessie bezat nog geen tiende deel van zijn vertrouwen. 'Ik heb de laboratoriumuitslagen over die sigaretten die u hebt laten onderzoeken. Maak u niet bezorgd, het was zuiver toeval dat ze van hetzelfde merk waren.'

'Niaz, heb jij telepathische vermogens waarvan ik meer zou moeten weten? Röntgenogen of zo?'

'Wel, u draagt de verkeerde maat bh.'

'Niaz!'

'Het is de waarheid, chef. Dat doen de meeste vrouwen. U draagt waarschijnlijk een 80B-cup, maar u hebt een hele smalle rug en daarom zou u beter een 75D- of misschien een 75C-cup kunnen kiezen.'

Jessie stak haar hand uit. 'Mag ik die laboratoriumuitslagen, alsjeblieft. En dan wil ik je graag tien minuten niet zien totdat mijn woede wegzakt.'

'Vanbinnen glimlacht u, chef.'

Ze keek naar de uitslagen. 'Verdwijn.'

'*Time Out*, heel toepasselijk.'

'Wat?'

'*Time Out*,' herhaalde hij en hield het tijdschrift omhoog. 'Het beweert mensen op de hoogte te houden...'

'Dank je, ik ken het.'

'Een galerie in Davies Street doet een retrospectief van het werk van Eve Wirrel. Inclusief enkele dingen die nog nooit eerder zijn vertoond, zo gaat het gerucht.' Hij liet haar de advertentie zien.

'Horen wij niet al haar onvertoonde werk te hebben?'

'Dat klopt. Ik dacht dat u het roddelcircuit graag even zou willen verruilen voor het kunstcircuit. Je weet maar nooit wat je daar vindt.'

'Niaz, weet je heel zeker dat er niet een of andere djinn is weggestopt in dat uniform van je?'

Hij glimlachte, tikte tegen zijn hoofd en trok de deur achter zich dicht. Niaz Ahmet gaf haar geweldig veel kracht. Er hing iets magisch om hem heen. Jessie keek naar de uitslagen over de sigaretten. De eerste Marlboro Light was buiten haar huis gedeeltelijk opgerookt door een vrouw met de naam Frances Leonard. Ze was drieënveertig en stond geregistreerd vanwege een aantal kruimeldiefstallen. Voornamelijk winkeldiefstallen. Woolworth scheen haar voorkeur te hebben. De afgelopen drie jaar was ze niet meer actief geweest. Jessie zou er verder geen aandacht aan hebben besteed als Frances Leonard niet in Acton had gewoond. Ze was dus niet op vrijdagavond om tien uur in Paddington om de hond uit te laten of om haar benen te strekken.

De tweede sigaret was gerookt door P.J. Dean. Ze had hem drie of vier trekjes zien nemen, waarna hij de sigaret in de lengte uitdrukte onder zijn voet. Hij had hetzelfde gedaan met elke sigaret die hij tijdens het weekend had gerookt. Het was een uitge-

sproken opvallende manier van roken. Het laboratorium concludeerde dat de twee sigaretten op precies dezelfde manier waren
uitgedrukt en dat het merk identiek was. Daarmee stopten de
overeenkomsten. Jessie had haar twijfels. Ze belde het politiebureau van Acton en droeg hun op Frances Leonard een bezoek te
brengen. Waarschijnlijk was het tijdverspilling, maar Jessie wilde
haar netten breed uitwerpen. Breed genoeg om ook vrouwe
Henrietta Cadell, haar rokkenjagende echtgenoot en haar veel
geplaagde zoon te omvatten. Jessie liet een vrouwelijke agent
komen en droeg haar op om alles op te zoeken wat maar enigszins met de Cadells te maken had. Aldus gepantserd was ze klaar
voor een babbel met rechercheur Fry.

Ze vond hem in de rij in de kantine en wenkte hem naar zich
toe. Hij paradeerde opschepperig achter haar aan de verlaten
gang in.
'Chef, ik wist niet dat u...'
'Houd je bek, Fry. Ik ga je een aanbod doen dat je niet zult
weigeren. Je gaat alles aan mij terugrapporteren wat inspecteur
Ward doet met St. Giles of anders word je overgeplaatst.'
Hij trok uitdagend zijn wenkbrauwen op. 'Op grond van
wat?'
'Insubordinatie en spioneren.'
'Maar u vraagt me nu juist om te spioneren.'
'Omdat je je al als vrijwilliger hebt opgegeven, Fry.'
'Niet waar,' protesteerde hij.
'Oh jawel – bij inspecteur Ward. En nu gaat het twee kanten
uit of het houdt helemaal op. Ben ik duidelijk?'
Fry gaf geen antwoord.
'Er is een vacature bij de verkeersdienst, Fry. Wil je dat ik
jouw naam voordraag?'
'Dat zou u niet doen.'
'Nou en of.' Ze begon een nummer te toetsen op haar
mobiele telefoon en praatte onderhand verder. 'Als gevolg van
spanningen in zijn privé-leven heeft rechercheur Fry verzocht
om overplaatsing naar de verkeersdienst. Hij heeft een gemakkelijker baan nodig om zijn relatie te redden. Ja, dat ben ik helemaal
met u eens, veel te veel politiemensen eindigen als alleenstaande.'
Ze keek hem aan. 'Hij gaat over...'
'Oké, oké, ik zal het doen. Jezus, u maakt een verklikker van
me.'

'Dat was je al, Fry. Ik maak alleen maar zo goed mogelijk gebruik van je natuurlijke aanleg. Alles, Fry, woord-voor-woord, anders wordt het de verkeersdienst. Duidelijk?'

'Zo open en bloot als een pornoblad, chef.'

De korte rit door Mayfair was niet genoeg om haar verwarde hersenen tot rust te brengen. Ze moest het gaspedaal diep indrukken, kilometers vreten en zichzelf bang maken door hoge snelheid. En Jessie vroeg zich af of zelfs dat genoeg zou zijn om het gevoel van P.J.'s huid en de blik in de ogen van haar collega's uit te wissen.

Ze zocht het adres dat Niaz haar had gegeven en reed noordwaarts langs Davies Street. Galerieën en winkels met designspullen, waar je de smaak van andere mensen en hun idee van 'goede' kunst kon kopen. De galerie met een glazen front was gehuld in een enorm wit laken met een klein gaatje in het midden. Het zag eruit als een huwelijksbed van de zeer godvruchtigen. Jessie koos ervoor er niet doorheen te kijken en belde aan. Een gezette man met een bijpassende bril met dikke glazen kwam aanspringen op de bal van zijn voeten. Ze rook zijn haarcrème zodra hij de deur opende.

'Ik ben bang dat de bezichtiging pas morgenavond is, mevrouw. Er is nu nog niets te zien.'

Ze hield haar politiepasje voor zijn neus.

'Oh,' zei hij, en deed twee sprongetjes achteruit.

Toen ze in de perfect geproportioneerde witte ruimte stond met haar stevige laarzen met dikke rubberen zolen en leren kleding, kon Jessie niet bepalen of ze nu detoneerde of juist niet.

'Het wordt heel smaakvol,' zei de man met de dikke brillenglazen. 'Heel smaakvol.'

'Ik heb redenen om aan te nemen dat u van plan bent een werk van de overleden kunstenares ten toon te stellen dat nog niet eerder is vertoond.'

De man begon te zweten. Niaz' informatie was dus correct.

'Dat zou ik graag willen zien, alstublieft.'

De man keek verslagen.

'En vervolgens zou ik graag willen weten hoe u eraan komt.'

Jessie volgde hem door het achterhuis van de galerie en een paar traptreden af naar een kamer waar schilderijen en foto's waren opgesteld en genummerd. 'We hangen alles pas op de dag zelf op,' vertelde de man. 'Dit is zoiets als onze proefruimte, als u het zo wilt noemen.' Het interesseerde Jessie niets. Ze had de oude catalogi van Eve Wirrels werk bestudeerd. Ze had te veel misvormde geslachtsorganen en wazige hoofden gezien. Nu ze wist waarom Eve Wirrel op die manier schilderde, was haar belangstelling verdwenen. Geen wonder dat de kunstenares zich op opportunistische creaties stortte. Gedragen ondergoed, gebruikte condooms en nu... De man deed de deur van een vrijstaande grote diepvries open.

'Hier zijn ze allemaal,' zei hij.

Op drie na, dacht Jessie. De drie in het laboratorium. De drie die ze in Eves eigen koelkast hadden gevonden. Eve Wirrels hoogstpersoonlijke spermabank. Netjes gelabeld. In bij elkaar passende flacons.

'We hebben een koeltafel besteld. Een vierkante. Voor boven. Dat wordt het centrale punt van de hele tentoonstelling,' zei de man met wanhoop in zijn stem.

'Hoeveel zijn het er?' vroeg Jessie met een blik op de rijen medische flacons.

'Vierhonderddrieënzestig,' antwoordde hij. Hij klonk uitgeput bij de gedachte alleen. 'Het heet "Een Levenswerk". Begrijpt u? "Een Levenswerk". Daarom moet het ook zo centraal staan, omdat we haar leven...'

Jessie stak haar hand op. Ze begreep het wel.

'Hoe komt u hieraan?'

Hij leek voor haar ogen ineen te schrompelen. Misschien kwam het door de excentrieke sfeer of door zijn tastbare zenuwachtigheid, maar hij leek steeds ieler te worden. Jessie liet los.

'Ik weet dat dit een grote kans voor u is. Ik begrijp ook dat de galerie hier veel geld mee zal verdienen. Maar Eve Wirrel kreeg Rohypnol toegediend, werd naakt uitgekleed en achtergelaten om dood te bloeden, alleen. Haar moordenaar dreef de spot met haar kunstwerken. Dit' – ze wees naar de inhoud van de diepvries – 'kan niet smaakvol worden gedaan. Het DNA van de moordenaar kan ertussen zitten. Wilt u dit nog steeds tentoonstellen?'

Hij keek naar zijn glanzend gepoetste schoenen.

'Het is bewijsmateriaal,' zei ze. 'En ik geloof dat u dat wel weet.' Hij knikte terwijl ze voorbereidingen begon te treffen.

Jessie zwaaide haar been over de motor, drukte de zachte binnenkant van haar helm over haar hoofd en klikte het bandje dicht. Het politiebusje was gearriveerd en een volgende oogst van Eve Wirrels leven was begonnen. Ze wist nog niet of 'Een Levenswerk' ook vrouwelijke stoffen bevatte of dat Eve dat aspect apart en geheim hield, niet voor commercieel gebruik. Als dat het geval was, waren het vrouwen die de sleutel tot Eve Wirrel bezaten. Mannen had ze in overvloed, maar die waren zonder betekenis. Daar dreef ze de spot mee. Zoals in de 'Gemiddelde Week'. Misschien was het een boodschap van solidariteit aan Verity. P.J. had immers zelf gezegd dat hij bij zijn eigen vrouw condooms gebruikte omdat hij haar niet vertrouwde.

Toen het eerste blad met flacons werd weggedragen, liep de curator er treurig achteraan. Hij streepte elk buisje af op een lijst. Jessie nam hem de lijst af. Hij had de buisjes chronologisch gesorteerd. Ze liet haar vinger langs de lijst glijden tot ze vond wat ze zocht. Ze ademde scherp in. Drie letters. Haar ergste nachtmerrie. Jessie keek weer naar Eves 'Levenswerk' en vroeg zich af welk buisje in dat bevroren stilleven P.J.D. was.

Jessie zette haar minidiscspeler aan, draaide het geluid hard en stuurde de motor door de achterstraatjes naar Park Lane. Ze had snelheid nodig, open die gashendel. Lucht in haar longen voordat ze inklapten. Het verkeer was langzaam en daarom slingerde ze zich tussen de stilstaande auto's door met een voet enkele centimeters boven de grond. Toen ze Park Lane eenmaal had bereikt, waren de verkeerslichten haar gunstig gezind, allemaal groen. Bij de ingang tot Marble Arch trof ze één keer oranje en dus draaide ze het park in. Voor haar lag vlak en verleidelijk de lange, rechte weg. Ze trapte de motor in de versnelling, draaide de gashendel verder open en schakelde snel, zodat de motor harder en harder vooruit schoot. Enkele verrukkelijke momenten lang gaf de snelheidsmeter ruim honderd kilometer aan. In de verte zag ze een groepje toeristen aan de linkerkant en ze wist instinctief dat ze zonder te kijken de weg op zouden lopen. Het was een park, ze verwachtten geen verkeer en waren vergeten dat het van rechts kwam. Jessie remde met tegenzin af. Er gebeurde niets. Ze remde nog eens. Ze schakelde naar een lagere versnelling, zodat de motor brulde van protest. Haar snelheid nam af, maar niet genoeg. Slechts enkele meters voor haar uit stapte de eerste vrouw de weg op. Jessie toeterde en schreeuwde. Aan de andere kant van de weg kwam haar een auto tegemoet. De vrouw rende geschrokken de middenberm op. Een tweede volgde haar. De anderen renden alle kanten op. Jessie kon het niet riskeren. Met tachtig kilometer per uur stuurde ze de motor het hoge trottoir op, gaf er een ruk aan, bracht hem weer in evenwicht, ging een versnelling omlaag en racete tussen de oude eikenbomen door. Het gras was nat, de motor slipte en er schreeuwden mensen tegen haar. Nog een versnelling lager. Ze stuurde de motor naar een leeg grasveld, kwam terecht op een modderig stuk en slipte zijwaarts weg. Ze kon niets doen om te voorkomen dat de motor omviel. Als ze haar been uitstak, zou het breken. Als de motor boven op haar terechtkwam, zou het ding stukgaan en in brand vliegen. Jessie trok het sleuteltje eruit en liet zich achterovervallen. Ze rolde vier keer over de kop voordat ze tot stilstand kwam, net op tijd om haar motor, haar kostbare Virago, tegen een boom te zien smakken en met een luid geratel tot stilstand te zien komen. De Amerikaanse toeristen kwamen aanrennen. Jessie trok haar helm van haar hoofd en controleerde zichzelf op verwondingen. Pijn kwam later, toen de schok was weggeëbd.

'Bent u gewond?' vroeg een van de vrouwen.

Jessie barstte in tranen uit.

Harris bracht Jessie naar een tafeltje. 'Alles goed? Ik heb gehoord van het ongeluk.'

'Nieuws verspreidt zich snel.'

'Slechts nieuws verspreidt zich snel,' zei Harris. Ze zaten in een koffiehuis niet van van Cary Conrads huis. 'Toen ik jong was, werden dit soort gesprekken bij een biertje gehouden en niet bij een cappuccino.'

'U klinkt als Mark Ward.'

'Ik ken je collega-inspecteur. Zijn eigen grootste vijand, die man, maar hij is niet zo erg als hij lijkt.'

'Het was geen ongeluk,' zei Jessie plotseling. Onwillekeurig. 'Ik reed hard, dat geef ik toe, maar mijn remmen weigerden omdat iemand de velgen van de wielen met smeerolie had ingevet.'

'Niet Mark...'

'Nee, natuurlijk niet Mark. Sorry, ik had beter niets kunnen zeggen.'

'Heb je het aan iemand verteld? Aan Jones?'

Jessie schudde haar hoofd.

'Wie denk je dat het heeft gedaan?'

Zeg het maar. Kandidaten genoeg. 'Ik weet het niet,' antwoordde Jessie. Ze kon het zelfs niet opbrengen erover na te denken.

'Ken je vijand, Driver – dat is een essentiële regel, als je dit spel tenminste wilt overleven.'

'Bedankt, die gedachte is al bij me opgekomen toen ik met vijftig kilometer per uur ondersteboven door Hyde Park rolde.'

'Ben je gewond?'

'Nee, ik heb leren vallen tijdens een cursus parachutespringen met mijn broers. Nooit gedacht dat dat nog eens van pas zou komen.'

'Action girl.'

'Kennelijk niet.' Ze stak haar lepel in haar veel te dure opgeschuimde melk. 'Harris, wat zou u ervan zeggen dit gesprek op de ouderwetse manier te houden, bij een biertje en een stevige whisky?'

Harris koos een tafeltje in de hoek, uit de buurt van de vaste klanten en de dichte drom mannen in pakken. Hij had foto's met een obsceen karakter bij zich. Beslist geen plaatjes om bij een kop koffie en een maanzaadbroodje te bekijken. Ze hadden op Cary Conrads eigen computer een aantal buitengewone, gecodeerde afbeeldingen gevonden. Ze hadden ook andere aangetroffen die waren bekeken en vervolgens gewist, maar zelfs die foto's hadden hun sporen nagelaten in het geheugen van de computer.

'Het lijkt erop dat je gelijk had wat het fetisjisme betreft.'

Jessie kon haar ogen niet geloven. Cary Conrad lag onder de perspex pot van een ingebouwd toilet terwijl een onbekende handlanger op zijn gezicht poepte. Vanuit de hoek waarin de foto was genomen, kon Jessie zien dat dit Conrad enorm veel genot scheen te bezorgen. Ze draaide de foto om.

'Dit verklaart waarom hij dat oude, ongemoderniseerde huis heeft gekocht. Hij vond het vast prachtig dat de gemeente het als monument had geregistreerd. Hij kon het niet veranderen. Hij vertelde zijn vrienden dat hij het gevoel had dat hij in een museum woonde – niet dat hij veel vrienden had. Ik geloof dat zijn vrouw hier niets van af wist, hoewel je nooit precies kunt inschatten hoe blind mensen bereid zijn te blijven.'

Jessie kon zich wel indenken hoe dat voelde.

'Het is ongelooflijk wat mensen achter de rug van hun partner om doen,' zei Harris. 'Ik begin te vermoeden dat dit niet is wat we dachten – het derde slachtoffer. Conrad is gewoon een zielige figuur die aan zijn spelletjes te gronde ging. Het was geen zelfmoord, dat niet. Het was daar beneden vochtig, de knopen kunnen zijn losgeschoten, behalve dan dat...'

'Hij iemand nodig had om hem boven die bak te hangen.'

'Precies.'

'Hoe zit dat met die verdwenen privé-secretaris?'

'Die had recht op verlof. Niemand weet wat de afspraken waren tussen hem en Conrad. Hij reist ergens in Azië rond. We zijn naar hem op zoek.'

Het enige wat iemand nodig had, was informatie. Jessie legde uit dat Verity Shores huis ook op de monumentenlijst stond. Net als de kerk die Eve Wirrel aan de binnenkant had verbouwd. Het was een ragdun verband, maar het was een verband. Ze waren alledrie een bekende persoonlijkheid en op de een of andere manier had hun dood het stuk van hun leven blootgelegd dat de camera nooit had gezien en dat de kranten nooit hadden vermeld.

'Zijn er in het huis sporen gevonden?' vroeg Jessie gretig.

'Niets. Brandschoon. En bij jou?'

'Niets. Geen spoortje. Onzichtbaar, zelfs voor de bewakingscamera's.'

'Als deze moordenaar alle bekende mensen met merkwaardige gewoontes gaat afmaken, zullen er niet veel overblijven.'

'Misschien is dat ook de bedoeling. Behalve dan dat Cary Conrad niet is doodgebloed zoals die twee anderen.'

'Vind je niet dat in je eigen stront verdrinken de bedoeling duidelijk genoeg maakt?'

Jessie kon er niets aan doen. Ze begon te lachen. Harris deed mee. Het was gewoon te weerzinwekkend om te kunnen volgen. Humor en bier uit het vat, veiliger terrein.

Een menigte mensen had zich boven aan de trap verzameld. Mark Ward bracht zijn grote vangst binnen, Raymond St. Giles. Mark leidde de gedrongen en boze tv-persoonlijkheid een verhoorkamer binnen. Toen Fry op de deur van verhoorkamer twee klopte, keek Mark hem achterdochtig aan, maar liet hem blijven.

'Ik wil een advocaat, verdomme. Besef je wel wat dit voor mijn reputatie betekent als het bekend wordt? Ik ben verdomme een bekeerde bajesklant en dit is pesterij van de politie.'

'We willen alleen maar met je praten over de dood van Trevor Mills.'

'Wie?'

'Die man voor wiens moord je negen jaar hebt gezeten.'

'Oh, die Trevor Mills. Wat is er dan met hem? Hij is dood, toch?'

'Ja, Ray, net als zijn vrouw, Veronica.'

'Mijn vrienden noemen me Ray. Jij kunt me meneer St. Giles noemen. Wat wil je nu eigenlijk? Kaartjes voor het programma? Dat kan ik regelen, op de eerste rij desnoods. Ik durf te wedden dat dat is wat je dwarszit, nietwaar? Je vindt het niet prettig dat ik bezig ben een ster te worden. Wel, jullie kunnen er maar beter aan wennen, jongens. Ik zit in een traject dat jullie niet kunnen tegenhouden.' Ray keek de kamer rond. 'Als er woorden bij zijn die jullie niet begrijpen, dan leg ik ze wel even uit. Het enige wat jullie nodig hebben, is een goede leraar. Ik heb in de bajes een geweldige leraar gehad, die heeft me een hoop geleerd.'

'Berouw, Ray, hebben ze je dat ook geleerd?'

Ray tikte een sigaret te voorschijn. Hij haalde een Dunhill-aansteker uit zijn zak en stak de sigaret aan. Een paar lange trekken en hij liet het half opgerookte ding in het plastic bekertje vallen. Het siste uit in de koude thee.

'Vertel me nu maar waar dit over gaat.'

'Voel je berouw over Trevor Mills?'

Ray gaf geen antwoord.

'En zijn vrouw, Veronica? Ze was buiten zichzelf. Heeft zich opgehangen aan de garderobekast. Ik heb gehoord dat ze het buiten de deur deed. Nooit begrepen waarom ze zich van kant heeft gemaakt, als ze zoveel mannen had die op de achtergrond stonden te wachten. Tenzij ze allemaal waren getrouwd. Misschien zat ze in de prostitutie. Ze had altijd prachtige kleren. Waarschijnlijk werd ze verteerd door...' Mark Ward zweeg en keek hoe Ray's knokkels wit werden, '...berouw. Wat denk je Ray? Als een oude hoer berouw kan voelen, dan is er voor jou misschien ook nog hoop. Wat ben je stil geworden, Ray. Voel je je wel goed?'

243

Ray's ogen werden ijskoud. Fry voelde de kilte van zijn blik terwijl hij hen stuk voor stuk recht aankeek. Toen het zijn beurt was, keek Fry naar zijn voeten.

'Is er nog iets anders?' zei Ray met zachte, maar kille stem. 'Ik heb namelijk een lunchafspraak in het Dorchester. Een oude maat van me heeft zijn memoires geschreven, tweehonderdduizend voor de rechten van het boek. Sorry.' Hij stond op om weg te gaan en pakte met één beweging zijn pakje sigaretten en zijn aansteker van de tafel.

'Hoe gaat het met je zoon?' vroeg Mark toen Ray de deur had bereikt.

Ray draaide zich weer om. Het duurde een volle minuut voordat hij antwoord gaf. 'Prima, dank je. Hoe is het met die van jou? O ja, dat vergat ik even – je hebt geen kinderen.'

'Heel vriendelijk van je om daaraan te denken.'

'Het is mijn werk om te weten wie wie is bij de politie. Ik zou er niet zoveel bezwaar tegen hebben gehad als die mooie inspecteur Driver me had laten komen. Ik zou wel een paar rondjes met haar in de ring willen staan. Ze bokst namelijk, wist je dat? Buitengewoon sexy. Dat moet moeilijk voor je zijn, Ward, een gelijke in rang die half zo oud is als jij en die er zo geweldig uitziet. Misschien krijgt ze nog eens een ongeluk op die motor waar ze zo dol op is, dan ben je haar kwijt. Dat zou je wel prettig vinden, nietwaar, Ward?' Zijn ogen bleven door de kamer zweven terwijl hij de oppositie taxeerde. 'Hoelang ben je nu al inspecteur? Twaalf jaar, toch? Dat is jammer. En geen kinderen.'

'Lijkt hij op zijn moeder of op jou?'

'Wie?'

'Die jongen van je. Eigenlijk geen jongen meer. Hoe oud is hij – achtentwintig?'

Ray bewoog zich niet.

'Jammer dat hij niet meer van de genen van zijn moeder heeft meegekregen. Ze was heel aantrekkelijk, daarom waren alle jongens dol op haar.'

'Wat moet je verdorie met Alistairs moeder?'

'Alistair? Oh, sorry, Ray, ik moet je in de war hebben gemaakt. Ik had het over Frank.'

Ray St. Giles' ogen werden licht van kleur. 'Wie is Frank?' vroeg hij. Iets te laat.

'Weet je dat niet? Misschien kunnen we dan beter met Alistair praten.'

'Laat hem met rust. Als je zelfs maar naar hem durft te kijken, stuur ik mijn advocaten op je dak.'

'Weet hij niet dat je zijn moeder hebt vermoord?'

'Nu is het genoeg, ik ga weg.'

'Hoe heb je hem gevonden, Ray?'

Ray had al één hand op de deurknop.

'Waarschijnlijk is het maar het beste dat hij die slet van een moeder van hem niet heeft gekend,' merkte Mark op.

De knokkels werden weer wit.

'Maar ach, elke familie heeft wel een spook in de kast. Uiteindelijk komt het allemaal uit. De pers zou smullen van een verhaal als dit, vooral sinds je pas veroverde bekendheid. Ik durf te wedden dat Alistair ook wel graag de waarheid zou willen weten.'

'Alistairs moeder is dood.'

'Ja, Ray, dat weten we. Dat hebben jouw schietgrage vingers voor haar bewerkstelligd. Grappig hoe zelfs sletten hun echtgenoot trouw kunnen blijven.'

Ray praatte door en negeerde Marks honende opmerkingen. 'Ze is drie jaar geleden aan kanker gestorven. Haar naam was Alice Gunner, ze werkte in een van mijn clubs, waar ze geld verdiende voor een medische opleiding.'

'Ja, Ray, ik heb het prachtig geconstrueerde geboortebewijs gelezen. Nog zo'n handige nevenactiviteit, nietwaar, documenten maken? Vader Ray St. Giles, moeder Alice Gunner, schonk in St. Mary's Hospital te Reading het leven aan prachtige baby met de naam Alistair. Fraai stukje werk.'

'Het is de waarheid.' Hij spuwde de woorden uit.

'Werkelijk? Vreemd dat Alice en Alistair nooit in de buurt hebben gewoond. Wat heb je gedaan? Haar ergens gezellig op het platteland geïnstalleerd terwijl jij je tijd uitzat?' Mark keek Ray aan. 'We weten alles.'

'Is dat zo?'

'Ja. Baby's stelen is een misdaad, meneer St. Giles, zelfs al was de moeder van het kind een slet.'

Ray deed een stap in Marks richting. 'Ik weet waar je deze informatie vandaan hebt en ik zal er een eind aan maken.'

'Als je in de buurt komt...' Mark hield zich in.

Ray lachte. 'Je hebt niets. En ik heb nu alles, dankzij jouw schitterende incompetentie. Je had je huiswerk moeten doen voordat je iemand van mijn kaliber hierheen haalde. Ik ben een professional op het gebied van informatie vergaren.' Hij keek opnieuw de kamer rond. 'Zoek het maar op als jullie iets niet begrijpen.' Daarop vertrok hij.

'Shit,' zei Mark.

'U kunt maar beter Irene waarschuwen,' merkte Fry op.

'Hij speelt met ons. Frank is Alistair, natuurlijk is hij dat.'

'Toch kunt u beter Irene waarschuwen, voor alle zekerheid.'

Mark keek hem aan. 'Eén woord hierover tegen Driver en ik laat je overplaatsen naar de verkeersdienst.'

Op dat moment wist Fry dat hij Driver alles zou vertellen wat er was gebeurd. Woord voor woord. 'Te laat,' zei Fry. 'Inspecteur Driver heeft me al voorgedragen voor die functie. U verschilt niet zoveel van elkaar als u denkt.'

Jessie liep de draaideur van de Pall Mall club in en stapte er bijtijds weer uit. De hele entourage, van de houten lambrisering tot de eerbiedige stilte, straalde oud geld uit. De mannen die in leren stoelen met hoge ruggen zaten, lazen de *Financial Times* en dronken roze gin. Het was nog geen twaalf uur 's middags.

Christopher Cadell zat op haar te wachten in de bar voor bezoekers, zo werd haar meegedeeld. Dat was de enige plek waar vrouwen werden toegelaten. Jessie vond hem in een hoek. Een ober verwijderde net een leeg kristallen glas en verving het door een vol exemplaar. Toen meneer Cadell het aan zijn lippen zette, zag hij haar aankomen en hij stond op om haar te begroeten. Jessie vroeg zich af of het zenuwen waren of dat het door de alcohol kwam dat hij beefde. Volgens de informatie van de agente was Christopher Cadell al jaren een sociaal alcoholist. Zijn carrière als documentairemaker was als gevolg daarvan op de klippen gelopen, hoewel hij zelf de schuld van zijn ondergang bij kortzichtige superieuren zocht in plaats van bij zijn alcoholverslaving. Gelukkig was zijn vrouw steeds rijker geworden en dus had hij zich teruggetrokken in zijn club met het veilige gevoel dat Henrietta de rekeningen wel zou betalen. Scheiden was geen optie. Dat wist Jessie, omdat vrouwe Henrietta zeer veel waarde hechtte aan haar reputatie. Ze waren inmiddels negenendertig jaar ongelukkig getrouwd. De komst van Joshua, die na zes jaar arriveerde, had het kennelijk niet beter gemaakt. Jessie twijfelde nog hoe ze over de onderwerpen ontrouw en moord moest beginnen, toen Cadell voorover leunde in zijn stoel en begon te praten.

'U wilt me ongetwijfeld vragen stellen over dat dode meisje.'

'Verity Shore?'

'Ja. Verity.' Hij sprak de naam uit alsof hij dat nog nooit eerder had gedaan.

'Had u een verhouding met haar toen ze stierf?'

'Nee. Dat was al voorbij. Op mijn leeftijd duren dergelijke dingen niet lang.'

'Hoe hebt u haar ontmoet?'

'Via mijn vrouw. Ze haatte Verity, ze vond haar dom. Henrietta houdt niet van domme mensen, ze vindt het beledigend dat ze dezelfde lucht inademen als zij.' Christopher nam een slokje gin en tonic. Toen nog een. Hij was een knappe man, of was dat geweest. Nu waren zijn wangen en neus overdekt met een waar spinnenweb van gebarsten bloedvaatjes. Hij was kleiner dan Joshua en zijn ogen waren bruin. Die van Henrietta ook. Jessie vroeg zich af van wie Joshua die donkerblauwe ogen had.

'Hoe wist u dat ik hier ben vanwege Verity Shore, meneer Cadell?'

'Als die verschrikkelijke man van de televisie het wist, zou de politie er ook snel genoeg achter zijn, dacht ik.'

'Is dat waarom Henrietta in zijn programma verscheen, omdat hij u chanteerde?'

'Zo dramatisch was het niet. Hoewel ze me het nooit zal laten vergeten, natuurlijk. Je zou denken dat dit de eerste keer was dat ze iets deed wat ze beneden haar waardigheid achtte om een boek te promoten.'

'Waarom hebt u zich niet gemeld?' vroeg Jessie.

'Het is niet aan mij om uw werk te doen, nietwaar?'

Hij scheen volslagen onaangedaan door haar komst. 'We hebben elkaar eerder ontmoet, meneer Cadell. Op het feestje van de filmpremière, in de gang bij het damestoilet.'

'O ja? Dat kan ik me niet herinneren.' Hij sloot even zijn ogen. 'Ik ben bij zoveel premières geweest.'

'Heeft Ray St. Giles Henrietta verteld over Verity?'

Hij glimlachte flets. 'Het spel zou niet leuk zijn als ze het niet wist.'

'Dus u hebt het haar zelf verteld?'

Hij haalde zijn schouders op. 'Niet precies, maar ze controleert graag de afrekeningen van de creditcard. En wat zou ik anders hebben gedaan op maandagmiddagen in het Dukes Hotel?'

'Meneer Cadell, Verity Shore werd vermoord door iemand die wist hoe ze werkelijk was. Een minnaar, of misschien de gekrenkte vrouw van die minnaar.'

'Henrietta? Gekrenkt?' Hij spuwde terwijl hij lachte. 'U hebt de verkeerde vrouw voor ogen. Het enige waar zij om geeft, is haar positie en haar dierbare zoon.'

'*Haar* zoon?'

Christopher keek een ogenblik verward, maar knipte toen met zijn vingers en bestelde nog een dubbele Bombay gin en tonic.

'Is dat de reden waarom u zo te koop loopt met uw affaires, meneer Cadell?'

'Er is iets wat u moet begrijpen wat mijn vrouw betreft, inspecteur. Wanneer zij haar zinnen op iets zet, wat het ook is, dan krijgt ze het ook altijd.'

'En uw vrouw wilde een kind.'

'Meer dan wat dan ook. Ze kon niet begrijpen waarom ze succes had op terreinen waar anderen hadden gefaald, maar waarom ze niet kon doen wat miljoenen vrouwen elke dag deden. Ze werd er gek van. Toen ze ontdekte dat het niet aan haar lag, was ze dolgelukkig. Het was mijn schuld, ziet u, niet de hare. Ze was nog steeds volmaakt.'

'En dus had ze een verhouding?'

Christopher Cadell liet het ijs ronddraaien in zijn glas voordat hij het laatste restje gin er tussenuit zoog. 'Als het zo was gegaan, had ik het misschien kunnen begrijpen. Maar zo ging het niet, het was een opdracht die ze zich stelde. Ze naaide zich door de intelligentsia heen tot ze zwanger werd. Dat was kennelijk minder vernederend dan naar een ivf-kliniek gaan.'

Dus Joshua was van haar alleen. Henrietta hoefde niet eens te doen alsof hij van hen beiden was.

'Maar voor u niet?'

'Wat denkt u?'

Ze had hem vernederd. En daarom vernederde hij haar op zijn beurt.

'Ze wilde altijd meer,' vervolgde Christopher, en staarde in zijn lege glas. 'Joshua zou nooit kritiek op haar hebben. Hij zou haar nooit het ene ogenblik ophemelen en het volgende weer afkraken. Hij moest van haar houden. Daar zorgde ze wel voor.'

'Wat bedoelt u, meneer Cadell?'

Christopher pakte de wijnkaart en keek hem door. Ten slotte keek hij weer op. 'Ik denk een fles simpele Bordeaux, wat vindt u? Alleen maar om een sandwich weg te spoelen.'

'Wat bedoelde u over Henrietta en Joshua?'

'Bent u niet hierheen gekomen om over die vrouw te praten?'

'Ja.'

'Wel dan.' Hij klapte de wijnkaart dicht. 'Ik weet wanneer ze is gestorven en toen was ik hier. De club zal dat bevestigen.'

Jessie leunde achterover in haar stoel. 'U schijnt meer te weten dan wij. Gezien de staat waarin het lichaam verkeerde, kunnen we niet precies bepalen wanneer ze is gestorven. Dank u voor uw alibi, maar dat is niet goed genoeg. Er is ook nog het motief.'

'Welk motief? Ze was gewoon een dwaas meisje. Het spijt me dat ze dood is, maar het heeft echt niets met ons te maken. Henrietta en ik spelen een akelig spelletje, maar alleen met elkaar. Verder raakt er niemand gekwetst.'

'Ik ben bang dat dat niet waar is, meneer Cadell. Wat denkt u wat het voor effect heeft op Joshua wanneer hij ziet dat zijn vader dronken is, vrouwen lastigvalt en zijn moeder vernedert?'

'Dat kan Joshua geen donder schelen. Denkt u dat zijn moeder ook maar één kans laat schieten om hem te vertellen hoe nutteloos zijn vader is? Dat weet hij al jaren. En dus is dit, zoals ik al zei, niet meer dan een akelig spelletje tussen ons. Het houdt ons al jaren in leven.'

'Kende u Eve Wirrel, meneer Cadell?'

Hij schudde zijn hoofd. 'En Joshua ook niet.'

'Joshua?'

Christopher stond op. 'Mijn tafeltje is klaar. Sorry, maar er mogen geen vrouwen in de eetkamer komen.'

Jessie kwam tot stilstand buiten de bekende groene poort en drukte op de bel. P.J.'s stem weergalmde door de luidspreker.

'Jessie, bedankt dat je bent gekomen, dit betekent...'

'Mogen we binnenkomen?'

'Natuurlijk.'

De poort zoemde, klikte en kwam in beweging. Ze keek in

haar achteruitkijkspiegel. Een vrouw van de kinderbescherming en een agente zaten achterin. Burrows en een agent zaten in de tweede auto. Dit was een hinderlaag. Zij diende als het paard van Troje. Ze kwam niet voor hem. Ze kwam vanwege iets wat Christopher Cadell had gezegd. Maandagmiddagen. Tareks foto van Christopher en Verity was voorzien van een datum. Hij was vier maandagen voor de dood van Verity genomen. Jessie was teruggegaan naar het politiebureau en had alle video's uit de bewakingscamera's opnieuw bekeken. Er waren geen beelden van Verity Shore die op die maandag of op een van de maandagen daarna het huis verliet. Dat kon twee dingen betekenen. Of er was met de bandjes geknoeid, of Verity had een andere manier gevonden om het huis uit te sluipen. Jessie liet nu de bandjes controleren. Ondertussen zou ze het huis nog eens onderzoeken.

P.J. liep haar tegemoet langs de zwarte tegels van de oprit. Hij zag er wat verfomfaaid uit, minder zelfverzekerd, en getekend door slapeloosheid. Hij keek achterdochtig naar de tweede auto, maar slaagde erin te glimlachen toen Jessie uit de auto stapte.

'Rechercheur Burrows is meegekomen om je naar het bureau te brengen,' zei Jessie voordat P.J. haar zelfs maar kon begroeten.

'Oh.' Hij keek haar met zijn grote groene ogen aan. De kleur was flets geworden. Ze stonden treurig. Net als die van zijn zoons.

'Hoofdinspecteur Jones zal het verhoor leiden. Je kunt hem maar beter alles vertellen, want uiteindelijk komen we er toch achter.' Ze klonk boos. Te boos.

'Je kon het niet opbrengen me te vertrouwen, nietwaar?' zei P.J. zachtjes.

Jessie was niet van plan nog eens voor die zachte stem te vallen.

'Deze kant op, alsjeblieft.'

'De jongens zijn in de tuin achter het huis, ze bouwen een indianentent.' Hij keek haar recht aan. 'Dat heet een wigwam, wist je dat?'

Ze wist het en haar maag kromp ineen. 'Rechercheur Burrows staat te wachten.'

'Ik moet hun nog zeggen...'

'*Ik* zeg het wel,' zei ze snel, en hield de deur van de auto open.

Hij kneep zijn ogen halfdicht en alle zachtheid verdween uit zijn gezicht. Ze keek toe hoe het besef tot hem doordrong dat ze hem had afgeschud, dat hij haar niet meer kon inpalmen. Hij veranderde onmiddellijk. Weg viel de façade en het beest toonde zijn ware gezicht.

'Bernie en Craig komen over een paar uur thuis. Mocht ik dan nog niet terug zijn, zeg dan tegen Bernie dat ze mijn advocaat moet bellen. Ik neem aan dat je weet waar je haar heen moet sturen.'

'Bernie?'

'Nee. Mijn advocaat.' Hij strekte zich uit in zijn volle lengte. Hij was lang. Net als zijn zoon. 'Je weet niet alles, inspecteur Driver. Dat denk je alleen maar.'

Dat was een slag. Een diepe, pijnlijke slag en zelfs nadat de onopvallende Rover was weggereden van de oprit, voelde ze de naschok nog door zich heen golven.

Jessie begon in het zwembad. Ze controleerde de ramen in de kleedkamers, maar die waren dichtgemaakt. Er stond een schutting die het terrein scheidde van dat van de buren. Het was niet onmogelijk dat Verity er overheen was geklommen, maar op de foto droeg ze hoge hakken en een minuscuul jurkje, dus erg waarschijnlijk was dat niet. Als ze was ontsnapt, dan moest het gemakkelijk zijn geweest. Toen kwam het bij Jessie op dat Verity misschien helemaal niet thuis was geweest. Craig had gezegd dat hij zich zorgen om haar maakte wanneer ze weg was en Danny Knight had Ray St. Giles verteld dat ze heel vaak weg was. Misschien was P.J. al lang voordat Verity stierf de controle over haar kwijt.

Ze liep het huis weer in. De creatie van Eve Wirrel met het tweeëneenhalve gerimpelde condoom maakte haar niet vrolijker. Een gemiddelde week. Niet eens. Mark had gelijk, ze was niet beter dan een groupie. Eentje van een lange reeks. Jessie liep de trap op en keek vanaf de overloop naar de spelende jongens. Ze pakte de verrekijker en richtte hem op de vijf meter hoge gemetselde muur. Daar was Verity in elk geval niet overheen geklommen. Ze staarde over het park naar de Isabella Plantation. Ze zag iets over het hoofd, er ontging haar iets. Maar wat? Ze keerde terug naar Verity's slaapkamer. Ze zou opnieuw beginnen met zoeken.

Jones trok een stoel bij tegenover P.J. Dean en bestudeerde enkele ogenblikken de papieren die voor hem lagen. Hij was blij dat Jessie verstandig was geworden en het speet hem dat ze de supersster had overschat. Hij mocht P.J. Dean ook wel, maar hij vermoedde dat P.J. al zo lang voor God speelde, dat hij er zelf in begon te geloven. Burrows stond dicht achter Jones en Fry stond bij de deur. P.J. Dean had om een gesprek onder vier ogen gevraagd, maar dat verzoek was geweigerd. Dit was een ernstige zaak. Dat moest Dean wel beseffen.

'Ik sta niet onder arrest,' zei P.J. Dean.

'Nee. U mag elk moment weggaan, maar ik raad het u niet aan. De volgende keer — en er komt een volgende keer, meneer Dean — zou ons gesprek dan wat meer aandacht kunnen trekken.'

'Hoe weet ik of u te vertrouwen bent? Ik heb al eerder meegemaakt dat de politie iets liet uitlekken naar de pers.' Jones keek de kamer rond. Hij durfde voor Burrows zijn hand in het vuur te steken. Fry was een andere zaak.

'Fry, wil je even thee voor ons gaan halen voordat we beginnen?' Jones zag hoe Fry's gezichtsuitdrukking harder werd. 'We zullen wachten tot je terug bent voordat we verdergaan,' zei hij geruststellend. Jones wilde Fry laten weten dat als er iemand klikte, hij de hoofdverdachte zou zijn, maar tot die tijd zou Jones hem het voordeel van de twijfel geven. Fry verliet de kamer en Jones verviel weer in zwijgen. Na een paar seconden schraapte P.J. met zijn stoel over de vloer en stond op. 'Ik kan hier niet tegen. Wat willen jullie in jezusnaam met me?'

'Meneer Dean, we proberen uit te zoeken wat er met uw vrouw is gebeurd. De meeste mensen in uw positie zouden hun uiterste best doen ons te helpen.'

'De meeste mensen verkeren niet in mijn positie.'

'Daar zou ik niet zo zeker van zijn, meneer Dean. Veel mensen zijn getrouwd met iemand bij wie ze niet willen zijn.'

P.J. wierp hem een arrogante blik toe. 'In dit geval is de inzet wel iets hoger, vindt u niet?'

Jones zuchtte op zijn raadselachtige manier. 'Niet echt, meneer Dean, het blijft een ongelukkig huwelijk, hoeveel edelstenen er ook in de ring zitten.'

'Ik heb u al eerder gevraagd me P.J. te noemen. Meneer Dean is mijn vader en ik ben niet mijn vader.'

Jones keek naar Jessies aantekeningen over P.J. Er waren krantenartikelen over P.J. die niet op de begrafenis van zijn moeder was verschenen. Veel mensen uit de buitenwijk waar hij vandaan kwam, hadden aanstoot genomen aan het feit dat hun plaatselijke beroemdheid hen de rug had toegekeerd. Roem is verslavend, zelfs wanneer die plaatsvervangend is.

'Ga alstublieft zitten.' Jones wachtte tot P.J. weer op zijn stoel zat. 'Wanneer hebt u uw vader voor het laatst gezien?'

P.J. sloeg langzaam zijn ogen op naar die van Jones. Fry kwam binnen met de thee. Jones nam demonstratief een luide slurp van Fry's brouwsel en zette het kopje weer op tafel. Daarop leunde hij achterover.

'Was uw vader teleurgesteld toen hij ontdekte wat u had uitgespookt met de beste vriendin van uw zusje?'

P.J. lachte hard en droog, maar had zichzelf snel weer onder controle en keek Jones recht aan. 'Mijn zusje was dood.'

'Dat weet ik – verdronken. Een hele slechte leeftijd voor u om iemand te verliezen die u zo na stond.' P.J. balde zijn vuisten en zijn kaak trok strak. Hij leek elk moment te kunnen exploderen. 'Ze hebben het lichaam nooit gevonden, nietwaar? Dat moet wel fascinerend zijn geweest voor een jongen van vijftien.'

'Voetbal, rugby, meisjes, dat zijn fascinerende dingen. Dat er dag in, dag uit in de riviermonding naar mijn zusje werd gezocht, is niet bepaald wat ik een kijksport zou willen noemen.'

'Uw vader is nu uw enige familie, nietwaar?'

'Ik heb de jongens.'

'Nee, P.J., die zijn niet van u. Die mag u niet houden.'

Jones zag de flits van woede. 'U weet niet waar u het over hebt,' zei P.J.

'U hebt zoveel familieleden verloren, uw zusje, uw moeder, uw vader. Het is heel begrijpelijk dat u Bernie en Craig bij u in de buurt wilde houden.'

'Ze zijn als familie voor me, alleen beter. Ze blijven bij me omdat ze dat willen.'

'Als familie, P.J.?'

'Dit heeft niets te maken met de dood van Verity. Verity was verslaafd aan drugs, ze ging om met krankzinnige, slechte mensen. Iedereen kan haar hebben vermoord. Ik niet.'

'Het motief, meneer Dean, dat is het probleem. Niemand anders heeft een motief. Alleen u en misschien Bernie... oh, en Craig ook, vermoedelijk. U vormt met z'n drieën waarschijnlijk een aardig team.'

P.J. schudde zijn hoofd. 'Ik blijf hier niet naar deze onzin luisteren. Stel me de vraag, dan geef ik u het antwoord, maar naar deze flauwekul luister ik niet. Craig is een geweldige jongen en Bernie is een verbazende vrouw. Wat mijzelf betreft, ik had niet veel gevoelens voor Verity, noch positief, noch negatief, en zeker niet genoeg om haar te vermoorden. Geloof me, ik weet wat het is om kwaad te zijn en om te haten, maar toch heb ik nog niemand vermoord.'

'U begrijpt wel waar ik heen wil met dit alles, nietwaar? U, Bernie, Craig...'

P.J. stond op. 'Stel me de vraag, verdomme!'

Jones keek naar het verontwaardigde brok energie. 'Bent u Craigs vader?'

'Nee.'

'En uw naam staat op het geboortebewijs?'

'Ja.'

'Maar hij is niet uw kind?'

'Nee.'

'Bent u bereid tot een vaderschapstest?'

'Nee.'

Jones gooide zijn armen omhoog. 'Waarom zou ik u in jezus-naam geloven?'

'In het belang van die jongen. Hij weet niet wie zijn vader is. In elk geval denkt hij niet dat ik het ben – Bernie heeft mijn naam opgegeven omdat ze dacht dat ik het niet erg zou vinden en dat is ook zo, maar dat is haar zaak. Het is allemaal lang geleden en het heeft niets, maar dan ook absoluut niets met de dood van Verity te maken.'

'Hij heeft uw lengte, uw botstructuur,' zei Jones.

P.J. leunde naar voren en greep met beide handen de tafel vast. 'Ik wou dat ik zijn vader was. Eerlijk, ik zou het graag willen. Maar dat ben ik niet. En zelfs ik, met mijn goddelijke status, kan daar niets aan veranderen.'

'U had hem kunnen adopteren.'

'Het was veiliger wanneer Bernie de huishoudster speelde. Craig en zij zijn geen voer voor het publiek.'

'Veiliger? Voor wie?'

P.J. antwoordde niet.

'Waarom beschermt u hen?'

'Dat deed ik niet.'

'Deed u dat niet?'

'Dat kon ik niet.'

'Wanneer kon u dat niet, meneer Dean?'

P.J. duwde de tafel bij zich vandaan. 'Noem me geen meneer Dean!'

En plotseling ging Jones een licht op. Jessie had al die tijd gelijk gehad. Hij begreep waarom P.J. zo afkerig was om te praten. Jones had zich vergist, hij had dit aan Jessie moeten overlaten. Zij was de juiste persoon voor deze zaak.

'Burrows, Fry, willen jullie ons alsjeblieft alleen laten?' Ze keken verbaasd. P.J.'s geheim was veilig, ze hadden het geen van beiden gesnapt. Jones bracht hen naar de deur en keek hen na toen ze door de gang verdwenen. Hij gaf P.J. een kop thee. 'Drink op,' zei hij zo zachtjes dat P.J. door het lichte geluid in elkaar scheen te ploffen. 'Het is oké, P.J. Het spijt me, we hebben dit verkeerd aangepakt.'

P.J. fronste zijn voorhoofd. 'Wat bedoelt u?'

'Ik begrijp waarom u niet eerder wilde praten. U – iedereen heeft veel te verliezen.'

P.J. staarde hem aan.

'U kunt me vertrouwen,' zei Jones. 'En Jessie ook.'

P.J. bleef hem aanstaren.'

'Craig is niet uw zoon,' zei Jones.

P.J. schudde zijn hoofd.

'Hij is uw broer.'

Jones had al veel mannen zien huilen, maar slechts weinig met de heftigheid van P.J. Dean.

Jessie liep net de tuin in toen ze haar telefoon hoorde rinkelen. Jones' nummer maakte dat haar borst samenkromp. Ze hield het toestel tegen haar oor en luisterde naar zijn haastige stem. De jongens waren uit de boom gesprongen en stonden nu stokstijf naar haar te staren.

Jones praatte snel. 'Hij zegt dat hij de test anoniem en in absolute discretie zal laten doen, maar hij zweert dat hij in Amerika was bij een of ander jeugdclub-muziekkamp toen Craig werd verwekt. Ik weet zeker dat het allemaal zal blijken te kloppen. Zijn vader misbruikte Bernie al sinds P.J.'s zusje was verdronken. Je gaat je afvragen of dat arme meisje per ongeluk of opzettelijk is verdronken. Je had gelijk dat je hem vertrouwde. Hij wil met je praten...'

Jones praatte door, maar Jessie luisterde niet langer. Paul had zich van haar afgewend. Hij was halverwege de tuin toen hij zich omdraaide en haar wenkte hem te volgen. Met de telefoon nog altijd tegen haar oor gedrukt, begon Jessie de voetstappen van een kind achterna te gaan. Ze wilde Paul terugroepen, hem vertellen te vergeten wat hij wist, hem vertellen dat het voorbij was, dat het goed was en dat ze niet verder hoefden te gaan, maar Paul draaide zich niet nog eens om en Jessie riep hem niet.

'Het spijt P.J. dat hij het je niet direct heeft verteld. Hij wilde Craig beschermen. Bernie heeft genoeg meegemaakt zonder dat het hele schandaal ook nog eens breed wordt uitgemeten in de pers. Ze liet hem zweren het je niet te vertellen totdat ze zelf de kans had gehad Craig de waarheid te zeggen. Ze was doodsbenauwd dat hij er op een andere manier achter zou komen. Jessie? Jessie? Ben je daar nog? God, wat heb ik de pest aan deze dingen...'

Ze haalde Paul in aan de andere kant van de volgegroeide border. Hij stond met zijn rug naar haar toe en keek naar de hoge tuinmuur. Zonder haar aan te kijken, trok hij de klimop opzij. Aanvankelijk begreep Jessie niet wat hij haar wilde laten zien. Een stuk gemetselde muur. Toen balde Paul langzaam zijn hand tot een vuist en sloeg ermee tegen de muur. Ze stak haar hand uit om hem tegen te houden, zodat hij zichzelf geen pijn zou doen, maar hij schaafde zijn knokkels niet en het massieve metselwerk absorbeerde het geluid van zijn stomp niet. Paul sloeg er opnieuw tegen. Drie luide slagen. Een hol geluid echode om hen heen. Jessie liet haar hand over het gladde oppervlak glijden. Het was hout. Geschilderd alsof het gemetselde bakstenen waren. Een listige kleine trompe-l'oeil. Met alle magie van een sprookje konden mensen erdoor verdwijnen.

Paul draaide zich om en keek Jessie aan. Ze had nog nooit zulke oude ogen in een kindergezicht gezien. 'Mammie zei dat je door die deur in de hemel komt.'

Jessie bleef in de opening van de houten deur staan en keek over Richmond Park uit. Het was niet moeilijk geweest het slot open te maken. Geen wonder dat P.J. de videobandjes uit de bewakingscamera's zo gewillig had ingeleverd. Iedereen kon huize Dean ongezien verlaten. Hij had met veel nadruk verteld dat hij in het weekend graag thuis was. Hij bleef graag thuis, zo beweerde hij, omdat hij door de week zoveel weg was. Gebruikte hij de jongens als onwetende alibi's? Paul vertelde dat zijn moeder pakjes aannam bij de deur of daar een man ontmoette. Dat verklaarde de grote voorraad drugs die ze in de schoenendoos hadden gevonden. De jongen had haar 's nachts naar buiten zien sluipen. Hij had haar vanaf de overloop met de verrekijker gadegeslagen. De drugs konden op elk willekeurig moment van de dag worden achtergelaten, Verity hoefde alleen maar te wachten tot de kust veilig was. Het was niet alleen Craig geweest die het dak van de garage voor illegale praktijken had gebruikt. Nu wist Jessie hoe Verity haar drugs in huis haalde en hoe ze overdag wegsloop, wanneer de jongens naar school waren en Bernie boodschappen deed. Dus waarom niet P.J.? Of Bernie? Of allebei om de beurt?

Paul hield haar hand vast tot hij de stemmen hoorde. Bernie en Craig waren terug. Het spektakel kon beginnen. Craig kwam als eerste de tuin in. Hij zag daglicht door de gemetselde muur schijnen en bleef stokstijf staan. Hij sloeg zijn hand voor zijn mond en boog zijn hoofd. Bernies reactie was nog vreemder, heftiger.

'Wat hebt u in hemelsnaam gedaan?' Ze keek Jessie aan. 'Hebt u dit gedaan? Zo kan iedereen naar binnen wandelen.'

Jessie duwde de deur langzaam dicht en schoof de metalen grendel op z'n plaats.

'Verdomme, wat...?'

'Bernie!' waarschuwde Ty.

'Sorry, lieverd. Wat gebeurt er hier? Waar is P.J.?'

'Op het politiebureau met mijn baas.'

Bernie keek naar Jessie met angst en woede in haar ogen. Ze stak haar hand uit naar Craig en kuste hem op zijn voorhoofd. 'Breng de jongens naar binnen, ze hebben het veel te koud.'

Craig keek naar Paul en vervolgens achterom naar het raam van het huis. Hij was een pientere jongen en het drong snel tot hem door, dacht Jessie. Of hij was goed geïnstrueerd. 'Dit wist ik niet,' zei Craig.

'Weet ik,' antwoordde Paul.

'Waarom heb je het me niet verteld. Misschien had ik haar tegen kunnen houden.'

'Ik wilde mammie niet in de problemen brengen.'

Jessie luisterde naar wat de jongens zeiden. Waren het de kinderen geweest die de verantwoordelijkheid voor Verity op zich namen? Zij waren degenen die van haar hielden. Allebei op een verschillende manier, maar allebei oprecht en intens.

'Je had het me moeten vertellen,' zei Craig. 'Ze vertrouwde ons.'

'Allemaal naar binnen. Nu. Ik wil graag onder vier ogen met inspecteur Driver praten.'

Craig droeg Ty naar binnen, Paul volgde een klein stukje achter hen aan.

'Hier wisten we niets van,' begon Bernie.

'We?'

'P.J. en ik. Ik weet dat hij het u heeft verteld – betekent dat niets voor u? U weet meer over mijn zoon dan hij zelf weet.' Voordat de zin uit was, begon Bernie te huilen. 'Ik vindt het vreselijk, maar P.J. wilde het u vertellen. Ik smeekte hem het niet te doen. Hij vertrouwde u en u stuurde hem naar het politiebureau. Wel, gefeliciteerd. Wanneer dit verhaal met grote koppen in de kranten verschijnt, zal ik Craig uitleggen dat u alleen maar uw werk deed.'

Jessie volgde Bernie naar het gazon. 'Hoelang is deze deur hier al?'

'Dat weet ik niet.'

'Er is een geheime deur in deze tuinmuur gemaakt en daar weet *u* niets van?'

Bernie keek alsof Jessie haar een klap had gegeven. 'Ik snap niet wat hij in u ziet,' siste ze. Ze begon in de richting van het huis te lopen, maar draaide zich toen weer om. 'Het enige wat ik heb geprobeerd te doen, was voor iedereen zorgen. Heb het lef niet mijn gezin binnen te dringen en met uw kwaadaardige vingertje naar mij te wijzen.'

'Hoever zou u gaan om uw gezin te beschermen tegen meer...' Jessie wachtte even, ze wilde ophouden, maar kon het niet, '...inmenging?'

Bernie liep naar haar toe, een blik van pure haat in haar ogen. '*Inmenging?*' Ze lachte vol ongeloof. 'Noemt u het zo? Een man van veertig die een meisje van dertien verkracht? Dat heet namelijk verkrachting en het duurde twee jaar. Nee, maak daar maar twintig jaar van. Het houdt nooit op. Het zit altijd hier...' Bernie drukte haar hand tegen haar hoofd.

'Ik weet dat u kwaad bent.'

'U kent de betekenis van dat woord niet.'

'Ik weet dat u alles zou doen om Craig te beschermen.'

'Wat voor monster bent u? Denkt u dat ik die vrouwen heb vermoord om mijn zoon te beschermen?' Jessie antwoordde niet.

'Nee, u denkt dat ik die vrouwen heb vermoord om P.J. te beschermen, omdat ik verliefd op hem ben.' Het sarcasme in haar stem gleed door de lange schaduwen en kronkelde zich om Jessies keel. 'Ach hemel, inspecteur, dat is niet erg professioneel, hè?'

'Wat is dat niet?'

Jessie schrok op bij het geluid van Jones' stem. P.J. en hij keken naar hen beiden zoals ze als twee kemphanen tegenover elkaar stonden.

'Vraag dat maar aan haar,' antwoordde Bernie. Ze liep naar P.J. en greep zijn gezicht met haar linkerhand. 'Hebt u een foto gezien van P.J.'s vader?' Jessie schudde haar hoofd. 'Hij lijkt sprekend op hem. Soms word ik gewoon misselijk wanneer ik naar P.J. kijk. Dan moet ik me heel goed realiseren dat we zonder hem in een of andere achterbuurt van Manchester zouden wonen. Maar hij geloofde me, hij heeft vijf jaar lang naar ons gezocht omdat hij het wist, diep vanbinnen wist hij het. Hij wist wat zijn zusje had meegemaakt. Hij wist wat ik had meegemaakt.' Bernies vingers lieten witte afdrukken achter op P.J.'s wang. 'Hij confronteerde zijn vader ermee en weet u wat die zei?' "Wel, jongen, we hebben allemaal zo onze gewoontes."'

'Het spijt me, Bernie,' zei P.J. met moeite.

Bernie schudde haar hoofd. 'Nee, lieverd, jij hoeft je nergens schuldig over te voelen. Totdat Verity ziek werd, waren we gelukkig.' Ze liet P.J.'s gezicht los en wendde zich weer tot Jessie. 'In één opzicht had u gelijk. Ik had moeten weten dat Verity achter Craig aan zou gaan. Nu lijkt het voor de hand liggend, maar ik was met zoveel dingen bezig, ik zag het pas toen het al te laat was. Ik betrapte hem op een avond toen hij zich langs die verrekte regenpijp liet zakken en hij rook naar haar. Toen ik u naar die plantenbak zag kijken, raakte ik in paniek en liet de tuinman het ding onmiddellijk volzetten met chrysanten. Ik was doodsbenauwd dat u zou denken dat het Craig was. Maar in alle andere opzichten hebt u ongelijk en wanneer u dat eenmaal beseft, is een verontschuldiging niet genoeg om de schade ongedaan te maken die u hier hebt aangericht.'

'Ssstt.' P.J. sloeg zijn arm om Bernie heen en keek toen naar Jessie. 'We weten hier werkelijk niets van. Ik heb je verteld dat dit huis aan Verity's tweede echtgenoot toebehoorde. Zij was het die hier wilde blijven wonen.' Jessie hoorde het smekende in zijn stem. 'Ze moet al jaren gebruik hebben gemaakt van die deur. Dat zie je toch zelf ook wel?'

259

Jessies zwijgen sprak voor haar.

'Hoe kan ik het je bewijzen? Vraag Paul of hij me ooit hier heeft gezien. Vraag het hem nu, anders denk je weer dat ik hem heb geïnstrueerd.'

'Hij heeft vandaag genoeg meegemaakt,' antwoordde Jessie.

'Wat, nu kan het u ineens iets schelen?' blafte Bernie. 'Ik word haast krankzinnig door wat u doet en nu bent u ineens bezorgd!'

'Misschien moeten we morgen terugkomen,' stelde Jessie voor.

'Dat kun je vergeten,' zei P.J. 'Genoeg is genoeg. Je weet nu alles. Nu wil ik graag dat je mijn huis en mijn gezin met rust laat.' Hij drukte Bernie tegen zich aan. 'Gebruik Paul niet als een excuus om aan me te twijfelen omdat dat gemakkelijker voor je is. Je bent een grote meid, Jessie. Zie je eigen fouten onder ogen. Ik heb niet tegen je gelogen.'

Jessie liep langzaam naar hem toe. Ze haalde een foto van Eve Wirrels 'Levenswerk' uit haar tas. Daaraan vastgehecht was een foto van de gelabelde flacon. 'Toch wel.'

P.J. keek naar de close-up. 'Wat is dat verdo...'

'Mam,' zei een stem vanaf de tuindeuren.

'Het is goed schat, we komen eraan.'

Craig stapte de tuin in. Hij had een doos in zijn handen. 'Mam.'

'Wat heb je daar?'

Craig keek naar P.J. 'Het is niet haar schuld.'

P.J. staarde naar Jessie. 'Jawel.'

Niemand zei iets.

'Ik bedoel Verity. Het was niet haar schuld, P.J.' P.J. draaide zich met zichtbare moeite naar hem om. 'Ik weet wie mijn vader is.'

Bernies knieën sloegen dubbel. P.J. ving haar op.

'Ik weet het al heel lang. Het spijt me zo van Verity.' Hij begon te huilen. 'Ik hield van haar. Het was verkeerd, dat weet ik wel, maar ik kon er niets aan doen.' Hij snikte. 'De vrouw van mijn broer. Ik had er een eind aan moeten maken.'

P.J. liet Bernie staan en rende naar de jongen. De doos die Craig droeg viel op de grond. 'Sssttt, Craig, het is mijn schuld, niet de jouwe. Ik had er een eind aan moeten maken. Die afschuwelijke kerel. Ik wist het Craig, ik wist wat hij deed.' Bernie staarde hem aan. Hij wendde zich weer tot haar. 'Jezus, Bernie, het spijt me. Ik wilde niet dat jij ook wegging, niet jij ook, net als mijn prachtige kleine zusje, het spijt me, het spijt me zo.'

Bernie bewoog zich niet.

P.J. keek weer naar Craig. 'Ik was zo blij toen ik jullie vond – Bernie en jou. Je was zo'n geweldig joch, zo sterk en zo pienter. Ik was blij dat je er was. Mijn broer. Ik ben trots op je. Ik vind het niet erg van Verity. Jij hebt haar tenminste gelukkig gemaakt, daar zou je blij mee moeten zijn...'

'Ik mis haar.'

'Dat weet ik, dat weet ik.'

Jessie ging op haar hurken bij de doos zitten. Ze rommelde door de inhoud en keek naar Jones. Scheldbrieven. Doodsbedreigingen. Een konijnenpoot. Met bloed doordrenkte lappen. Veel dingen met de initialen W.F.

'Hoe kom je hieraan, Craig?' vroeg Jessie.

'Laat mijn zoon met rust!' schreeuwde Bernie. 'Jullie allemaal!' Bernie greep Craigs arm en trok hem weg van P.J.

'Hij is mijn zoon. Van mij. Van mij, P.J., niet van jou.'

'Dat weet ik, Bernie.'

Ze hield haar vinger voor zijn gezicht. 'Hoe kon je niets doen?'

'Het spijt me...'

'Het spijt je! Julie pleegde zelfmoord en jij hebt *niets* gedaan...'

'Alsjeblieft...'

P.J. stak zijn hand naar haar uit, maar ze duwde hem weg. Ze greep haar zoon en leidde hem weg. 'Laat ons met rust.'

P.J. keek naar Jessie. 'Ik geloof dat je beter kunt gaan.'

'Kan ik dit meenemen?' vroeg ze, en hield de doos omhoog.

'Dat kan me GEEN DONDER SCHELEN! Maak dat je wegkomt. Nu.'

'P.J., ik...'

'Ga weg.'

Jessie pakte de doos en volgde Jones naar de voorkant van het huis. Toen ze in auto stapten, verscheen Ty met haar zwarte zaklantaarn in zijn hand geklemd.

'Pappa zegt dat ik dit terug moet geven.'

'Dat spijt me,' zei ze door het raampje terwijl hij haar nawuifde.

Jones nam haar onder handen. 'Je hebt te hard doorgedouwd, Jessie. Waar ik zojuist getuige van ben geweest, had niet mogen gebeuren.'

'Ik probeerde mijn werk te doen, chef,' zei ze, maar ze voelde zich wankel en onzeker.

'Nee, Jessie, je probeerde goed te maken dat je je werk eerder niet professioneel hebt gedaan. Ik zou wegrijden als ik jou was.'

'U hebt gehoord wat Bernie zei, hij wilde die kinderen, hij balanceert langs het randje.'

'P.J. Dean wist wat zijn vader deed en hij deed niets om er een einde aan te maken. Erger nog, hij ontvluchtte het. Hij is een man verteerd door schuldgevoelens. Dat is niet hetzelfde als een schuldig man en dat weet je best.'

Jessie reed weg van het huis. Die zeegroene ogen hadden haar meegezogen en rondgetold als een brekende golf. In verwarring gebracht had ze naar alle kanten geschopt en toen ze weer bovenkwam, bevond ze zich ver in zee, alleen en in heel diep water.

Mark Ward was naar het dorp gereden waar Alice en Alistair vermoedelijk bij haar vader hadden gewoond. Alice was dood, zij kon St. Giles' verhaal niet meer bevestigen, maar de oude man leefde nog. Mark had het boerenhuisje een bezoek gebracht, maar meneer Gunner wilde geen enkele vraag over zijn dochter of over zijn kleinzoon beantwoorden. Toen Mark vroeg wie Alistairs vader was, had Pete Gunner de deur voor zijn neus dichtgeslagen. Daarom had hij gewacht tot de oude man het huis uit was geschuifeld en had zichzelf vervolgens binnengelaten. De keuken was van lindegroen formica en het behang van afwasbaar plastic. Het was schoon en netjes en het rook er naar Sunlight-afwasmiddel met citroen. Er was een doorgeefluik naar de eetkamer, waarin een mooie mahoniehouten tafel met stoelen stond. Mark wipte snel en zachtjes naar boven. Daar bevonden zich drie slaapkamers en een badkamer. De geur van natte wol en sandelhout vertelde hem welke kamer van meneer Gunner was. De kamer van Alice was onaangeraakt sinds haar dood. Mark pakte een foto van een jonge vrouw met een baby. Op de achterkant stond iets geschreven. De naam van het kind, zijn geboortedatum en zijn gewicht. Het leek overtuigend, maar het was geen echt bewijs. Het kon ieder willekeurig kind zijn. Het stond niet vast dat meneer en mevrouw Gunner bij het complot waren betrokken. Mark zette de foto terug, maar hij moest toegeven dat het steeds minder waarschijnlijk leek dat Alistair Frank was. Er viel nergens een spoor van Ray St. Giles te bekennen.

De derde kamer die Mark betrad, was van Alistair. Dat bleek niet uit schoolfoto's aan de muur of uit een stapel handhalters in de hoek, maar uit een collectie 'onderwereld'-literatuur die zo omvangrijk was dat de multiplex boekenplanken doorbogen. Mark pakte een van de boeken en bladerde het door. Er waren stukken tekst met gele viltstift aangestreept. Hij pakte nog een boek en nog een. Het was steeds hetzelfde. Hét aspect dat Alistair bij elk boek interesseerde, was zijn vader, Ray St. Giles. Die jongen was geobsedeerd. Mark begon de titels en de schrijvers op te krabbelen – een ware handleiding van de Engelse onderwereld. Toen hij klaar was, trok hij de laden open en keek onder het bed. In een kartonnen doos vond hij recent geposte gewatteerde enveloppen en ook een aantal A4-enveloppen. Allemaal geadresseerd aan Alistair Gunner. Allemaal gestuurd vanuit Londen. Mark scheurde er een open. Er viel een foto uit. Een oudere man in een pak, zijn hand onder de rok van een blonde vrouw. De man herkende hij niet, maar hij wist precies wie de blondine was. Ze lag in het mortuarium. Niet meer dan beenderen. Er was nog een foto: twee vrouwen die elkaar zoenden. Mark herkende geen van beiden. Er was ook een foto van Ray St. Giles die de hand schudde van John Banner, een bekende crimineel uit het East End. Mark pakte een andere enveloppe en scheurde ook die open. Er stroomden uitgeknipte krantenartikelen uit. Koppen die hij herkende. Koppen waarmee hij de spot had gedreven. DE NULLENLIJST-MOORDENAAR. EVE WIRREL GESTORVEN VOOR DE KUNST. VALSE BLONDINE – VERITY SHORE IS DOOD. CARY CONRAD – JIJ STINKERD!

Jessie had gelijk. St. Giles was erbij betrokken. Hij kwam snel overeind, stopte de enveloppen die hij had geopend onder zijn arm en rende naar zijn auto. Hij smeet de enveloppen erin, startte de motor en draaide de auto haastig om. Hij was boos en bezorgd en hij reed te hard. Hij zag niet dat er een trekker uit een zijpad kwam.

Jessie omklemde een wodka-martini. Het was haar derde. De vorige twee hadden niets geholpen om de pijn, de vernedering of de naakte lelijkheid van alles te verzachten. Ze had zich door P.J. Dean laten verblinden, ze was geen haar beter dan de fans die in zijn aanwezigheid geen woord meer konden uitbrengen. Ze had zich nog aan de dood van Cary Conrad kunnen vastklampen bij wijze van afleiding, maar Harris had gebeld. De vermiste secretaris was in het noorden van Thailand gevonden. Tijdens de ondervraging was de man ingestort en had bekend. Hij had Cary in de gebruikelijke positie vastgemaakt en hem toen zo achtergelaten. Toen hij twee uur later terugkwam, was Cary verdronken. Harris neigde tot dood door ongeval. Hij geloofde dat de knopen waren losgeschoten. Dat verklaarde het gebrek aan sporen: geen inbraak, geen aanwijzingen van een worsteling. De statistieken hadden gewonnen: net als Eve en Verity had Cary Conrad zijn moordenaar gekend. Het essentiële verschil was dat Cary's dood een ongeluk was geweest, terwijl de twee vrouwen genadeloos waren vermoord. Jessie huiverde. Dat was geen manier om dood te gaan.

Nu werd ze geconfronteerd met een heel nieuw dilemma. Als er nog een lijk opdook, verminderde dat de waarschijnlijkheid dat P.J. erbij was betrokken. Maar dat betekende ook dat er weer iemand moest sterven. En ze wilde niet dat dat gebeurde. Maar ze wilde ook niet dat P.J. schuldig was.

Iemand tikte haar op haar schouder. Jessie draaide zich om.

'Hallo, chef.'

'Hallo, Niaz. Ik ben uit de gratie.'

'Leuke plek om uit de gratie te zijn,' antwoordde Niaz, en keek de bar van Claridge rond.

'Ik durf te wedden dat je wenst dat ik je rustig in Putney had gelaten.'

'Nee, chef.'

'Hoe wist je dat ik hier was?'

Niaz tikte tegen zijn hoofd. 'Mijn djinn, weet u nog?'

'Wil je een borrel?'

Hij schudde zijn hoofd. 'Ik drink niet. Maar dank u voor het aanbod. Ik raad u aan gemberthee te bestellen.' Niaz wenkte de barman.

'Ik houd het bij wodka, dank je.'

'Nee, chef, u hebt een helder hoofd nodig. Gember versnelt dat proces.'

Jessie begon te protesteren.

Niaz stak zijn kolossale hand op en bestelde de thee. 'Ik heb de eigenaar van de boot gevonden.'

Jessie ging rechtop zitten.

'Hij was niet van meneer Dean, of van zijn huishoudster of van zijn huishoudsters...'

'Van wie was hij?' onderbrak Jessie hem ongeduldig.

'Van lady F.C. Lennox-Broome, volgens de creditcard.'

'Een vrouw.' Jessie was stomverbaasd. Bijna teleurgesteld.

'We hebben de boot getraceerd tot een werf buiten Henley. Hij werd telefonisch gekocht per creditcard en werd afgehaald door een man met een oplegger. Het was een cadeau voor lady Felicity's vader. Een verrassing voor zijn zestigste verjaardag. De transactie per creditcard werd bekrachtigd. Die gegevens stonden al een tijdje op mijn lijst, maar net als de eigenaar van de werf had ik geen reden om aan de geldigheid van de aankoop te twijfelen. Het spijt me, chef, ik heb u teleurgesteld. Misschien had u me moeten laten waar u me hebt gevonden.'

'Nee, Niaz, je hebt me echt geweldig geholpen.' Jessie zuchtte. 'Ik had dus ongelijk. De boot was niet de sleutel.'

'Dat hoeft niet. Dit verklaart niet hoe de boot op de bodem van de Theems terechtkwam.'

'Wil je dat ik dat aan haar, deze lady F.C. met haar dubbele naam, ga vragen?' Jessie keek op haar horloge. Het werd al laat.

'Nee, volgens haar huisgenote is ze op vakantie met een man. Exacte reisdoel onbekend. Naam van de man ook onbekend.'

'Je hebt het druk gehad.'

'Ik doe het werk dat u me hebt opgedragen.'

'Je denkt dat ik het er een beetje bij laat zitten. Je vindt dat ik de cavalerie er weer bij moet halen. Denk je dat ze wordt vermist? Deze lady Felicity C. Lennox-Br...' Jessie voelde als het ware een elektrische stroomstoot door zich heen gaan. Er daagde haar iets. 'Oh mijn God, Niaz, ik had het niet mis, ik had het verdomme niet mis. Hoe noemde haar huisgenote haar? Niet Felicity, wed ik.'

'Om u de waarheid te zeggen, nee. Ze noemde haar Co...'

'...sima. Lady Cosima Broome. Niaz, die boot was wel degelijk de aanwijzing, verdorie! T.M.T., die initialen, die betekenen Trut Met Titel. Shit.' Jessie stond zo abrupt op, dat ze wankelde.

Niaz ving haar op. 'Misschien moet u nu die thee drinken,' zei hij.

Jessie belde het nummer van het familielandgoed, Haverbrook Hall, en vroeg naar Cosima.

'Lady Cosima is niet thuis. Kan ik een boodschap aannemen?'

'Is een van haar ouders thuis?'

'Ik ben bang dat ze momenteel gasten hebben.'

'Zeg hun alstublieft dat inspecteur Driver hen graag wil spreken over een uiterst dringende kwestie.' Jessie moest drie minuten wachten. Het was ofwel een heel groot huis, of de adel deed niet aan dringend.

'Wat is er gebeurd?' vroeg een jonge vrouwenstem. 'Is Cosima in de problemen geraakt?'

'Met wie spreek ik?'

'Met burggravin Lennox-Broome.'

De stem paste niet bij de titel. Hij klonk onzeker, jeugdig, met een zeer vaag Londens accent.

'Mag ik u vragen wanneer u uw dochter voor het laatst hebt gezien?'

'Mijn dochter? Oh nee, u vergist zich. Cosima is niet mijn dochter, ze is mijn stiefdochter en vriendin. Is alles goed met haar?'

'Wanneer hebt u haar voor het laatst gesproken?'

'Coral?' blafte een luide, raspende stem.

'Het is de politie, Geoffrey.'

'Ik handel dit wel af,' zei de stem.

'Maar...'

'Als mijn dochter problemen heeft, handel ik dat af.'

Jessie stelde zich voor.

'Wat heeft ze gedaan dat u me op dit uur thuis moet bellen?'

'Het spijt me dat ik u moet storen, maar ik moet vaststellen waar uw dochter zich bevindt. Kunt u me vertellen wanneer u haar voor het laatst hebt gezien?'

'Ze is volwassen. Ik houd haar niet in de gaten.'

Jessie wilde de man niet ongerust maken, maar er waren twee vrouwen vermoord.

'Haar creditcard is al een paar dagen niet gebruikt...'

'Waarom bent u in vredesnaam geïnteresseerd in de financiën van mijn dochter?'

'We geloven dat ze misschien wordt vermist.'

Een vrouwenstem kwam ertussen. 'Ze was hier het weekend voor het afgelopen weekend.'

'Hoe durf je naar dit gesprek te luisteren! Je hoort bij onze gasten te zijn!'

Coral trotseerde haar echtgenoot en sprak gehaast en zonder

266

adem te halen verder. 'Ze was er het weekend. Mijn man was weg, op jacht. We spraken...'

'Ga van de lijn af! Ik waarschuw je!'

'Ik geloof niet dat u de ernst van de situatie begrijpt, meneer. De afgelopen maand zijn er in Londen twee vrouwen vermoord. Ik maak me heel erg bezorgd om Cosima's veiligheid.'

'De gasten, Coral! Niemand wil zomaar alleen worden gelaten.'

Jessie hoorde de klik.

'Als uw dochter zich in een ontwenningskliniek bevindt, kunt u me dat vertellen. Ik moet...'

'Hoe durft u zoiets te insinueren!'

'Dat zou niet de eerste keer zijn, nietwaar?'

'Ik weet niet waar mijn dochter is. En als u me nu wilt excuseren, ik heb gasten, belangrijke gasten, die mijn aandacht vereisen.'

'Maar...'

'Goedenavond, inspecteur.'

Niaz stond erop haar naar huis te rijden. Hij liep zelfs met haar mee naar de deur van het gebouw.

'Nu komt het wel goed,' zei Jessie, verbaasd over zijn bezorgdheid.

'Toch zou ik u graag naar de deur van uw flat begeleiden.' Weer begon Jessie te protesteren. 'Dat ongeluk van u was geen ongeluk. Alstublieft, doe me dat plezier.'

Jessie gaf toe. 'Vertel me nu niet – de djinn.'

Niaz glimlachte. 'Eerlijk gezegd was het de man van de garage, toen ik hem belde om te vragen of de motor al klaar was.'

Ze liepen samen de twee trappen op.

'Is hij klaar?'

'Overmorgen. Ze zullen hem 's middags afleveren bij het bureau.'

'Mooi, ik heb er zo'n hekel aan om vast te zitten in het verkeer.'

'Ik zal morgenochtend direct naar haar reisbureau gaan,' zei Niaz. 'Eens uitzoeken of ze echt op vakantie is, wat denkt u?' Maar Jessie gaf geen antwoord. Ze staarde naar haar eigen voordeur. Iemand had er een kruis op geklad. Een rood kruis. Jessie liet haar vinger er overheen glijden. Lippenstift. Ze deed de deur open en kwam terug met een natte spons. Ze keek naar Niaz, die zijn hoofd schudde.

'Geen woord hierover tegen wie dan ook,' zei Jessie, terwijl ze de rode lippenstiftstrepen van haar witte voordeur boende.

Niaz probeerde haar tegen te houden. 'Het is een teken. Een boodschap.'

'Welnee. Iemand probeert me gewoon bang te maken. Ik laat me echter niet zo gemakkelijk bang maken.'

'Ik denk dat u dit serieus moet nemen. Weet u wat het betekent?'

'Niaz, dit is iets onbenulligs dat je voor je mag houden.'

'Het betekent "Breng de doden naar buiten". Tijdens de pestepidemie zetten ze een rood kruis op de deuren van besmette huizen...'

'Houd op. Het betekent niets. Ga alsjeblieft naar huis, Niaz.'

Hij aarzelde.

'Dat is een bevel.'

Toen Jessie terugkwam na het uitspoelen van de spons, was Niaz verdwenen. Ze ging door met het afvegen van de glanzend geverfde deur tot hij brandschoon was. Toen deed ze een paar stappen achteruit.

'Ik laat me niet zo gemakkelijk bang maken,' herhaalde ze, terwijl ze de deur op het nachtslot deed.

Jessie klopte op Maggies deur en ging naar binnen. Er klonk een paniekerig geritsel van lakens.

'Oh God, sorry...' Jessie trok zich snel terug terwijl er een man onder Maggies dekbed dook. Daarop klopte ze opnieuw aan. 'Maggie, kan ik even met je praten?'

'Nu?' kwam een gespannen stem.

'Sorry, het is belangrijk.'

Maggie kwam bij haar in de woonkamer. Haar gezicht was rood aangelopen en ze was gehuld in haar sprei van nepbont.

'Ik hoop dat het de moeite waard is.'

'Hoe laat ben je vanavond thuisgekomen?'

'Jessie, je bent mij moeder nie...'

'Hoe laat,' zei Jessie streng.

'Om tien uur. Hoezo?'

'En stond er toen iets op de voordeur?'

'Wat bedoel je?'

Blijkbaar niet. Zelfs Maggie zou een kruis van rode lippenstift opmerken. 'Oh, niets.' Ze wilde haar niet bang maken.

'Heb je me daarvoor uit bed gehaald?'

Jessie grijnsde. 'Sorry. Wie is hij?'

'Niemand die jij kent,' zei ze snel.

Jessie wachtte.

'Heus, een of andere cameraman.'

'Geen beroemd vriendje dus?'

'Hemel, nee. Daar kies ik een suite in het Metropolitan voor. Maar eerst heb ik oefening nodig, dus als je het niet erg vindt...'

Maggie trok het nepbont om zich heen.

'Wacht nog even...' zei Jessie. 'Cosima Broome, wat weet je van haar?'

Maggie draaide zich abrupt om. 'Waarom vraag je mij dat?'

'Omdat je haar kent.'

'Nee, ik ken haar niet.'

'Wel, je hebt een hekel aan haar en daarom nam ik aan...'

'Ik heb een hekel aan wat ze vertegenwoordigt, dat is alles.'

'Dus je weet niets persoonlijks over haar?'

'Nee, Jessie. Hoe vaak moet ik dat nog zeggen?'

Kort na zes uur in de ochtend hoorde Jessie iemand aan het nachtslot frunniken. Ze ging rechtop zitten in bed en gluurde door het gordijn naar de straat beneden. Enkele ogenblikken later verscheen een man. Als hij niet omhoog had gekeken, had ze het nooit geweten. Maar hij keek wel omhoog. Juist toen hij bij de lantarenpaal kwam. Hij keek recht in haar richting. Het was geen cameraman. Het was Joshua Cadell. Jessie liet het gordijn los en deinsde weg van het raam. Maggie had competitie nooit kunnen uitstaan.

Jessie spreidde alles voor zich uit. Een foto van Eve Wirrels schilderij met de initialen. De lijst van spermadonoren uit 'Een Levenswerk'. Iedere foto die van de kunstenares was genomen sinds ze bekend werd. Voor een rebel stond ze wel erg graag in een onbenullig blad als *Hello!*. Jessie had ze op een prikbord gehangen. Er was een vreemde foto bij van Eve die in een imposante art-decoschoorsteenmantel zat. Ze was naakt en bedekt met as. Jessie had een soortgelijk prikbord gemaakt voor Verity. Elke dreigbrief. Alle exemplaren die waren gesigneerd met W.F. Elke naaktfoto. De met bloed doordrenkte lap. Er was een foto van de gezonken boot, een close-up van T.M.T. Ze had allerlei anagrammen en puzzels geprobeerd, maar de letters en foto's bleven haar nietszeggend aanstaren. Jessie richtte haar aandacht weer op de dreigbrieven. Die waren tenminste tastbaar. De technische recherche had geen enkele vingerafdruk kunnen vinden. Degene die ze had gestuurd, was een professional. Er waren handschoenen gebruikt. Standaardpapier dat in elk kantoor te vinden was en viltstiften die iedere kantoorboekhandel in het land verkocht.

Jessie pakte een van de in plastic verpakte brieven. 'Je zei dat je me miste, je zei dat je mijn vochtige kussen voelde, mijn zoute tong, je zei dat je niet zonder mij wilde leven. DUS WAT IS ER MISGEGAAN?'

'Je zwaaide niet eens,' zei Niaz.

Jessie draaide zich geschrokken om. 'Besluip me niet zo.'

'Ik dacht dat u zich niet gemakkelijk liet bang maken,' antwoordde hij. 'En voordat u me wegstuurt, wil ik u graag laten zien wat ik gisteravond buiten uw huis heb gevonden.'

Niaz hield een sigaret met een witte filter omhoog. Halverwege uitgedrukt, net als de andere. 'Ik zal het laten onderzoeken. Ik vraag me af of het meneer Dean was of uw bewonderaar uit Acton.'

Jessie keek naar de doorzichtige zak. 'Of helemaal niets.' Ze keerde terug naar de doodsbedreigingen. 'Wat bedoelde je met "Je zwaaide niet eens"?'

'Ik had het over het liedje waar u uit citeerde.'

'De brief, bedoel je.'

'Nee, het liedje: "Je Zwaaide Niet Eens". Het is er een van P.J. Dean, op zijn eerste plaat. Een enorme hit, geloof ik.'

Jessie hield de plastic map met de brief omhoog. 'Dit?'

'Dat is een bewerking. Ik vermoed dat het liedje over zijn zusje ging, dat ze zwaaide in plaats van verdronk, een variatie op het gedicht. Een of andere idioot dacht dat hij die woorden voor haar had geschreven, want ik ga ervan uit dat het een vrouw was, hoewel je er tegenwoordig eigenlijk niets van kunt zeggen.'

'Dus deze brief was aan P.J. gericht?'

'Ja. Aan wie anders dacht u?'

'Verity Shore. Alles werd aan Verity gestuurd...'

Jessie legde haar kin in haar hand en staarde naar het bewijsmateriaal. Er staarde iets naar haar terug.

'...Alles werd naar Verity gestuurd, maar het ging over P.J. Hij zou de katalysator kunnen zijn. Kijk op internet, Niaz, en zoek dat fan-extremis.com op. Houd het in de gaten, controleer of er iemand met de naam W.F. naar die site gaat. Ik weet dat de politie in Acton heeft gezegd dat ze niets hebben gevonden, maar als die peuk die je gisteravond hebt opgeraapt ook door Frances Leonard werd gerookt, dan denk ik dat we een spoor hebben.'

'Denkt u dat zij het wiel van uw motor heeft ingevet?'

'Ik dacht dat dat Ray St. Giles was die me bang probeerde te maken.'

'Het gebeurde wel kort nadat u met meneer Dean bent weggeweest. Misschien hebt u gelijk, misschien zet competitie haar in actie.'

'Niaz, ik heb niet...'

Hij glimlachte wijs. 'Dat weet ik.'

Jessie trok een krukje bij en ging zitten om na te denken over de mogelijkheden betreffende Frances Leonard. 'Ze is een vrouw van middelbare leeftijd, nauwelijks het profiel van een seriemoordenaar.'

'"Waarschijnlijkheden hebben de politie in de problemen geholpen die het korps momenteel heeft." Dat hebt u zelf gezegd.'

'O ja? Irritant, zeg.'

Het zou een vrouw van middelbare leeftijd kunnen zijn. Bij deze moorden kwam geen kracht te pas, dat had Jessie al vanaf het begin gezegd, toen haar gedachten nog naar Bernie uitgingen. En zowel Eve als Verity hadden relaties gehad met vrouwen. Als Cosima de volgende was, betekende dat dan dat P.J. ook iets met haar had gehad?

'Waarom vraagt u het hem niet?' zei Niaz, en onderbrak haar gedachten. Ze fronste haar wenkbrauwen. 'Simpele herleiding, chef. Ik zal dit direct naar het laboratorium brengen.' Hij opende de deur. Buiten klonk tumult. Jessie liep Niaz achterna en schrok toen ze rechercheur Fry een huilende Clare Mills zag vasthouden.

'Fry?'

'Godzijdank dat u hier bent.'

'Wat is er gebeurd?'

'Oh, inspecteur Driver,' jammerde Clare. 'Hij is dood!'

'Wie?'

'En Irene heeft de kapsalon te koop gezet. Ik kan haar nergens vinden. Ik geloof dat ze weggaat, zij gaat me ook in de steek laten. Ik kan niet...'

Clare ademde onregelmatig. Jessie keek Fry zenuwachtig aan. 'Wat is er aan de hand?'

271

'Geef me een ogenblik, dan breng ik u op de hoogte, woord voor woord,' zei hij ernstig.

Jessie ijsbeerde nerveus door haar kantoor. Het duurde een eeuwigheid voordat Fry terugkwam. Als ze niet een blik van angst in zijn ogen had gezien, zou ze hebben gedacht dat het pesterij was. Uiteindelijk kwam hij binnen en sloot de deur stevig achter zich.

'Inspecteur Ward heeft een auto-ongeluk gehad,' zei hij ernstig.

'Nee. Is hij...' Maar Clare had het haar al verteld. Dood.

'Hij ligt in Reading Hospital met een hersenschudding. Hij is erg geschrokken, de auto is total loss, maar hij overleeft het wel.'

Jessie fronste haar voorhoofd. 'Wie is er dan dood?'

'Frank Mills. Alistair Gunner is een zoon uit een andere relatie.'

'Hoe weet je dat Frank dood is?'

'Hij ligt begraven op het kerkhof van Woolwich, onder de naam Gareth Blake. Daar ligt hij al ruim twintig jaar.'

'Ik kan je niet volgen. Wie is Gareth Blake?'

'Hij werd op dezelfde dag geboren als Frank Mills, volgens de gegevens van de kinderbescherming. Hij kwam op driejarige leeftijd in een kindertehuis, op dezelfde dag als Frank Mills. Hij was fit en gezond tot hij op vierjarige leeftijd stierf aan longontsteking. Veel kinderen in tehuizen werden ziek. Hij werd begraven op het kerkhof van Woolwich onder de naam die de kinderbescherming hem had gegeven.'

'Hoe weet je dit allemaal?'

'Mark belde vanuit het ziekenhuis. Hij zei ook dat hij u wilde spreken. Het is geen rotgeintje, dat zweer ik.'

Jessie ging zitten. 'Arme Clare. Dus het is nu voorbij?'

'Niet precies. Ray St. Giles heeft gezegd dat hij wist waar Ward zijn informatie vandaan had – Irene. Ray heeft ook gezegd dat hij er een einde aan zou maken. En nu is Irene verdwenen. Daarom is Clare Mills hier gekomen. Ik vond het niet meer dan eerlijk haar te vertellen hoe het zit.'

'Heb je haar over Ray St. Giles verteld?' vroeg Jessie geschrokken.

'Nee. Over Gareth Blake. Dus nu denkt ze dat haar broer dood is en ze heeft geen idee waarom haar vriendin verdwenen schijnt te zijn. Ze is zich rot geschrokken van die kapsalon. Dat is blijkbaar de enige constante factor geweest in Clares leven.'

'Je schijnt er een hoop van af te weten, Fry?'

'Ja, nou, ik kom uit dezelfde buurt. Laten we zeggen dat het een kwestie was van mensen achter de tralies zetten of zelf achter de tralies belanden. Familiesteun is geen vaststaand gegeven, chef.'

En dus had hij zich bij een ander type familie aangesloten, dacht Jessie. Het politiekorps. Niet zo heel anders dan het soort groepsverband dat Ray St. Giles en zijn soortgenoten te bieden hadden. Waarom kwam alles aldoor terug bij Ray St. Giles?

'Luister, chef, ik weet dat ik het in het verleden verknoeid heb, maar Clare is heel erg overstuur en dat geldt ook voor Mark. Hij denkt dat Ray zich misschien op Irene heeft gewroken.'

Jessie begreep wat hij vroeg. Ze belde Tarek, maar er werd niet opgenomen.

'Stuur een surveillanceteam naar het huis van St. Giles. Hij is niet meer op zijn kantoor. En Fry?' Hij draaide zich om. 'Bedankt dat je me op de hoogte hebt gehouden. Dat waardeer ik erg.'

Hij glimlachte en knipoogde. 'Laat u niet meeslepen, zo braaf ben ik nu ook weer niet.'

'Aardig braaf dan,' antwoordde ze. 'En zorg ervoor dat Clare niets te weten komt over St. Giles. Ik wil haar niet hoeven lossnijden van een garderobekast.'

Fry keek geshockeerd.

'Als we niet heel voorzichtig zijn, dan zal het daarop uitlopen, Fry, dat voel ik.'

'Ik zal haar hier houden,' zei Fry zachtjes.

Jones ontbood Jessie op zijn kantoor. Ze vroeg zich af of ze de moed zou hebben hem te vragen te doen wat zij niet kon. P.J. Dean bellen en hem vragen of hij ook een buitenechtelijke relatie had gehad met de Trut-Met-Titel. Nu vermist. Vermoedelijk dood.

Jessie trof Clare in haar eentje aan in de gang. Ze zwaaide licht op haar benen, haar smalle gestalte worstelend met het gewicht van al het nieuws. Jessie bracht haar naar de kleine televisiekamer. Clare zei dat ze niet naar huis wilde. Ze wilde alleen maar wachten. Wachten op nieuws. Rechercheur Fry was op zoek naar Irene. Jessie wilde haar net daar achterlaten, toen ze zachtjes in de kop thee die Jessie voor haar had gezet begon te praten.

'Ik wil dat hij wordt opgegraven.'

'Wat?'

'Frank, ik wil dat hij wordt opgegraven.' Clare keek haar aan met grote, fletse ogen. 'Dood of levend, weet je nog?'

Jessie wist het nog. Jones had zijn woord gegeven. 'Ik zal de gerechtelijke procedure morgen direct opstarten.'

Jessie duwde de deur van Jones' kantoor open. Hij had twee kopjes verse koffie en croissants uit het café klaarstaan. Hij glimlachte haar vriendelijk toe, wat haar hevig verontrustte.

'Ik hoor dat je tot in de kleine uurtjes hebt doorgewerkt.'

Ze nam de zoete koffie met melk dankbaar aan.

'Heb je al gegeten?'

Ze kon het zich niet herinneren.

'Kennelijk niet. Je ziet er uitgehongerd uit.'

Ze beet in de croissant en kauwde er hongerig op. 'Chef, ik weet dat u denkt dat ik er een rommeltje van heb gemaakt, maar ik zit er dichtbij. Als ik maar wist hoe ik de stukken aan elkaar moest passen. Vanochtend heb ik iets ontdekt over Cosima Broome. Haar moeder heette Penelope Richmond. Ze is krankzinnig geworden en werd naar een inrichting gestuurd. Haar verpleegster is Cosima's stiefmoeder geworden. Nog meer geheimen. Richmond. De boot. Het staarde me aan.'

'Cosima Lennox-Broome... klinkt niet als Richmond in mijn oren.'

'Nee. En dat is nu net het punt, denk ik. Al deze aanwijzingen hebben het water troebel gemaakt. Ze hebben me in een vruchteloze zoektocht gestort. Maar er bestaat nog een mogelijke schakel, chef.' Ze haalde diep adem. 'P.J. Dean.'

'Toe nou, Jessie...'

Ze bracht hem snel op de hoogte van de geheimzinnige letters W.F. 'Als we nu maar van hem te weten kunnen komen of hij naar bed is geweest met...'

'Nee, Jessie!'

'Maar chef, elke moord heeft me verteld waar ik verder moest kijken, als ik slim genoeg was geweest. De plantage in het park, het smokkelaarshuis, de punter in de Thames...'

'Absoluut niet. Nee.'

'Stel dat Cosima Broome op de bodem van een meer ligt bij haar vaders huis, zoals de boot te ruste werd gelegd in de Theems? Ze heeft die punter kennelijk niet zelf gekocht. Misschien staat er een privé-kapel op het landgoed, een of andere verbindingsschakel met een kerk. Het enige wat u moet doen is...'

'Hij klaagt je aan.'

'Wat?'

'Wegens lastigvallen.'

Jessie liet de croissant vallen. Ze had ineens geen trek meer. Ze staarde Jones aan.

'Sorry, Jessie. Afhankelijk van wat de advocaten ons vertellen, moet je misschien worden geschorst.'

Jessie bracht een paar blikjes bier mee voor Mark Ward, plus een boek om ze achter te verbergen. Een zoenoffer. Ze voelde zich onverklaarbaar zenuwachtig toen ze naar zijn bed liep, waarbij ze andere slachtoffers van auto-ongelukken passeerde. Degenen die er nog licht vanaf waren gekomen. Mark trok zijn kamerjas om zich heen om de ziekenhuispyjama te verbergen. Waardigheid was iets moeilijks in die open ziekenhuiszalen. De linkerkant van zijn gezicht vertoonde een enorme blauwe plek en zijn schouder was verbonden.

'Typisch zo'n stomme smeris,' zei Mark. 'Geen autogordel.'

Jessie merkte dat het hem moeite kostte om te praten. 'Ik hoop dat je van geschiedenis houdt,' zei ze, en gaf hem de tas. Mark gluurde erin. Toen hij weer opkeek, glimlachte hij. 'Je weet blijkbaar heel goed wat mijn smaak is.'

'Beter dan je denkt, inspecteur Ward.' Jessie ging op de lage, harde bezoekersstoel zitten en wachtte tot Mark zou uitleggen waarom hij haar had laten komen. Hij zag er moe uit. Waarschijnlijk de shock. Hij stak zijn hand uit, pakte drie enveloppen van dun karton van het tafeltje naast zijn bed en overhandigde ze haar zwijgend. De eerste gedachte die door haar hoofd flitste, was omkoping. Ze opende voorzichtig de eerste enveloppe en trok er een foto op A4-formaat uit. Ze probeerde Marks gezichtsuitdrukking te peilen voordat ze de foto omdraaide. Het was dezelfde foto die Tarek haar had laten zien. Verity Shore en Christopher Cadell in elkaar verstrengeld in de lobby van een hotel

'Weet je wie dit is?'

'Ja,' antwoordde Jessie. 'Christopher Cadell en ik heb hem al ondervraagd. Hoe kom je hieraan?'

'Gevonden in Alistair Gunners slaapkamer. Samen met alle andere. Het ziet ernaar uit dat die vent geobsedeerd is door zijn vader en door de moorden. Dat zou één en dezelfde obsessie kunnen zijn, vind je niet?'

'Maar dat wil nog niet zeggen dat een van beiden er direct bij is betrokken. Welke jongen is niet nieuwsgierig naar zijn afwezige vader, des te meer wanneer het een beruchte gangster is? En het zijn de moorden die Ray's naam tot een begrip hebben gemaakt.'

'St. Giles is erbij betrokken,' zei Mark. 'Het bewijsmateriaal ligt recht voor je neus.'

Jessie maakte de andere enveloppen open en bladerde langzaam door de foto's en krantenknipsels. 'We hebben een aanwijzing over de persoon die P.J. Dean scheldbrieven stuurde over zijn vrouw...'

'Ray heeft twee vrouwen vermoord voordat hij Trevor Mills doodschoot. De Londense politie heeft de zaak verknoeid en een of andere vrachtautochauffeur de moord in de schoenen geschoven, maar het was Ray. Hij heeft die vrouwen doodgeslagen en in brand gestoken. Hij is een moordenaar. P.J. Dean is een onnnozele zak uit Manchester. Je moet een bepaald type mens zijn om te moorden.'

'Ik geloof ook niet dat hij het heeft gedaan, maar hij zou de katalysator kunnen zijn.' Jessie keek naar de foto van Cary Conrad en trok een grimas.

'De politie zei dat die trekker zomaar de weg op rolde, ze zeiden dat er niemand op zat – een idioot ongeluk. Hoe groot is die kans, denk je, inspecteur Driver?'

'Wist Ray dat je naar dat dorp ging?'

'Kijk eens naar die foto's. Ray weet verdomme alles. Waar denk je dat Irene is – met vakantie soms? Ze heeft nog nooit een dag gemist in die kapsalon. Toe nou, Jessie. Houd op met die Don Juan te achtervolgen en doe iets. Ik dacht dat je blij zou zijn. Je had gelijk: Ray St. Giles is er tot zijn nek bij betrokken.'

Hij wist precies hoe hij het mes in de wond moest draaien. Wat hij niet wist, was dat ze zich onmogelijk nog ellendiger kon voelen. Ze keek hem aan. 'Wat moet ik met Clare?'

'Laat het lichaam opgraven, neem DNA-monsters. Die zullen bewijzen dat ze aan elkaar verwant zijn. Ze hoeft niet te weten dat ze minder nauw verwant zijn dan ze denkt. Dan is iedereen uiteindelijk tevreden.'

Jessie keek naar de laatste foto. Van Cosima Broome die een andere vrouw omhelsde. 'Shit!'

'Wat is er?'

'Lady Cosima Broome. De vrouw aan wie de punter behoorde. Ze wordt vermist.'

Mark leunde achterover tegen zijn kussen. 'Ze is dood.'

'Verdomme.' Jessie stond op.

Waar ga je heen?'

'Naar Haverbrook Hall. Ik denk dat ze daar is.'

'En Ray?'

'Ik zal de bewaking aanscherpen. Weet je, misschien haat Alistair zijn vader wel. Ray heeft hem ten slotte in de steek gelaten. Misschien zou Alistair het prima vinden als zijn vader weer achter de tralies belandde. Misschien kan hij ons helpen.'

'Dat betwijfel ik. Twee handen op een buik en dergelijke.' Mark haalde het boek te voorschijn dat Jessie voor hem had meegebracht. 'Ray heeft er jaren over gedaan om zijn reputatie op te bouwen en dat laat hij heus niet verpesten door een of andere onbenullige wereldverbeteraar van een zoon van hem.' Hij draaide het boek om. Daar stond een foto van vrouwe Henrietta Cadell die poseerde voor een schoorsteenmantel uit de jaren dertig. Het ding stond vol met foto's van haar dierbare zoon.

'Cadell? Familie van die kerel die Verity Shore naaide?'

'Zijn vrouw. Hij was het hele weekend dronken in zijn club.'

'Toch is het vreemd.'

'Hoe bedoel je?'

'*Isabella van Frankrijk.*' Jessie staarde hem niet-begrijpend aan. 'Werd Eve Wirrel niet dood aangetroffen in de Isabella Plantation?'

'Oh God, dit wordt te verwarrend. Ze zijn allemaal met elkaar naar bed geweest.'

'Beroemdheden zijn heel kieskeurig.'

'Ik denk dat je incestueus bedoelt,' antwoordde Jessie, en bestudeerde de achterkant van vrouwe Henrietta's biografie.

Terwijl Jessie wachtte op Niaz die de auto haalde, belde ze Sally Grimes. Ze besefte dat ze veel van de patholoog vroeg, maar ze wilde Sally's kritische blik. Sally gaf echter niet toe. 'Je hebt zelfs nog geen lijk.'

'Ze is dood,' zei Jessie. 'Dat weet ik.'

'Vertrouw dan op je eigen oordeel.'

'Maar...'

'Jessie,' zei ze streng. 'Ik heb je niets verteld en ik heb je nergens attent op gemaakt wat je niet zelf al had ontdekt. Bel me maar als je iets vreemds tegenkomt.'

'Mocht je nog van gedachten veranderen,' antwoordde Jessie, 'het lijk ligt bij Haverbrook Hall, buiten Oxford.'

'Het is griepseizoen,' zei Sally. 'We moeten de lichamen nu al opstapelen.'

'Weet je zeker dat ik je niet kan verleiden?'

'Sorry, veel te veel...' Sally zweeg even. 'Je weet wel.'

Jessie wist het. Gezichten die van de huid moesten worden ontdaan, lippen die opgetild moesten worden en tanden die moesten worden verwijderd. Menselijk afval dat moest worden gewogen.

'Veel geluk,' zei Sally voordat ze ophing. 'Ik hoop dat je dat meisje levend terugvindt.'

Het eerste wat Jessie opviel aan Haverbrook Hall was dat er geen gracht was, geen meer en geen rivier. Het was een droog stuk land, hoog op een heuvel in Oxfordshire. Een punter had hier weinig nut. De familie had het land op karakteristieke wijze verkregen door allerlei misdadige praktijken en een ratjetoe van onwettige nakomelingen en koninklijke affaires. Net als de Fitz in Fitz-Williams. Jessie had er geen goed gevoel over. En toen viel haar oog op de politie. Er stonden minstens vijf plaatselijke agenten. Ze stuurde Niaz erheen om een paar details te weten te komen.

Toen ze de stationwagen van de begrafenisondernemer in het oog kreeg, wist Jessie zeker dat Cosima Broome dood was en waarschijnlijk al een poosje. Ze vervloekte zichzelf omdat ze te traag was geweest. Er stonden ook nog andere auto's: een oude Rolls Royce en een zilverkleurige Audi met een embleem van een 'gevaarlijke' fazant op de motorkap. Ze keek om naar het huis. De voordeur stond open. Jessie besloot dat ze niet kon wachten. Ze was net op weg door de zuilengang toen Niaz haar inhaalde.

'Het lichaam is gevonden in het Wendy-huisje,' fluisterde hij.

'Het wat?'

'Een klein, prieelachtig tuinhuisje voor kinderen.'

'Het Wendy-huisje?' herhaalde Jessie.

'Misschien is er een verband met Peter Pan.'

'Met Cosima?'

'Nee, met die naam. Wendy.'

'Waar heb je het over, Niaz?'

'Nooit groot hoeven worden, eeuwig een kind blijven.'

'Ssttt.' Jessie hoorde een getinkel van ijs tegen glas en glas tegen zilver. Van achter een dubbele deur kwam het geluid van een huilende vrouw. Jessie klopte zachtjes aan en duwde de deur open. Coral Lennox-Broome keek op naar Jessie. Haar wangen waren besmeurd met blauwzwarte tranen. Haar slanke gestalte was gekleed in een zwarte wollen jurk en kniehoge laarzen. Brede zilveren armbanden sierden haar beide polsen. Ze was een aantrekkelijke vrouw. En waarschijnlijk had ze er stralend uitgezien tot het lichaam werd gevonden.

'Wie bent u?' snufte ze.

'Inspecteur Driver. We hebben elkaar aan de telefoon gesproken. Het spijt me heel erg...'

'U wist dat dit zou gebeuren,' zei de vrouw. 'Waarom hebt u me niet gezegd dat het serieus was!'

'Ik heb geprobeerd...'

'Nee, dat hebt u niet. U hebt me niet verteld wat er aan de hand was, u zei niet dat ze...'

'Dat ze wat?'

Coral zette het kristallen glas zonder voet aan haar mond en dronk. Wanhopig. Op dezelfde manier als Christopher Cadell dronk.

'Ik geloof niet dat ik degene ben die dingen heeft achtergehouden,' zei Jessie kalm. Een secondelang zag de vrouw eruit of ze zou exploderen van verontwaardiging, maar in plaats daarvan zakte ze ineen.

'U hebt er geen van idee hoe het is. Dat zou ik u niet kunnen uitleggen.'

'Wat zou u me niet kunnen uitleggen?'

De deur achter haar kraakte open. Coral deinsde weg van haar man. Jessie stelde zich voor.

'Ik ben bang dat u gelijk had. Ze was in een ontwenningskliniek geweest, maar dat had geen resultaat. Ik vind het moeilijk over deze dingen te praten.'

'Wat is er gebeurd?'

'Ze was dronken en raakte buiten bewustzijn in het Wendy-huisje. Het was heel koud. Onderkoeling, zo heet dat geloof ik.'

Jessie keek hoe Coral de gekoelde wodka dronk als water.

'Het is geen geheim dat Cosima en ik geen....' Hij struikelde over de woorden. 'Ik heb haar nooit begrepen, ziet u. Maar ik wilde niet dat ze zo zou eindigen.'

'Dit hoeft niet Cosima's schuld te zijn, meneer. Die andere vrouwen over wie ik u heb verteld werden vermoord omdat iemand wist wat er zich achter de schermen afspeelde.'

'Dit heeft niets te maken met die andere mensen! Het is mijn dochter over wie u praat. Het was een ongeluk.'

'Ik wil haar graag zien,' antwoordde Jessie.

'De dokter heeft dat allemaal al gedaan. En de politie,' zei burggravin Lennox-Broome.

'Toch wil ik haar zelf even zien.' Ze wees naar de tuindeuren. 'Kom ik zo in de tuin?'

'Ja,' zei Coral. 'Volgt u het pad linksom.' Zodra de woorden haar lippen hadden verlaten, keerde ze terug naar haar wodka.

Jessie legde haar hand op de deurknop.

'Dit is een privé-kwestie,' protesteerde de burggraaf opnieuw.

'In deze eeuw niet, meneer.'

De dokter en de plaatselijke rechercheur schrokken toen ze opdook. En dat werd er niet beter op toen ze haar politiepasje te voorschijn haalde en hun meedeelde dat Cosima al een poosje op haar lijst van vermiste personen stond. De burggraaf had hun blijkbaar niets over haar telefoontje verteld. Jessie vroeg zich af wat hij wel had gezegd. Cosima lag opgekruld onder een deken. Jessie kon ruiken dat ze al enkele dagen dood was. In een hoek van het houten hutje stond een kist met croquethamers en tegen de wand leunden de metalen poortjes – witgeschilderd met scherpe, roestige uiteinden. De laag stof was enkele winters dik. Er bevond zich geen meubilair in het huisje, alleen spinnenwebben en het geraamte van een onthoofde muis. Het werk van een uil. Het enige spoor van leven in het Wendy-huisje was het paadje in het stof van de deur naar het lichaam, uitgesleten door de schoenzolen van haar in en uit lopende familie. Al dat komen en gaan bevestigde Jessies vermoedens alleen maar. Ze boog zich voorover om de grijze wollen deken terug te slaan. Cosima was naakt. Er waren afdrukken zichtbaar rond haar polsen en haar voeten waren zwart en opgezwollen. Haar dijslagader was echter niet doorgesneden. Jessie liet zich op haar knieën zakken.

'Ze had flink gedronken,' zei de dokter. 'Kijkt u maar naar de rode wijnvlekken...'

'Bent u patholoog?'

'Nee.'

'Hoe kunt u daar dan zeker van zijn?' vroeg Jessie, en ging dicht naast het lijk op haar hurken zitten.

'Ik ben een zeer...'

Ze wuifde zijn woorden weg. 'Ja, ongetwijfeld een zeer goede vriend van de familie. Wat heeft hij u verteld? Drugs? Dat ze drugs gebruikte. En overmatig veel dronk. Dat ze onhandelbaar was. Houd het uit de publiciteit, alsjeblieft, dan ben je een beste kerel.' De dokter deed een stap achteruit. 'Denkt u dat die sporen om haar polsen door haar zelf werden aangebracht? Denkt u dat dit op een ongeluk lijkt?'

'Ze had een voorgeschiedenis van zelfverminking, ze sneed zichzelf heel vaak. Ik heb haar menig keer behandeld.'

'Waarvoor?'

'Sneden, blauwe plekken, brandwonden, van alles.'

'En u hebt zich nooit afgevraagd of die verwondingen wel *zelf*verwondingen waren?'

'Haar vader zou nooit liegen over zoiets...' Zijn stem stierf weg. 'Hij is een eerbiedwaardig man.'

'Wat zei Cosima erover?'

'Dat ze' – hij kuchte in zijn zakdoek – 'het verdiende. Ze haatte zichzelf, ziet u.'

Jessie keek de man aan. 'Wat ziet u hier werkelijk?' Ze wachtte even. 'En denkt u deze keer na voordat u antwoord geeft.'

'Ze werd dronken, verloor haar bewustzijn en stierf aan onderkoeling.'

'Fout.'

'Ongewilde overdosis van drugs.'

'Weer fout.'

'Positionele verstikkingsdood?'

'Hier?'

'Ja.'

'Nee, dokter, niet hier.'

'Waar dan?' vroeg hij uitdagend.

'Dat weet ik niet. Maar in elk geval niet in dit stomme Wendy-huisje hier, dat weet ik wel.' Jessie kwam overeind.

'Ze dronk. Haar gedrag liep totaal uit de hand,' hield de dokter vol.

'Ik denk het niet. Niaz, bewaak deze plek en laat niemand binnen, behalve mij. U gaat met mij naar het huis, dokter. Er zijn een paar inconsequenties die ik graag opgehelderd wil zien.'

'Ik moet eigenlijk...'

'Ik geloof niet dat ik alstublieft heb gezegd, dokter.'

Hij volgde haar over het drijfnatte gazon, haar leren laarzen wegglibberend op het slappe gras. Ze was blij toen ze weer op het stenen pad stond. Aan weerszijden van het pad bevonden zich bedden met verschillend gekleurde heidesoorten, netjes in vorm gesnoeid en goed verzorgd. Een perfect landhuis. Jessie keerde terug naar de salon. Coral had een sigaret opgestoken. De stem van haar echtgenoot klonk door van achter een andere eikenhouten deur.

'Vraagt u alstublieft of uw man zich bij ons voegt,' zei Jessie. Door haar roodbehuilde ogen leek Coral nog het meest op een konijn dat gevangenzat in de koplampen van een naderende auto. Een ziek konijn. Ziek en bang. Coral kwam alleen terug en dus liep Jessie door naar de werkkamer, ging naar de telefoon, verbrak de verbinding en keerde terug naar de salon. Hij was woedend.

'Ik heb meer dan genoeg van uw...'

'Waarom hebt u het lichaam van uw dochter verplaatst?' zei ze.

Coral gaf onwillekeurig een kreet.

'U maakt mijn vrouw overstuur,' blafte de burggraaf.

'Niet zo erg als ik zal doen als u nu niet begint me de waarheid te vertellen.'

'Coral heeft haar vanochtend gevonden. Ze heeft het zich heel erg aangetrokken.'

Jessie wendde zich tot Coral. 'Klopt dat?'

Coral knikte, maar zei niets. Ze draaide zenuwachtig aan de brede zilveren armband om haar pols.

'In het Wendy-huisje?'

'Natuurlijk in het Wendy-huisje,' antwoordde hij voor haar.

'Ik heb het niet tegen u,' zei Jessie, zonder de man aan te kijken. 'Burggravin?'

Ze knikte weer. 'Zegt u maar Coral.'

'Waarom bent u naar het Wendy-huisje gegaan?'

Coral keek naar haar man.

'Ze ging met de honden wandelen.'

Nu wendde Jessie zich tot de oudere man. 'Houd op met liegen. Uw dochter werd ergens opgehangen. Het bloed verzamelde zich in haar benen en voeten – *iedere* arts had u dat kunnen vertellen.' Ze voelde de dokter in elkaar krimpen zonder naar hem te kijken. 'U kunt dit niet in de doofpot stoppen. Dit is niet weer een of ander klein schandaaltje dat u onder de pet kunt houden.'

Hij reageerde niet op het feit dat Jessie het woord 'weer' gebruikte.

'Cosima had sporen op haar polsen.'

'Mijn dochter deed al lang aan zelfverminking. Voor de laatste keer, mijn vrouw vond haar in het Wendy-huisje,' verklaarde Geoffrey Lennox-Broome. Langzaam en nadrukkelijk.

'Ik zal u nog één kans geven. We nemen het lichaam mee voor een autopsie. Daardoor kunnen we bepalen hoe en in welke houding ze is gestorven. Ik weet nu al wat het resultaat van dat onderzoek *niet* zal zijn. Het zal niet zijn dat uw dochter stierf aan onderkoeling op de vloer van een ongebruikt tuinhuisje nadat ze bewusteloos was geraakt door een overmaat aan alcohol. Daarna kom ik hier terug met een arrestatiebevel. Het is een misdrijf om de rechtsgang te belemmeren en het kan me geen donder schelen over hoeveel invloedrijke rechters u denkt te kunnen beschikken in uw herensociëteit. Ik zal niet rusten totdat het recht zijn loop heeft.'

'U hoort wel van mijn advocaat,' blafte hij terug.

'Uw dochter werd vermoord. Hier. Op dit terrein.'

'Mijn dochter stierf na een drankorgie in het Wendy-huisje.'

'En waarom zou uw dochter in het holst van de nacht naakt in een vuil, leegstaand tuinhuisje kruipen?'

De burggraaf keek met een blik vol minachting naar zijn vrouw.

'Mijn dochter deed een hoop dingen die ik niet begreep.'

De deur van de salon ging open. Jessie keerde zich boos om. Sally Grimes stond in de deuropening met een plastic flacon in haar hand.

'Sally!' riep Jessie uit, opgelucht een bevriende ziel te zien. 'Hoe ben je...?'

'Ik ben van gedachten veranderd.'

'Heb je het lichaam gezien?'

'Ja. Lady Cosima Lennox-Broome is verdronken,' verklaarde Sally.

'Verdronken?' klonk het gelijktijdig uit meerdere monden.

'Waar? Er is hier geen meer,' zei Jessie.

'Niet waar. Waarin.'

'Wat?'

'Het spijt me u dit te moeten vertellen, meneer, maar uw dochter is verdronken in alcohol. Ik heb ter plekke een test gedaan die we ook gebruiken bij verkeersongelukken. De hoeveelheid alcohol in het bloed van uw dochter was zo hoog, dat de apparatuur het niet meer kon meten.'

Jessies ogen gingen wijd open. Ze wist wat dat betekende.

'Het is onmogelijk zoveel te drinken en bij bewustzijn te blijven,' zei Sally.

'Wat bedoelt u?' vroeg Coral, terwijl ze naar Sally toe liep en haar ogen door de wodka-nevel heen scherpstelde met door adrenaline opgewekte helderheid.

'Ze bedoelt,' zei Jessie, 'dat Cosima werd gedwongen zoveel alcohol te drinken dat het in haar aderen terechtkwam.'

'Alleen al een dergelijke hoeveelheid extra vocht in het lichaam zou haar hersenen hebben laten opzwellen en daar zou ze aan zijn gestorven,' vervolgde Sally, 'maar daarnaast werden haar voetzolen ook nog eens ingesneden, zodat ze bloed verloor. Het weinige bloed dat in haar systeem achterbleef, kon de zuurstof niet naar haar hersenen vervoeren en dus verdronk ze.'

'Ga zitten, Coral,' zei de burggraaf vastberaden.

Jessie hield haar blik gericht op de ineens veel ouder lijkende blondine. 'Het enige wat je nodig hebt, is een plastic slang, een trechter en een grote hoeveelheid alcohol – wijn bijvoorbeeld,' zei ze, en pakte Corals arm terwijl ze langs haar liep. 'Oh, en een plek om haar vast te binden.'

'Blijf met uw handen van mijn vrouw af,' schreeuwde Lennox-Broome.

'Zoiets als een kelder,' zei Jessie. 'Stel u eens voor hoe bang ze moet zijn geweest. Vastgebonden, terwijl er alcohol door haar keel werd gegoten... Ze moet hebben overgegeven en geplast.' Jessie liet Corals arm vallen. 'Maar dat weet u allemaal al, u hebt haar gevonden. Nu wil ik graag uw kelder zien.'

'We hebben geen kelder.'

'Ja, die hebt u wel. Ik heb de ramen gezien door het rooster in de grond. Als u nog eens tegen me liegt, meneer, dan arresteer ik u wegens belemmering van de rechtsgang. Dit is een moordonderzoek. En laat me nu uw kelder zien.'

Jessie, Sally en Niaz volgden het echtpaar naar de ondergrondse ruimte van het huis. De dokter had ervoor gekozen in de buurt van de drankenkast te blijven. Een primitieve, vochtige gang strekte zich in de duisternis uit over de hele lengte van het huis. De geur van alcohol vermengde zich met die van vocht en stof. Het geluid van hun voetstappen werd geheel opgeslokt door de dikke stenen onder hun voeten. Langs de centrale gang bevonden zich smalle, boogvormige doorgangen naar van bakstenen opgebouwde ruimtes. Die aan de rechterkant hadden vuile raampjes naar de buitenwereld boven, die aan de linkerkant niet. Een paar kale gloeilampen verspreidden een bleek oranje licht, maar het metselwerk scheen het zwakke schijnsel op te zuigen, net zoals het het geluid van hun voetstappen had geabsorbeerd. Het was een lugubere plek, dacht Jessie. Geen plek om te sterven.

Ze controleerden alle ruimtes. Jessie liet haar zaklantaarn in de donkere hoeken schijnen en langs alle gewelfde plafonds glijden. De meeste waren gevuld met wijn, rij na rij van koude, dofgroene flessen. Langs elke fles had zich in de lengte een dunne streep metselstof verzameld. Sommige etiketten waren verdroogd, gescheurd en afgevallen. Als Jessie de welgedane man niet had opgedragen zijn mond te houden, hadden ze de volledige sommelierstour gekregen. Deze collectie gealcoholiseerd vruchtensap was zijn trots en zijn glorie, jammer dat hij niet een soortgelijke interesse voor zijn dochter had gehad. Zo bereikten ze het eind van de gang.

'Is dat alles?' vroeg Jessie. Ze dacht aan de deur naar Eve Wirrels geheime atelier en aan de deur in de tuinmuur bij het huis van P.J. Dean. 'En voordat u antwoord geeft, moet u weten dat ik op de hoogte ben van het bestaan van een verborgen ingang. Ik weet niet waar die is, maar ik zal hem vinden. U wilt vast niet dat de politie overal door uw huis kruipt, nietwaar? Denkt u maar eens aan de krantenkoppen.' Jessie raakte de muur aan. 'Ik schat de lengte van deze gang op zo'n twintig meter, zodat we ons nu onder uw bibliotheek bevinden. Dus achter welk boek zit het knopje? *Lady Chatterley's Lover? Animal Farm? Quatermass and the Pit? Lord Jim? Death in a White Tie...?* Word ik al warm?'

De burggraaf begon bij haar vandaan te lopen. 'Het werd gemaakt als een schuilplaats bij een eventuele invasie.'

Jessie droeg de anderen op te blijven waar ze waren en volgde zijn schallende stem de duisternis in. 'Invasie door wie?'

'Die verrekte protestanten.'

'En waar gebruikt u de ruimte nu voor?'

'Nergens voor.'

'Plotseling dacht ze aan de zwartwitfoto boven Eve Wirrels bed. Vastgeketend, hangend aan een haak, de voeten zwevend boven de grond. 'Weet u dat zeker?'

De burggraaf leidde haar terug de trap op en door het huis naar de bibliotheek. Hij drukte op een verborgen knop en een gedeelte van de boekenkast zwaaide open, zodat een soortgelijke stenen trap zichtbaar werd die omlaag de duisternis in voerde. Jessie liet haar zaklantaarn naar beneden schijnen en stapte op het koude, gladde oppervlak van de treden.

'Er is niets daar beneden,' zei hij vol vertrouwen.

Jessie kon het bleekwater ruiken voordat ze onder aan de trap stond. Het midden van de vloer was vochtig van een desinfecterend middel en donkerder dan het omringende stof. Er zat een afvoergat in de vloer en er hingen haken aan het plafond.

'Voordat er sprake was van de gekkekoeienziekte hingen we hier vlees op.' Jessie wierp hem een ondoorgrondelijke blik toe en begon op de muren te kloppen.

'Wat doet u in jezusnaam?' vroeg hij.

'Deze ruimte zou weinig nut hebben als vluchtroute als er geen uitgang is.'

'Het was een plek voor katholieke priesters om zich te verschuilen.'

Jessie bleef kloppen. 'Sally? Niaz? Kunnen jullie me horen?' Geen antwoord. Ze wendde zich weer tot Cosima's onbegrijpelijke vader. 'U hebt essentieel bewijsmateriaal vernietigd door deze kamer schoon te maken.' En toen drong het tot haar door. De moordenaar wist dat dat zou gebeuren. Daarom waren die registratieletters op de boot gelaten. Het was allemaal een deel van het spel. 'De moordenaar vertrouwde erop dat u dat ook zou doen, want hij wist dat alle bewijzen door dat afvoerputje zouden wegspoelen, samen met uw smerige gewoontes en uw schuld. Wilt u niet dat de moordenaar van uw dochter wordt gepakt?'

'Ik heb geen idee waar u het over hebt.'

Jessie hoorde een geluid links van haar. De gemetselde muur begon te bewegen en plotseling glipte Coral door de nauwe opening en voegde zich bij hen. Eenmaal binnen bleef ze naar de haken in het plafond staan staren.

'Wat denk je verdomme dat je aan het doen bent, Coral?'

'Hier hebben we Cosima gevonden, hangend aan die haken,' zei ze zachtjes.

'We?'

'Houd je mond, Coral! Houd nu je mond, stom mens. Jullie zijn allemaal hetzelfde!'

'Wie? Wie zijn allemaal hetzelfde, meneer? Vrouwen?' Ze keerde zich tot zijn nu trillende echtgenote. 'Wat deden jullie hier beneden, Coral?'

Er volgde een lange, gespannen stilte voordat ze antwoord gaf. 'We zochten naar Cosima,' zei ze ten slotte en begon te huilen. Jessie wilde haar arm om haar heen slaan, maar iets trok haar aandacht en in plaats daarvan tilde ze Corals arm zachtjes op.

'Laat mijn vrouw los!'

Jessie pakte de glanzende zilveren armband om Corals pols en drukte op het openingsmechanisme. Het ding sprong los.

'Ga weg van die vrouw, Coral. We hangen hier vlees op.'

'Vlees?'

Coral was slap geworden, haar kracht was in de stenen vloer gesijpeld, samen met het licht, het geluid en Cosima's bloed en braaksel. Jessie klikte de andere armband los en hield beide polsen in het zwakke lichtschijnsel. De rauwe verwondingen tekenden zich agressief af tegen de albastkleurige huid van haar smalle polsen.

'Met wat voor pervers soort strafoefeningen houdt u zich bezig?'

'Ik weet niet waar u het over hebt. Mijn vrouw heeft haar polsen verwond bij het paardrijden. De teugels striemden haar polsen – nietwaar, schat?'

Jessie legde Corals arm in Sally Grimes' hand. Sally bestudeerde de verwondingen.

'Exact hetzelfde als de sporen op Cosima's armen.'

'Wat hebt u gedaan met de kettingen en de handboeien? Waar zijn de slang, de trechter en de wijnflessen? Welke wijn was het?' Jessie liep terug door de smalle doorgang en begon de namen op de houten kratten te lezen. 'La Baunaudine '63 Châteauneuf-du-Pape? St. Emilion... Rothschild's '52 Bordeaux?' Ze pakte een fles uit een rek en liep ermee terug naar de geheime kamer. 'Chateau Lafite '51? Het zal allemaal aan het licht komen bij de autopsie.'

'Die schoft heeft twee kratten superieure Don Perignon door Cosima's keel gegoten. Vierenveertigduizend pond aan champagne!'

'Jij bent de schoft!' schreeuwde Coral. 'Cosima is dood en het enige waar jij aan denkt is die stomme wijn van je!'

'In tegenstelling tot mijn stomme vrouw!'

'Niaz, neem hem mee en laat de technische recherche komen. We moeten Cosima's auto vinden. Daarin heeft de moordenaar haar waarschijnlijk hierheen gereden.' Ze wendde zich tot Coral. 'Vertel me nu alstublieft dat u nog steeds hebt wat u hier beneden hebt gevonden.'

Ze schudde haar hoofd. 'Ik moest alles van hem verbranden.'

'Maar dat hebt u niet gedaan, toch?'

Weer schudde ze haar hoofd en snikte: 'Ik heb haar jurk bewaard.'

'Mooi. Waar is die?'

Coral staarde naar de haken in het plafond.

'Coral?'

Coral bleef haar hoofd schudden, beelden van afschuwelijke, onbekende dingen gleden langs haar ogen.

Jessie pakte de vrouw bij haar schouders. 'Wat heeft zich hier afgespeeld?'

'Kleine meisjes moeten zoet zijn,' fluisterde Coral en keek naar Jessie. 'Geoffrey houdt niet van stoute kleine meisjes. Arme Cosima, arme lieve, mooie Cosima... Ik hield van haar. Ze wilde dat die mannen van haar hielden, maar voor hen was ze niet meer dan een verovering. Haar vader heeft nooit van haar gehouden. Hij wilde een jongen, uiteraard, en dus werd Cosima al gestraft voor het feit dat ze bestond. Rennen door de gang, vallen, te langzaam eten, te snel eten. Toen ontdekte ze de verwondingen op mijn polsen en alles kwam uit. Als zij er niet was geweest, had ik zelfmoord gepleegd. Ik hield oprecht van haar en zij van mij.'

Jessie haalde de foto te voorschijn van Cosima en de vrouw van wie ze nu wist dat het Coral was. 'Wilt u me over Ray St. Giles vertellen?'

Ze huiverde. 'Hij wilde Cosima in dat afschuwelijke programma van hem.'

'En wat gebeurde er?'

'We weigerden. En nu is Cosima dood. Zorg dat u hem te pakken krijgt. Grijp die schoft die dit heeft gedaan.'

'Kunt u instaan voor uw echtgenoot?' vroeg Jessie.

'Helaas wel, ja.'

Jessie bracht Coral naar boven, de stenen trap op, en wachtte tot ze de jurk van het dode meisje had gehaald. 'Mensen benijdden haar. Is dat niet ironisch?'

'Vertel me eens, heeft Cosima ooit doodsbedreigingen of scheldbrieven ontvangen?'

'Nee, nooit. Alleen maar eindeloos veel huwelijksaanzoeken. Daar lachte ze om.'

Coral staarde naar Cosima's besmeurde jurk: Chloe. 'Toen ik nog verpleegster was, las ik alle glossy tijdschriften. Het leek me zo heerlijk – de glamour, de feestjes, de beroemde mensen. Maar dat is niet zo. Het is eenzaam en destructief en het enige wat erger is dan ermee doorgaan, is teruggaan. Onbekendheid is angstaanjagender dan eenzaamheid.'

Er stonden vier auto's geparkeerd voor het roestige ijzeren hek van de begraafplaats van Woolwich. Het was enkele minuten voor zonsopgang. Het zuidoosten van Londen was spookachtig stil. Het licht van hun zaklantaarns scheen op het dikke, wollige onkruid dat in pollen om de voet van afbrokkelende stenen pilaren groeide. Ooit majestueus, maar nu niet meer.

Jessie liep zwijgend naast Clare Mills. Een kind uit de grond opgraven terwijl dat kind eigenlijk een man van haar eigen leeftijd had moeten zijn, maakte Jessie treurig. De tijd staat voor niemand stil. Behalve voor de doden. Schoppen en spades zouden deze jongen terugbrengen in de wereld van de levenden, twintig jaar te laat. Jessie legde haar arm zachtjes om Clares schouders terwijl ze naar de draagbare lampen liepen. Drie potige kerels leunden tegen hun spades en keken naar hen, naast een anderhalve meter hoge berg aarde die was uitgegraven en verborgen onder een deken van felgroen kunstgras. Jones tuurde in het gat. Het hout was goed bewaard gebleven, de kist was nog intact. Jones gaf de vier mensen van de begrafenisonderneming een teken om naar voren te komen. De arbeiders wilden de kist niet aanraken. Deze kleine jongen had dood meer macht dan levend, bedacht Jessie en keek toe hoe de mannen met hun spades op respectabele afstand gingen staan en buitenlandse sigaretten opstaken. Clare hijgde toen ze de kist zag.

'Wat is hij klein,' zei ze. En dat was ook zo. IJzingwekkend klein.

'Misschien kun je beter de andere kant op kijken, Clare,' zei

Jones toen de begrafenisondernemer zijn gereedschap pakte om de deksel open te maken.

'Nee. Ik blijf hier. Bij Frank.'

Jones wierp Jessie een bezorgde blik toe. Jessie pakte Clares arm. Ze stond klaar om Clare op te vangen wanneer de deksel openging en ze haar broer voor de eerste keer zou zien sinds ze acht jaar oud was. Er stond een genealoog klaar. Hij zou de benodigde monsters nemen om die te vergelijken met de monsters die Clare al aan het laboratorium had afgestaan. Het lichaam zou direct na het nemen van de monsters opnieuw worden begraven. Teruggegeven aan de eeuwige rust.

Iedereen deed een stap naderbij toen de begrafenisondernemer zich vooroverboog naast de kist en ze deden onwillekeurig weer een stap achteruit toen het hout openkraakte. Hij keek omhoog naar Clare. Clare knikte en daarop tilde de man de deksel op. Iedereen staarde naar de inhoud van het kinderkistje.

Stenen. Drie grote keien.

De mannen van de begrafenisonderneming hapten allemaal tegelijk naar lucht. Jessie bleef vol ongeloof naar de keien staren. Jones probeerde Clare weg te trekken, maar ze viel op haar knieën en begon te bidden. 'Dank U, dank U, God...'

'Wat betekent dit, inspecteur?' vroeg de begrafenisondernemer.

'Hij leeft nog,' verklaarde Clare met haar blik gefixeerd op het kistje.

Dat hoeft niet, dacht Jessie. Ze wisten niet eens zeker of Gareth Blake Frank was.

'Ik wil dat dit onmiddellijk wordt uitgezocht,' zei Jones kwaad. Hij hield niet van verrassingen.

'Het was toch mijn Frank niet. Hij loopt ergens rond en wacht op mij.'

Jessie stak haar arm door die van Clare en trok haar overeind. Ze wist niet wat die keien betekenden, maar ze wist wel dat het niet veel goeds was.

'Denk je ook niet? Dit is een goed teken, nietwaar, inspecteur? Hij leeft toch nog?'

'Clare...'

Jones viel haar in de rede. 'We hebben meer informatie nodig voordat we er iets over kunnen zeggen.'

'Wat denkt u dat er met Gareth Blake is gebeurd?' De vraag zweefde tussen de verzamelde groep, maar niemand gaf antwoord, want niemand kon een goede reden bedenken waarom iemand de dood van een kind zou voorwenden en stenen zou begraven in plaats van zijn lichaam. Clare barstte plotseling in snikken uit. 'Oh God, nee, ze hebben hem ontvoerd, nietwaar...?'

'Wie heeft hem ontvoerd, Clare?' vroeg Jones vriendelijk.

'Ze deugden allemaal niet,' zei Clare. 'Als ze Gareth Blake konden ontvoeren, dan kunnen ze mijn Frank ook hebben ontvoerd. Ze waren te jong om zich te verdedigen...' Ze richtte zich in haar volle lengte op. 'Nee, zo wil ik niet denken. U moet hem vinden. Zoals u me hebt beloofd.'

Clare begon weg te lopen.

'Laat me met je meegaan, Clare. Het is nog donker.'

'Kan ik een zaklantaarn lenen? Mijn moeder ligt hier ook begraven. Geef me een paar minuten, laat me maar even, het is alleen...'

'Het spijt me, Clare.'

Clare beet op de huid rond haar vingernagel. 'Dat hoeft niet. Botten waren erger geweest.'

Ze keken Clare na toen ze wegliep tussen de afgebrokkelde grafstenen die oplichtten in het schijnsel van de zaklantaarn. Kleur was schaars, weinig bezoekers lieten hier bloemen achter. Jessie leunde over naar het oor van Jones. 'Ray St. Giles. Mark heeft gelijk, dat is de enige verklaring.'

Jones leek voor haar ogen te verouderen. 'Mis. Er is nog een andere verklaring, maar die is te angstaanjagend om zelfs maar aan te denken.' Hij richtte zich op. 'Frank en Gareth kunnen de top van de ijsberg blijken te zijn. Als er nog anderen zijn, hebben we misschien een tot nu toe onontdekte kring van kinderpornografie blootgelegd. In dat geval moeten we ons grote zorgen maken, want geen enkel slachtoffer heeft zich gemeld met een klacht tegen de politie. En dat kan slechts één ding betekenen...'

Jessie keek treurig naar de drie stenen. 'Dat ze allemaal dood zijn,' zei ze.

Misschien waren beenderen toch beter geweest.

Jessie liet de kleine kist en de grote mannen waar ze waren en volgde Clare langs het pad. Het was stilletjes aan licht geworden. Vanaf de top van de heuvel kon ze Clare zien knielen bij een marmeren kruis. Het stak wit af tegen het allesoverheersende grijs van de rest van de begraafplaats. Clare huilde. Ze tilde een verdroogde bos rozen op, zodat de vuilgele bloemblaadjes van de stengels dwarrelden.

'Ze is niet geweest,' zei Clare. 'Irene is niet geweest. Dat is nog nooit eerder gebeurd, nog nooit.'

'Kom Clare, laat me je naar huis brengen, het is een moeilijke ochtend geweest.'

'Maar waar is ze dan? Ik kan haar niet ook nog verliezen, niet Irene,' snikte ze.

'Deze dingen rakelen oude herinneringen op. Waarschijnlijk had ze even een pauze nodig, even tijd om na te denken.'

Clare bleef naar de dode gele rozen staren.

'En wat jij zelf betreft,' vervolgde Jessie, 'de meeste mensen zouden jaren geleden al zijn bezweken. Je bent sterker dan je denkt. Indrukwekkend sterk.'

Clare pakte Jessies hand. 'Dank je.'

'We staan helemaal achter je.'

'Oké,' antwoordde Clare en kwam overeind.

'Kom, laten we nu weggaan en ergens gaan ontbijten. Van vroeg opstaan krijg ik altijd zo'n honger.'

'Oké,' zei Clare weer. Deze keer glimlachte ze. Het was een kleine glimlach. Met drie keien erin.

Pas veel later die dag kwam het rapport van het laboratorium. Terwijl Jessie zich langs Ealing High Road spoedde, staarde ze naar de resultaten. Die waren niet wat ze had verwacht. De IT-expert op het politiebureau had een webnaam getraceerd die een frequent bezoeker bleek te zijn van fan-extremis en andere sites van fans van P.J. Dean. De codenaam was WitTip: W.F. Wit-Tip was toen getraceerd naar een telefoonnummer in Acton. Het nummer van Frances Leonard. Volgens de bevindingen van het laboratorium was de sigaret die Niaz buiten haar flat had gevonden op de avond dat het boosaardige kruis op haar deur was verschenen echter niet gerookt door Frances Leonard, maar door P.J. Dean.

Toen ze de straat in draaide waar Frances Leonard woonde, had Jessie spijt dat ze Niaz had teruggestuurd naar Haverbrook Hall om toezicht te houden op het uitzoeken van Cosima's eigendommen. Deze doorbraak was helemaal aan hem te danken. Vier politieauto's stopten voor het rijtjeshuis in Acton. Burrows en Fry liepen achterom en zijzelf benaderde het huis met drie geüniformeerde agenten aan de voorkant. Jessie belde aan. Een vrouw van middelbare leeftijd met goedkoop uitziend geblondeerd haar deed de deur open. Ze staarde Jessie aan en glimlachte.

'P.J. heeft een escorte gestuurd,' zei ze. 'Wacht even, ik moet mijn spullen pakken. En ik ben nog niet gekleed, ik heb een speciale uitmonstering, ziet u.'

'Bent u Frances Leonard?'

'Natuurlijk, maar u weet dat toch wel. Kom binnen.' Ze deed de deur wijder open. In de woonkamer domineerde P.J. Dean de muren en vervulde zijn muziek de atmosfeer. Zijn beeltenis was in elke hoek te zien.

'Frances, we moeten u een paar vragen stellen.'

'Ja, dat weet ik. Ik had al eerder naar u toe moeten komen, maar ik wilde dat hij me kwam halen. Ik neem aan dat hij staat te wachten?' Haar ogen schoten heen en weer tussen Jessie en de agenten in uniform.

'Frances, weet u wie ik ben?'

'Inspecteur Driver. Ik heb u op de televisie gezien. Ik wilde het u al eerder vertellen, maar ik durfde niet. Eigenlijk ben ik zo'n bangerik. Hij geeft me zoveel kracht – liefde is iets verbazends.'

'Wat wilde u me vertellen?'

Ze glimlachte speels. 'Spelbreker! Waar is P.J.? Vindt u niet dat ik het het eerst aan hem moet vertellen?' Plotseling kneep ze haar ogen halfdicht en sloeg haar hand voor haar mond. Haar nagels waren finaal afgebeten. 'Is hij boos? Ik vind het vreselijk wanneer hij boos is. Is hij boos? Ja? Vindt hij dat ik het eerder had moeten stoppen? Wel, hij had het moeten stoppen.'

'Wat moeten stoppen?'

'Met die vrouwen naar bed gaan – die slet.' Frances sloeg haar hand weer voor haar mond. 'Sorry, sorry, sorry, sorry. Dat moet ik niet zeggen, nietwaar? Ze zijn dood. Het komt allemaal goed.'

'Waarom vertelt u het niet aan mij, dan vertel ik het aan P.J. Op die manier wordt hij niet boos op u. Dan wordt hij boos op mij. Over u is hij alleen maar tevreden.'

'En mijn mooie jurk dan?'

'Die kunt u gewoon dragen.'

'Oké. Ik zal hem halen. U mag wel meekomen als u wilt.' Burrows volgde Jessie instinctief. 'U niet. Geen mannen. Alleen zij, in haar eentje, het is privé.'

'Chef...'

'Het is wel goed.' Jessie glimlachte tegen Frances. 'Meiden onder elkaar, nietwaar?'

'Chef!'

'Het is goed, Burrows. Blijven jullie allemaal hier wachten.'

Jessie liep achter Frances aan de krakende smalle trap op, door een donkere gang en langs een deur van goedkoop fineer. In de hoek stond een computer aan. Ze zat op fan-extremis.com. Een beeld van Cary Conrad die boven een tank met uitwerpselen hing vulde het scherm.

'Oeps,' zei Frances. 'Wat een smerig mannetje. Ze zeggen hier dat zijn butler hem erin heeft laten zakken. Het touw was nat en de knopen schoten los.' Frances keek naar Jessie. 'Wat een akelige manier om dood te gaan.'

Jessie staarde naar de foto. Geen wonder dat de secretaris was verdwenen. Sommige sensatiebladen zouden veel geld betalen voor die beelden. 'Dat is nog niet bewezen, Frances.'

'Het staat er – daar. Afijn, dit wilde ik aantrekken.' Frances trok een zwarte Armani-jurk met glitterbandjes uit de kast. 'Vindt u die mooi?'

Jessie voelde hoe het zweet haar uitbrak op haar bovenlip. Ze veegde het af met haar mouw. 'Wat wilde u P.J. vertellen, Frances?'

'Dat ik heb gezien wie Verity heeft vermoord natuurlijk.'

'Dat hebt u gezien?'

'Ja. Dat huis in Barnes, daar nam ze haar minnaars mee naartoe. Ik zei al tegen hem dat ze niet goed genoeg was, die slet...' Plotseling zwiepte Frances een foto van de kleine Victoriaanse schoorsteenmantel af. Het ding kwam bij Jessies voeten terecht. Het was een foto van Verity Shore die uit een tijdschrift was geknipt. Ze hing in een laag uitgesneden jurk tegen een grote schoorsteenmantel. Er werd niets aan de verbeelding overgelaten. Jessie raapte de foto op en bestudeerde hem grondig. Die schoorsteenmantel had ze eerder gezien. Op het politiebureau, op een prikbord, hing een foto van Eve Wirrel die bestrooid met as tegen een schoorsteenmantel poseerde. En hier was Verity. Leunend tegen dezelfde schoorsteenmantel. En dat was niet de enige foto

294

die ze had gezien van die opvallende art-decoschoorsteenmantel...

'Denkt u dat ik er eerder iets over had moeten zeggen? Maar P.J. zei ook niets, hij wilde hen kwijt. Dat weet ik, dat heeft hij me zelf verteld. Hij heeft ze voor mij geschreven, weet u. Stuk voor stuk.'

'Wat hebt u gezien in het huis in Barnes?'

'Iemand. Op een fiets met een grote rugzak. Sloeg haar op haar hoofd. Ik heb het gezien.'

'Een man of een vrouw, Frances?'

'Ik kan u niet al mijn geheimen verklappen, toch?'

'Zou u deze persoon herkennen?'

'Wanneer krijg ik P.J. te zien?'

'Gauw, Frances. En nog sneller als u met me meegaat naar het bureau.'

'Mag u hem?'

'Ik doe gewoon mijn werk, het is niet persoonlijk.'

'Dat weet ik, ik heb u op de televisie gezien. U bent inspecteur. Al jong promotie gemaakt.'

'Heb ik u boos gemaakt, Frances?'

'Nee. U doet alleen maar uw werk. U zult boos zijn op mij, omdat ik het niet heb verteld.'

Jessie keek van de Armani-jurk naar de toilettafel. Frances was in meer huizen geweest dan in dat in Barnes. 'Hebt u dat kruis op mijn deur getekend?'

Ze bewoog onrustig van de ene voet op de andere. 'Nee.'

'Weet u dat zeker?'

'Ik lieg niet!' schreeuwde ze.

'Chef!'

'Het is oké, Burrows. Alles is in orde. Ja toch, Frances?'

Ze kalmeerde. 'Ik kwam u vertellen wat ik had gezien, maar ik was een beetje boos toen u hem meenam. Het spijt me van uw motor, het spijt me dat ik boos werd. Ik begreep niet dat u hem – ons – probeerde te redden. Het spijt me.'

'Het geeft niet, Frances.'

'Vindt u mijn jurk mooi?'

Jessie keek naar de glinsterende bandjes. 'Heel mooi. Zullen we gaan?'

'Oké.'

'Mag ik deze foto lenen?'

'Ja hoor.'

Uiteindelijk vertelde de fotoredacteur van *Hello!* Jessie wat ze al wist. Het artikel 'Bij Verity Thuis' uit 1998 met Verity Shore en dat uit 2000 met Eve Wirrel waren nep. Geen van beide vrouwen was in haar eigen huis. Dat gebeurde blijkbaar vrij vaak wanneer sterren geen huis bezaten dat bij hun schitterende imago paste. Het tijdschrift betaalde de eigenaar van het huis een aanzienlijk bedrag voor de overlast, vertelde de redacteur. En voor hun zwijgen, dacht Jessie.

De hoofdredacteur wilde Jessie niet de naam van de werkelijke huiseigenaar geven, maar dat maakte niet uit. Jessie wist het al. Ze staarde haar aan. Vrouwe Henrietta Cadell, schrijfster van *Isabella van Frankrijk*. Heel langzaam liep Jessie terug naar de kamer waar het bewijsmateriaal werd bewaard. Een verschrikkelijk gevoel begon zich van haar meester te maken. Ze pakte de lijst met initialen uit Eve Wirrels collectie van bizarre souvenirs en liet haar ogen erlangs glijden. Tegen het einde vond ze wat ze zocht, de flacon met de initialen J.C. Ze liep naar het schilderij, het gigantische, groteske schilderij en staarde naar de rijk begiftigde middenfiguur. Het was niet Jezus Christus, het was Joshua Cadell. Henrietta's dierbare zoon was met Eve Wirrel naar bed geweest. Haar man was naar bed geweest met Verity Shore. Joshua misschien ook. Volgens Maggie had hij nogal een reputatie...

Maggie! Jessie pakte haar telefoon en toetste het nummer van haar huisgenote. Jessie wist welke Cadell de nacht met Maggie had doorgebracht, ze had hem zelf gezien. Frances vertelde de waarheid, zij had het rode kruis niet op hun deur getekend. Het was zelfs niet bedoeld voor Jessie, het was voor Maggie.

'Hallo, Jessie, alles goed?'

'Heeft Henrietta Cadell geprobeerd contact met je op te nemen?'

'Uummm, nee.'

'Mocht ze dat wel doen, laat het me dan onmiddellijk weten. En doe me een plezier, maar stem er onder geen enkele voorwaarde mee in haar te ontmoeten.'

'Waar gaat dit over?'

'Beloof het me, Maggie.'

'Goed hoor, ik beloof het. Ik heb trouwens een opname.'

'En maak ook geen afspraak met Joshua.'

'Joshua? Waarom zou ik...'

'Ik heb hem zien weggaan, Maggie. Die cameraman van je, weet je nog?'

'Het spijt me, ik besefte niet dat je hem zo graag mocht. Ik dacht dat je alleen maar oog had voor P.J. Dean. Daar leek het tenminste op toen je wegrende van dat feest.'

'Dit is ernstig, Maggie,' zei Jessie nadrukkelijk. 'Ontmoet hem niet.'

'Het was maar een vriendje voor één nacht. Om je de waarheid te vertellen, hij heeft me niet eens meer gebeld.'

'Mooi zo.'

'Mooi zo? Jezus, Jessie...'

'Ik kan het nu niet gaan uitleggen, maar doe alsjeblieft wat ik vraag, Maggie.'

'Wie heeft je...'

'MAGGIE!'

'Oké, oké, ik zal braaf zijn.'

Jessie verbrak de verbinding en ademde hoorbaar uit. Soms zou ze Maggie met liefde kunnen wurgen. Zoals Joshua had gezegd, het was altijd een schok wanneer je voor het eerst de scheur in de façade zag. Er begonnen breuklijnen door hun vriendschap te kruipen. Jessie was heel trots op zichzelf omdat ze geen compromissen sloot in haar werk, maar met Maggie deed ze het voortdurend.

Ze pakte haar tas en haar leren jasje. Ze had nooit de mogelijkheid uit het oog verloren dat een vrouw de moorden had gepleegd. Ze vereisten mentale en geen fysieke kracht. Jessie wist niet of Henrietta Cadell het in zich had om het geschreven woord in praktijk te brengen, maar ze had de middelen, een motief en toegang tot alle dode meisjes. En op het punt van mentale kracht droeg Henrietta haar intellectuele superioriteit als een harnas.

Irene had lange tijd gezwegen omdat ze niemand kon vertrouwen, maar nu had ze eindelijk haar geheim opgebiecht. Aan iemand die het ondanks de beste bedoelingen openbaar zou maken. Het was een loodzware waarheid die haar leven, haar werk en haar relaties had gedomineerd. Ze had oprecht van Veronica gehouden. Ze waren familie en dat maakte Veronica's verhouding met Raymond Giles dubbel akelig. Ze waren door elkaar geobsedeerd geweest. Ze had hem nodig als een verslaafde een shot. Al zou het haar haar leven kosten. En dat deed het uiteindelijk ook. Ze kon niet voor altijd uit zijn buurt blijven. Dat soort kracht had ze niet. Weg van de bescherming van nachtzusters en ziekenhuismuren bezweek ze, zoals al zo vaak was gebeurd. Irene had altijd geloofd dat Veronica zich van het leven beroofde om dat van haar dochter te redden, maar misschien wist Veronica dat het leven van haar dochter al verwoest was en was het haar schuldgevoel waardoor ze op de slaapkamerstoel ging staan, het koord van haar ochtendjas om haar nek legde en haar leven wegschopte.

Zoals Irene het zag, was het Frank beter vergaan. Een vader in de gevangenis was misschien afwezig, maar hij bestond tenminste. Bovendien was het niet zo'n probleem dat Ray had gezeten. Criminaliteit was voor hen gewoon werk. Het zorgde voor brood op de plank en kolen in de kachel. Dus nu was het tijd dat Frank iets voor zijn zuster deed. Die politieman zou praten en als ze niets deed, zou Clare achter de waarheid komen. En dat zou haar dood betekenen, net als bij haar moeder.

Clare mocht niet weten dat haar geliefde Frank Ray's zoon was. Irene had geen andere keuze dan Raymond Giles waarschuwen dat de politie hem op het spoor was. En om dat te doen, zou ze Frank een geheimpje verraden.

Irene duwde de deur open en stapte Ray St. Giles' nieuwe luxe kantoorsuite binnen. De jongeman stond bij een archiefkast. Hij smeet de lade dicht en deed een dreigende stap in haar richting. Irene was goed bekend met dreiging. Agressieve mannen die hun vrouwen dreigden tot ze zich uit angst onderwierpen – ze had de slachtoffers elke dag in haar kapsalon. Ze keek hem aan en probeerde zich de kleine jongen te herinneren die tegen het autoraam sloeg toen hij werd meegenomen.

'Ik wil met je praten,' zei Irene kalm.

'Hoe bent u hier binnengekomen? Niemand mag...' zei Alistair. 'Over je moeder,' vervolgde ze zachtjes.

Hij knipperde met zijn ogen. De ogen van zijn vader.

'Ik heb haar heel goed gekend. We gingen vaak naar de clubs van Raymond. Daar hebben ze elkaar ontmoet.'

'Ik begrijp niet waar u het over hebt.'

Irene glimlachte treurig. 'Ik neem niet aan dat je hem "pappa" noemt. Dat zou het geheim verraden.'

'Het geheim?' herhaalde hij rustig.

298

Ze stonden tegenover elkaar. 'Heeft hij het je niet verteld?'

'Nee. Hij praat eigenlijk niet over...' Het kostte hem moeite zijn stem onder controle te houden '...mijn moeder.'

'Ze was getrouwd toen ze elkaar ontmoetten.'

'Getrouwd? Was mamma getrouwd?'

'Ze wisten dat het verkeerd was, ze wisten dat ze niet voor elkaar mochten vallen, maar het gebeurde toch. Raymond had het heftig te pakken. Hij was verliefd op je moeder. Ze probeerden ermee op te houden. Toen ze terugging naar haar man, zwoer ze dat ze Raymond nooit meer zou ontmoeten. Raymond begon zelfs iets met een of ander onschuldig jong ding, maar hij probeerde alleen maar je moeder jaloers te maken. Het was te sterk, begrijp je.'

De jongen staarde haar aan met een een starre, wanhopige blik in zijn ogen.

'Heeft je vader je hier niets over verteld?'

Alistair schudde heel langzaam zijn hoofd.

'Weet je dat hij in de gevangenis heeft gezeten?'

Hij knikte.

'De man die hij heeft vermoord was je moeders echtgenoot. Je hebt een halfzus. Ze heet Clare en ze is al haar hele leven naar je op zoek. Herinner je je haar niet? Weet je niet meer hoe je werd meegenomen door de kinderbescherming nadat je moeder...' Irene haalde diep adem '...was gestorven.'

Hij schudde opnieuw zijn hoofd.

'Je vader heeft je gevonden en nu werk je voor hem. Geen ideale vader, maar hij moet van je houden. Het moet niet gemakkelijk zijn geweest je uit handen van de kinderbescherming te halen. Je hebt geluk gehad. Clare is in een tehuis gebleven. Raymond wilde haar niet. Haar vader was dood, haar moeder was dood, daarna is ze altijd alleen geweest.'

De jongeman luisterde.

'Het spijt me,' zei Irene. 'Dit moet moeilijk voor je zijn, maar het is nog moeilijker voor Clare. Je begrijpt toch wel dat ze je nooit mag vinden? Als ze wist wat Raymond haar moeder heeft aangedaan...'

'Dan zou dat haar einde betekenen,' maakte hij de zin voor haar af.

'Precies. Het spijt me heel erg dat je er op deze manier achter moest komen.'

Hij beefde. 'Dit meisje van wie u zegt dat Ray...' Hij zweeg even, 'mijn, mijn *vader* haar het hof maakte... Weet u haar naam?'

'Alice, maar ze betekende niets voor hem, dat verzeker ik je. Hij gebruikte Alice alleen maar om Veronica ervan te weerhouden terug te gaan naar Trevor.'

'Veronica,' herhaalde hij met moeite.

Irene glimlachte treurig. De jongen had kennelijk geen enkele herinnering aan zijn moeder. Haar vriendin.

'En werkte dat?' vroeg Alistair door opeengeklemde tanden.

'Ja, het werkte. Niet lang daarna werd jij geboren. Hun geheime zoon. Bij elke gelegenheid die ze kon vinden, bracht Veronica je bij Raymond. Soms ontmoetten ze elkaar in een hotel in Southend, maar meestal nam ze de bus naar de begraafplaats van Woolwich. Wanneer het regende, zochten ze hun toevlucht in de crypte van de familie Giles. Raymond had de sleutel. Zo wanhopig graag wilden ze elkaar zien. Hij bezoekt haar nog steeds. Elke maand. Nu neemt hij de bloemen natuurlijk zelf mee. Achter de tralies zitten weerhield hem er niet van die verrekte gele rozen achter te laten...' Irene aarzelde. Haar stem brak. 'Geel. De kleur van jaloezie. Die man is nog steeds jaloers. Ze verkoos de dood boven hem.'

Alistair wendde zich om en leunde op Ray's bureau als steun. Zijn ademhaling ging onregelmatig. Irene wilde hem troosten. Ze zag niet dat hij de marmeren penhouder greep en ze besefte pas toen het te laat was dat hij zijn lichaam had gedraaid om zijn kracht te bundelen. Hij vloog met alarmerende snelheid op haar af. Irene had zelfs geen tijd meer om haar hand op te heffen als bescherming. De nieuwe dikke vloerbedekking dempte het geluid waarmee ze op de grond viel

Jessie drukte op de bel van het Regency-huis tot een opgejaagd uitziende vrouw de deur opendeed.

'Ik moet vrouwe Henrietta spreken.'

'Wie mag ik zeggen dat er is?'

'Recherche, inspecteur Driver van West End Central.' De vrouw ging niet opzij. 'Kan ik binnenkomen?'

'Sorry, ze is aan het schrijven. Normaal gesproken mag ik niet...'

'Is het normaal dat de politie op de stoep staat?'

'Nee.'

'Nou dan.'

Jessie volgde de zenuwachtige vrouw door een indrukwek-kende hal naar een kamer aan de rechterkant. De vloer was van massief walnotenhout, de plinten waren wit en de muren crème-kleurig. De grote banken waren eveneens wit met kussens van glinsterende zijde. Aan de muren hingen zwartwittekeningen van beroemde kunstenaars. Jessie was teleurgesteld, er was geen art-decoschoorsteenmantel.

Op een sofa lagen drie dagbladen. Ray St. Giles stond bij alle drie op de voorpagina. 'Ray de stem van het gezonde verstand.' 'Ray St. Giles – patroonheilige van de portemonnee van het volk!' 'Geen oplichterij meer, zegt Ray.' In zijn jongste stunt had hij Jami Talbot live op de televisie ontmaskerd als een bedriegster. Ze had een of andere junkie betaald om haar in elkaar te slaan en die junkie had een manier gevonden om zijn geld te verdubbe-len. Blijkbaar bestonden er mensen die nergens voor terugdeins-den om hun doel te bereiken. Maar dat doel was een luchtspiege-ling. Zodra je het bereikte, was het weg. Deze mensen joegen de schijnwerpers achterna, maar het licht ontglipte hen voortdu-rend. Het was een gevaarlijk licht. Een dwaallicht. Ze dachten dat ze zich er eeuwig in konden koesteren, maar uiteindelijk trok het verder en liet hen in diepe duisternis achter. Alleen. Misschien waar ze altijd waren geweest.

'Ik ken jou,' zei een bulderende stem uit de deuropening. 'Jij bent dat kleine ding met wie mijn zoon stond te praten op het feest van L'Epoch. Jessica? Het meisje met het gebroken hart.'

'Inspecteur Driver,' antwoordde ze, en hield haar pasje op. Henrietta Cadell wuifde het weg, kennelijk niet onder de indruk. Ze pakte een sigarettendoos en haalde er een Marlboro met witte filter uit. Jessie keek toe hoe de rook omhoog begon te kringelen.

'Die feestjes zijn vreselijk, vind je niet? Ik doe het alleen voor Joshua. Mijn man haat dergelijke gelegenheden ook, de arme kerel. Hij zou veel liever thuisblijven met een goed boek.'

Het mens was dus niet alleen zeer dominant, ze hield zichzelf ook voor de gek. Precies als Frances Leonard, behalve dan dat Henrietta Cadell fraaier was verpakt. Jessie stak het boek met harde kaft naar haar uit.

'Ach liever, moet ik er een opdracht in schrijven?'

'Waar werd die foto genomen?' vroeg Jessie.

'Hier. Hoezo?'

'Mag ik de kamer zien?'

'Wel, ik ben momenteel aan het schrijven en ik word niet graag uit mijn concentratie gehaald.'

'Dat begrijp ik, maar het duurt niet lang.' Jessie stond op.

'Ik vraag je dringend me naar mijn werk te laten terugkeren. Deadlines, begrijp je.'

'Hebt u Verity Shore of Eve Wirrel gekend?'

'Nee.'

'Weet u dat zeker? Uw man heeft me verteld dat u hem aan Verity Shore hebt voorgesteld.'

'Zeer onwaarschijnlijk. Ik probeer dergelijke mensen te mijden.'

'En lady Cosima Broome?'

Henrietta lachte. 'De Trut-Met-Titel? Het enige wat dat onnozele kleine meisje kon schrijven, was een cheque.'

'Weet u dat al deze vrouwen dood zijn?'

Henrietta nam een lange trek van haar sigaret en tikte de as eraf. 'Cosima ook?' informeerde ze, en probeerde tevergeefs een bezorgde toon in haar stem te leggen.

Jessie knikte.

'En wat heb ik daar precies mee te maken?'

Jessie liet haar de foto's van de schoorsteenmantel zien.

'Och hemel, dat was eeuwen geleden. Toen had ik geld nodig. Het is niet gemakkelijk kostwinner te zijn, een zoon groot te brengen en tegelijkertijd een zekere, wel, begrijp je, reputatie op te houden. Je hebt geen idee hoe het toegaat in die wereld. Eén hertogin van Devonshire en niemand kijkt meer naar je om.'

'Ik wil hem nu graag zien, alstublieft.'

'Wat? Waarom?'

'Dit is een moordonderzoek. U kende de slachtoffers. Ik ben gewoon bezig namen door te kruisen.'

'Ik kende hen niet echt – dat soort mensen ken je niet werkelijk. Af en toe kom je hen tegen, je geeft hun een zoen en dan excuseer je je en loop je door.'

Jessie legde de foto van de heer Cadell en Verity Shore in de hotellobby op de sofa. 'En uw man, wanneer hij tenminste niet thuiszit met een goed boek, is het bij hem ook een kwestie van zoenen en doorlopen?'

Met buitengewonde kalmte boorde Henrietta langzaam haar sigaret tegen de bodem van een massief zilveren asbak. 'Denk je dat je een goede rechercheur bent omdat je op de hoogte bent van de affaires van mijn echtgenoot? Iedereen weet dat mijn echtgenoot een rokkenjager is. Kleine meisjes die tegen hem opkijken.' Ze lachte scherp. 'Ik zou niet kunnen zeggen wie ik zieliger vind – hem omdat hij steeds moet doen alsof het hem interesseert wat ze zeggen, of hen omdat ze steeds moeten doen alsof zijn gerimpelde oude, steriele lijf aantrekkelijk is.'

'Hij heeft me verteld dat u dat graag tegen hem gebruikt.'

'Oh God, is hij daarmee ook al bij jou aangekomen? Meestal werken die woorden het beste bij domme en wanhopige mensen. Vertel me nu niet dat ik de boze heks ben omdat ik zwanger ben geworden zonder hem. Iemand moest iets doen. Het was afschuwelijk te weten dat hij zich aldoor maar in een plastic bekertje moest aftrekken en dat er dan maar een of twee gezonde bij waren. Heel moeilijk om dan nog respect op te brengen voor een man. Houd je foto dus maar, ik word er niet koud of warm van. En het antwoord op je vraag is ja, uiteindelijk loopt hij altijd door. Huizen zoals dit zijn niet goedkoop en hij is geen mens voor een zit-slaapkamer.'

'En Joshua? Was het bij hem ook zoenen en doorlopen?'

Henrietta huiverde. 'Mijn zoon heeft meer smaak. Wat zou een jongen van zijn kaliber willen met dergelijke vrouwen?'

'Ruimte om adem te halen misschien?'

Henrietta stond op. 'Waar beschuldig je me nu precies van?'

'Ik? Nergens van.'

'Ik houd van mijn zoon. Als dat ook al een misdaad is, dan geef ik het op. De wereld is dom geworden.'

'En gewelddadig.'

'Niet echt. We kennen de betekenis van dat woord niet eens.'

'Vrouwe Henrietta, mag ik nu uw werkkamer zien, alstublieft?'

'Ik vind je buitengewoon irritant, dat moet ik zeggen. Ambitie en jaloezie zijn geen aantrekkelijk eigenschappen, inspecteur Driver.'

'Uw werkkamer. Nu.'

Het was een heiligdom. Een altaar voor Joshua. De kamer was niet groot, maar elk stukje beschikbare ruimte was voorzien van een foto van hem. De geschiedenisboeken en de prachtig gevormde schoorsteenmantel uit de jaren dertig gingen er vrijwel onder schuil. Jessie hield de foto's van Eve Wirrel en Verity Shore omhoog. Ze volgde de lijn van de muur, de franje aan de lamp, het patroon van het haardscherm. Het was dezelfde schouw. Dezelfde kamer. Hetzelfde meubilair. Verity Shore en Eve Wirrel waren 'thuis' geweest bij Henrietta Cadell. En Henrietta Cadell had haar zoon volledig ingekapseld en voor zichzelf opgeëist. Christopher Cadell kon daar niet tegenop.

Jessie pakte een foto van Joshua, genomen op het strand. Hij droeg een krappe zwembroek. De zwembroek was nat. Het materiaal kleefde suggestief tegen zijn huid. Hij hield zijn armen wijd uitgestrekt en zijn hoofd hing lachend achterover. Joshua Cadell. Eve Wirrels rijk begiftigde naakt. Henrietta pakte haar de foto af. Misschien had ze er geen problemen mee wanneer haar echtgenoot rommelde met vrouwen als Verity Shore, maar haar zoon? Haar dierbare zoon. Dat was ondenkbaar. Deze vrouw hier was omringd door literatuur waarin de barbaarse daden van de mensheid waren opgetekend en door relikwieën die haar constant herinnerden aan wat ze miste. Kon moederliefde moorddadig worden? Kon iemand zo jaloers zijn op zijn eigen vlees en bloed?'

'Is er verder nog iets?' Henrietta hield de deur open.

'Hij woont bij u in huis, nietwaar?'

'Beneden. Het is een zelfstandig appartement en hij is momenteel niet thuis.'

'Is hij niet een beetje te oud om nog bij zijn moeder te wonen?'

Henrietta vertoonde dezelfde zelfgenoegzame glimlach die Jessie al eerder was opgevallen. 'Het is jammer, dat weet ik, dat zijn carrière als schrijver niet is gelopen zoals hij graag wilde. Ik vond het verschrikkelijk dat zijn romans zulke negatieve kritieken kregen – mensen kunnen zo wreed zijn. Ik voel me schuldig, uiteraard. De uitgevers vergeleken hem met mij en, wel... Zoals ik al zei, ik vind het vreselijk.'

Jessie geloofde er niets van. P.J. Dean had haar wel iets geleerd over de wereld waarin mevrouw Cadell leefde. Als je tot de top behoorde in je beroep, dan was er bitter weinig dat je niet in je eigen voordeel kon manipuleren. Henrietta Cadell wilde niet dat haar zoon het huis zou verlaten. Een woord hier, een dreigement daar... Net zoals P.J. de pers de wet voorschreef op het gebied van zijn losgeslagen vrouw. Henrietta had erop toegezien dat haar zoon niets bereikte. Dat bedoelde Christopher toen hij zei dat zijn vrouw ervoor had gezorgd dat Joshua er altijd voor haar zou zijn.

'Naar welke uitgevers heeft Joshua zijn werk gestuurd?' vroeg Jessie.

'Dat weet ik echt niet meer,' antwoordde Henrietta.

'En het onderwerp?'

'Liefdesverhalen, ben ik bang.'

'Goed?'

'Een beetje ongeloofwaardig, maar ja, natuurlijk goed. Hij is tenslotte mijn zoon.'

'En zelf heeft hij geen liefdesaffaires beleefd?'

'Hij stelt zijn normen nogal hoog moet ik tot mijn vreugde bekennen.'

Jessie overhandigde Henrietta een lijst met data. 'Waar was u op deze momenten?'

Henrietta vouwde het papier dubbel en gaf het terug. 'Heb je enig idee hoe druk ik het heb? Mijn privé-secretaris kan het je vertellen, maar ik schrijf, ik breng lange periodes door in afzondering. Dat is de enige manier om het werk klaar te krijgen. Ik ga er niet van uit dat iemand zoals jij dat kan begrijpen.'

'Dan wil ik hem spreken.'

'Hij is er nog niet.'

'Waar kan ik hem vinden?'

Henrietta vouwde haar armen onder haar vooruitstekende borsten.

'Drie vrouwen zijn dood. Ik wil het u niet tweemaal hoeven vragen.'

'Hij komt pas rond het middaguur. Je mag gerust wachten, maar ik moet nu echt weer aan het werk.'

'Dank u,' zei Jessie met een gekunstelde glimlach op haar gezicht gekleefd. 'Ik denk dat ik dat maar doe.'

Jessie zocht haar toevlucht in een klein cafeetje om na te denken. De privé-secretaris was om twaalf uur gekomen en had Jessie de geheimen van Henrietta's agenda getoond. Rond de tijd dat de eerste twee vrouwen stierven, had Henrietta het inderdaad zo druk gehad als ze beweerde. Hoewel ze nog geen exacte tijd van overlijden had van Cosima, zag Jessie niet hoe Henrietta naar Haverbrook Hall had kunnen gaan en toch op tijd terug had kunnen zijn om een literaire prijs uit te delen, een diner bij te wonen en het Reading Festival te bezoeken. Aan de andere kant was

Reading niet ver van Haverbrook Hall en als de moord 's nachts had plaatsgevonden en ze hulp had gehad... Jessie zuchtte luid. Het was allemaal te zwak, te bijkomstig. De openbare aanklager zou het niet accepteren. Ze zou het zelf ook niet hebben geaccepteerd. En Henrietta wist het. Jessie had geen greintje bewijs.

Terwijl de ober haar haar meeneem-koffie overhandigde, rinkelde Jessies telefoon. Ze drukte het ding tegen haar oor.

'Inspecteur Driver.'

'Waarom heb je het me niet verteld?' De stem klonk gespannen. Boos. Gekwetst.

'Clare?' Jessie werkte zich door de menigte naar de straat.

'Je wist het, nietwaar? Over mijn moeder en die hufter!'

'Waar ben je Clare? Ik kom je halen.'

'Je wist het verdomme, jullie wisten het allemaal.'

'Waar ben je?'

'Dat dondert niet. Stomme, stomme, stomme ik! Wel, je kunt het dak op met je medelijden.'

'Clare, laat me je ophalen, dan kunnen we praten.'

'Daar is het te laat voor, verdomme. Ik maak er een eind aan, nu, voor eens en voor altijd!'

'Clare?'

Haar stem echode in de stilte.

'Clare? Verdomme!'

Jessie belde het surveillanceteam buiten het huis van St. Giles. Hoe was Clare er in jezusnaam achter gekomen? Had Fry zijn mond voorbijgepraat? Had ze een dossier gezien? Had ze iemand over de zaak horen praten? Het surveillanceteam klonk onzeker toen ze Jessies stem herkenden en dat maakte haar ongerust. Ze wilde weten wat er aan de hand was, maar ze konden haar geen antwoord geven. Ray had zijn achtervolgers weten af te schudden terwijl hij door een winkelcentrum liep. Jessie liep boos heen en weer over straat.

'Hij werd omstuwd door een massa vrouwen. Tegen de tijd dat die menigte weer uit elkaar ging, was hij verdwenen.'

'Stomme idioten, dat heeft hij waarschijnlijk met opzet gedaan.' Jessie zat vast. Het had geen zin te proberen hem te vinden, hij kon overal zijn. De man aan de telefoon verontschuldigde zich opnieuw. Jessie had geen zin naar zijn slappe smoesjes te luisteren.'

'Zorg dat jullie hem vinden en breng hem naar West End Central.'

Ze wilde proberen Clare weer aan de lijn te krijgen om haar te kalmeren en tot rede te brengen. Ze zou Fry haar laten ophalen...

'Met alle respect, inspecteur Driver, maar ik geloof niet dat St. Giles kwade bedoelingen had. Hij verliet het huis met een bos gele rozen in zijn hand...' Jessies koffie viel op de grond en spatte over de straatstenen.

Het duurde veertig minuten om de begraafplaats van Woolwich te bereiken, zelfs met het zwaailicht aan. Een man zette net zijn fiets tegen de troosteloze hekken. Jessie herkende de opgetrokken schouders terwijl ze de motor afzette.

'Wat doe jij hier, Mark?'

Hij draaide zich om. De zijkant van zijn gezicht was nog verkleurd van het ongeluk.

'Clare is verdwenen uit het politiebureau. Ze is niet thuis en ze is niet op haar werk verschenen. Ik had er geen goed gevoel over en dus ben ik op eigen initiatief weggegaan uit het ziekenhuis. Ik hoopte dat ze hier zou zijn.'

'En is ze dat niet?'

'Nee, maar er liggen verse bloemen, dus ik neem aan dat alles goed is met Irene.'

Jessie schudde haar hoofd en begon langs het gescheurde, met onkruid overwoekerde pad naar Veronica Mills' graf te rennen. 'Het was niet Irene die bloemen achterliet. Dat deed Ray!'

Ze rende te hard om Marks antwoord te horen. Ze zag de heldergele rozen op de grond liggen voor het stralend witte kruis. Het papier zat er nog om. En hun dode voorgangers lagen nog over het graf verspreid. Ray was bij het vervangen van de bloemen gestoord. Jessie liep dichter naar het kruis. Mark kwam hijgend achter haar aan.

'Hoe kon hij rozen neerleggen? Hij zat in de bajes.'

'Hij hoefde het niet zelf te doen. Hij heeft genoeg invloed om zoiets te organiseren zonder dat iemand er iets van wist. Irene moet hem hebben gedekt, zoals ze dat altijd heeft gedaan.'

'Clare weet het, nietwaar?'

Jessie gaf niet direct antwoord. In plaats daarvan wees ze naar de vlek van rood bloed op de hoek van de grafsteen en legde vervolgens haar vinger tegen haar lippen. Er klonk geritsel in de aangrenzende haag. Iemand sloeg hen gade. Ze wees naar haar ogen en duidde op de stekelige meidoornhaag. Mark knikte en begon langs de haag te lopen. Jessie liet haar ogen over de grote grafstenen glijden. Clare moest Ray de rozen hebben zien neerleggen. Ze had Jessie gebeld omdat ze niet kon geloven wat ze zag. St. Giles die rozen bracht naar haar moeders graf. Jessie probeerde zich de woede voor te stellen die Clare moest hebben gevoeld. Dat moest elke angst die Clare voor de man had gevoeld onderdrukt hebben. Ze was hem beslist aangevlogen. Jessie zou hetzelfde hebben gedaan. Maar Ray had vele jaren lang aanvallers afgeslagen. Jessie was er vrij zeker van dat het Clares bloed was daar op die grafsteen. Mark kwam naast haar staan.

'Wie daar ook is geweest, hij of zij is 'm gesmeerd.'

'Wel, hij heeft geen tijd gehad om haar ver weg te slepen. Ze moet hier ergens liggen.' Ze bereikten de crypten op de top van de heuvel en voelden aan de deuren. De grafkelders zagen er net zo vergeten uit als de hele begraafplaats. Ze hoorden bij een andere tijd, toen families op een en dezelfde plek bleven en daar gezamenlijk leefden, stierven en werden begraven. Ze kwam bij de laatste crypte, zag de naam boven de deur en bleef stokstijf staan. GILES. Met romeinse letters in de brokkelige natuursteen gebeiteld. Jessie greep naar de dikke stalen deur. Ze wist al dat die open zou gaan. De grond was verstoord en de grendel was weggeschoven. Jessie pakte haar zaklantaarn uit haar tas, haalde diep adem en trok de deur naar zich toe. De lichtstraal sneed door de inktzwarte duisternis in de crypte. Ray's lijkbleke gezicht en glazige ogen doemden dreigend op in het licht. Ze liet de lantaarn vallen.

'Mark! Mark! Kom hier, snel...!'

Jessie graaide de zaklantaarn van de schimmelige, met aarde bedekte vloer en dwong zich om naar Ray St. Giles te kijken. Hij was halfnaakt en vastgebonden aan het houten geraamte van planken waarop zijn dode familieleden lagen. Als Jessie niet ingreep, zou hij spoedig een van hen zijn. Hij bloedde heftig uit een diepe snee aan de binnenkant van zijn dij. Zijn slagader was doorgesneden. Het bloed gutste langs zijn been tot op de stoffige vloer. Hij was een meter vijfenzeventig lang en woog ruim tachtig kilo, over een halfuur zou hij dood zijn. Jessie richtte de zaklantaarn omlaag. Clare Mills lag opgerold op de grond aan Ray's voeten. Ook zij was buiten bewustzijn. Haar hoofd bloedde. Jessie dacht aan Eve Wirrels schilderij en vroeg zich af of twee werelden werkelijk zo met elkaar in botsing konden komen.

Mark ging rechtstreeks naar Clare. 'Ze ademt nog,' zei hij. 'Maar ze heeft een fikse buil op haar hoofd.'

Jessie zette haar tas op de grond. 'Heeft ze een open wond?'

'Het voelt een beetje kleverig, maar echt hevig bloeden doet het niet.'

'Ik bedoel niet haar hoofd, ik bedoel zoiets...' Ze richtte de zaklantaarn op de bloedende wond in Ray's dijbeen. Een lange, rechte, diepe snee glinsterde op in het schijnsel.

'Nee.'

'We moeten het bloeden stoppen,' zei Jessie.

'Ik zal om hulp vragen.'

'Daar hebben we geen tijd voor. Kom hier, ik heb die flacon whisky nodig.'

'Welke wisky?'

'Die in je zak. Snel.'

Mark keek verbijsterd toen Jessie de flacon aanpakte.

'Maak hem los en leg hem neer, Mark. Gebruik je das en een pen om een tourniquet om de bovenkant van zijn dijbeen te maken en leg zijn been omhoog, hoger dan zijn hart.'

Jessie brak haar Bic-ballpoint doormidden. Ze trok de inktpatroon eruit en gooide deze opzij. Met de zaklantaarn in haar mond doopte ze het uiteinde van de pen in de whisky en goot een beetje over haar handen. De bloedstroom werd trager door het tourniquet en het omhoog brengen van het been. Jessie liet de pen over het ene eind van de blootliggende slagader glijden en duwde met haar andere hand de doorgesneden ader in de pen.

'Maak nu voorzichtig het tourniquet iets losser, net genoeg om de bloedtoevoer naar het been in stand te houden. Op die manier stroomt het misschien niet weg.' Ze keken toe hoe de doorzichtige ballpoint zich met bloed vulde.

'Het lekt een beetje, maar ik geloof wel dat het werkt,' zei Jessie. 'Oké, nu kunnen we hulp vragen.'

'Waar heb je dat in hemelsnaam geleerd?' vroeg Mark.

'Dat zeg ik liever niet.'

'Heel indrukwekkend,' zei Mark, maar deze keer bewogen zijn lippen niet.

Jessie draaide zich net op tijd om om de deur dicht te zien gaan. Ze gooide haar hele gewicht er tegenaan, maar degene die buiten stond, was te snel. De grendel werd voor de deur geschoven. Ze schopte ertegen. Het staal dreunde tegen haar voetzool en trilde door tot in haar been.

'Stomme kinderen,' zei Mark, maar hij klonk niet zo zelfverzekerd als hij zou willen.

'Dat waren geen kinderen,' antwoordde Jessie die het streepje licht onder de stalen deur langzaam zag verdwijnen.

'Hé!' brulde Mark terwijl hij over Clare heen sprong en tegen de deur bonsde. 'Hé!'

Jessie zag hun luchttoevoer verdwijnen.

Mark haalde zijn telefoon te voorschijn. Hij hoefde haar niet te vertellen dat er geen ontvangst was in het met lood beklede mausoleum, zijn gezicht in de lichtstraal zei haar alles wat ze wilde weten. De zaklantaarn begon te verflauwen en daarom zette ze hem uit. 'Verdomme,' zei ze. Paul en Ty hadden de batterijen bijna opgebruikt en ze had geen andere bij zich.

Mark liet zijn aansteker ontvlammen. 'Wat is er?'

'De batterijen. Hoe staat het met de wond?'

Mark liet het blauwe vlammetje over Ray's been glijden. 'Houdt zich goed. Wat gebeurt er in jezusnaam?'

'Ik weet het niet. Dit past niet in het patroon,' verklaarde Jessie. 'Ik was er zo zeker van dat het een moeder-zoon-ding was, maar Joshua ging niet naar bed met Ray St. Giles...'

'Au!' Mark liet de aansteker vallen. 'Shit.' Jessie hoorde hoe Marks ademhaling steeds sneller ging. 'Ik kan het ding niet vinden!' Hij graaide wild in het stof op de grond. 'Oh Christus, hij bewoog!'

Jessie ging in het donker op haar hurken zitten. 'Mark,' zei ze zachtjes. 'Pak mijn hand – hier. Sta nu samen met mij op. Er is meer dan genoeg ruimte. Voel je wel, hier is de deur, leun er maar tegenaan. Beweeg je niet, maar adem rustig.'

Marks hand voelde klam aan en hij worstelde om controle over zijn ademhaling te houden.

'Ik krijg geen lucht, ik krijg...'

'Jawel, dat krijg je wel. Vier tellen inademen, zes tellen uitademen. Houd dat vol.' Jessie liet langzaam zijn hand los.

'Ga niet weg. Ik kan niet, ik kan niet zien...'

'Het is oké, ik ben hier. Ik zal je de zaklantaarn geven, dan weet je dat hij er is als je hem nodig hebt.' Jessie stopte de zaklantaarn in zijn andere hand. Hij klikte het ding aan en wees ermee naar de grond. 'Daar ligt mijn aansteker.'

Jessie boog zich voorover en pakte hem. Ze keek naar Clare

in het fletse licht. Mark moest haar hebben verplaatst toen hij verwoed naar zijn aansteker zocht. Haar arm lag uitgestrekt over Ray St. Giles' been en haar lichaam was niet meer opgerold tot een bal. Mark zette de lantaarn uit toen Jessie weer overeind kwam.

'Sorry,' zei Mark, en pakte opnieuw haar hand.

'Claustrofobie is geen pretje.'

'Dat is het niet, het is de duisternis.'

Zo stonden ze hand in hand in het indringende donker. Volslagen duisternis was niet iets wat Jessie vaak had meegemaakt. Ze voelde zich heel erg opgesloten en tegelijkertijd heel klein.

'We waren arm,' zei Mark zachtjes. 'Mijn moeder moest werken nadat mijn vader er vandoor was gegaan. Het was een andere tijd, hulp was er niet. Ze wist niet wat ze met me moest beginnen.'

Jessie kneep zijn hand.

'Het was voor mijn eigen veiligheid,' vervolgde Mark. 'In de kast kon me niets overkomen, maar het was er zo donker en het duurde zo lang. Ik...'

'Het komt allemaal goed. Ze vinden ons wel. Het surveillanceteam weet van de rozen, iemand zal een en een bij elkaar optellen.'

'Niet zo snel als jij dat hebt gedaan.'

Jessie glimlachte in het donker. 'Je gaat toch niet aardig tegen me doen, hè?'

Mark gaf geen antwoord.

'Kun je het nu weer aan? Ik wil Ray's wond controleren.'

Hij gaf haar de zaklantaarn terug en pakte de aansteker van haar aan. Jessie liet het bleke oranje licht op Ray's been schijnen.

'Ik geloof dat de ballpoint is weggegleden,' zei Jessie. 'Ik kan nauwelijks een hartslag vinden. Hij gaat dood, Mark.'

'Dat is geen verlies voor de mensheid,' zei Mark. 'Ik maak me meer zorgen om ons drieën.' Hij gaf Jessie de flacon whisky. Ze liet het bittere vocht op haar tong liggen tot het begon te branden. De duisternis in de crypte was overweldigend. Loodzwaar. Ze begonnen het gewicht te voelen. Ze stond zichzelf niet toe na te denken over de koude die zich door haar ledematen begon te verspreiden of over de man die naast haar langzaam lag dood te bloeden. Ze dacht in plaats daarvan aan Henrietta Cadell, aan Joshua en aan Clare Mills. Ze dacht lang en intensief na en toen ze klaar was, was Ray St. Giles dood. Ze hoorde de lange uitademing. Zijn laatste snik. Ze had gefaald. Haar toverdoos had gefaald. Ze had hem hier niet uit kunnen halen en daardoor voelde ze zich intens ontmoedigd.

'Ik had je om versterking moeten laten bellen...'

Mark sloeg zijn arm om Jessie heen. 'Dit is niet jouw schuld.'

'Ik had Clare eerst naar buiten moeten halen, ik had het moeten weten.'

'Wat had je moeten weten? We beschouwden Ray als een verdachte, niet als een slachtoffer.'

'Dat is hij niet.'

'Wat bedoel je?'

'Niets,' zei Jessie, en luisterde naar de stilte.

'Hé,' zei Mark, en knipte zijn aansteker aan. 'Je gaat me hier toch niet instorten – niet de onverwoestbare Jessie Driver.'

'Ik heb een zootje gemaakt van deze zaak, Mark.'

'Onzin. Je hebt gedaan wat rechercheurs horen te doen: elke lijn onderzoeken en nooit spijt hebben wanneer er een blijkt dood te lopen.'

'Ik geloof dat ik brandende huid begin te ruiken.'

De vlam ging uit, maar de herinnering eraan bleef voor Jessies ogen zweven.

'Mark, jij en je moeder, waren jullie maar met z'n tweeën?'

'Ja.'

'En je hebt haar nooit verteld dat je bang was?'

'Hoe kon ik dat doen? Ze deed haar best. Ik was haar kleine man, mannen zijn dapper, dus ik accepteerde het, maar ik reageerde het af op alle andere mensen. En waarschijnlijk doe ik dat nog steeds. Vooral op vrouwen. Het is niet gemakkelijk om vrouwen te vertrouwen wanneer degene die het meest van je hield je heeft opgesloten in een kast en je in het stikdonker heeft achtergelaten.'

'Ben je daarom nooit getrouwd?'

'Oh, ik ben wel getrouwd – met ruim zeventig kerels bij het korps. En ik ben niet boos op mijn moeder. Ze deed het niet uit wreedheid, maar om praktische redenen. Zelfs toen wist ik het verschil al.'

'En als het wel uit wreedheid was geweest?'

'Dan was ik nu een van die verknipte zielen waar wij elke dag mee worden geconfronteerd.'

'Denk je dat er altijd verzachtende omstandigheden zijn, Mark?'

'Nee, niet altijd. Sommige mensen worden geboren met een zwart gat op de plek waar hun hart zou moeten zitten.'

Toen Jessie van houding veranderde, ging de deur achter Mark en haar plotseling open. Ze vielen achterover en knepen hun ogen halfdicht tegen het onverwacht felle licht. Er stond een gedaante over hen heen gebogen.

'Clare!'

Het was Irene. Ze rende rechtstreeks naar de bundel op de grond terwijl Jessie en Mark wankel overeind krabbelden. En Irene was niet alleen gekomen. Ze had Fry meegebracht plus nog meer versterking en medische hulp. Jessie zag hoe ze Clare in haar armen nam. Irene had een blauwe plek aan de zijkant van haar gezicht die bijna niet onderdeed voor die van Mark. Jessie vroeg zich af of het iets te maken had met Irenes recente afwezigheid.

Irene keek kort naar Ray.

'Ja,' antwoordde Mark. Jessie gunde Irene de opluchting die van haar gezicht straalde van harte. De man die zo lang een bedreiging voor haar had gevormd, was dood. Terwijl Fry Clare naar buiten droeg, kwam ze bij. Hij legde haar op de grond en liet Irene haar vasthouden en haar geruststellend toefluisteren. Jessie sloeg de twee vrouwen gade terwijl het medische team de stenen crypte binnenstroomde. Clare leek heel kalm. Dat was mogelijk bij een hersenschudding. Wat echter niet mogelijk was, was dat er geen fysieke sporen waren. Clare Mills had zelfs geen blauwe plek.

Jessie moest snel handelen. De eerste vraag stelde ze aan Irene. Hoe wist ze waar ze waren? Het antwoord was simpel genoeg. De crypte was de plaats waar Ray Veronica altijd ontmoette. Het was de eerste plek die bij haar op kwam om te kijken. Ze wist dat Clare verdwenen was, want ze had het politiebureau gebeld. Toen het bekend werd dat Jessie en Mark werden vermist en dat Ray was gesignaleerd met gele rozen, paste Irene de stukken aan elkaar en vroeg rechercheur Fry haar te ontmoeten bij de begraafplaats. Het was een keurige verklaring, dacht Jessie.

'Heb jij iets gezien, Clare?'

Ze schudde haar hoofd en fronste toen haar voorhoofd. 'Ik zag hem die rozen op haar graf leggen. Ik kon het niet geloven, ik dacht dat hij misschien toevallig voorbij was gekomen en dat hij de bloemen had gezien en daarom belde ik jou en jij vertelde me alles wat ik moest weten. Ray en mijn moeder waren...' Clare huiverde.

'Het spijt me zo lieverd,' snikte Irene.

Clare klampte zich vast aan Irenes pols. Jessie zag dat er bloed op Clares vingers zat. 'Het werd rood voor mijn ogen. Ik rende krijsend op hem af, hij draaide zich om en sloeg me.' Ze voelde aan haar hoofd en kromp in elkaar. 'Ik moet mijn hoofd tegen iets hebben gestoten. Het lukte me om op mijn handen en knieën overeind te komen. Ik probeerde weg te kruipen, maar dat lukte me niet snel genoeg. Ik weet nog dat ik zijn voeten zag.' Clare begon te huilen. 'Ik dacht dat hij me zou vermoorden. Ik smeekte hem om genade. *Hem*. Ik had hem in zijn gezicht moeten spuwen. Ik weet niet wat er daarna is gebeurd.'

'Heb je nog iemand anders gezien?'

Clare fronste weer haar voorhoofd. 'Misschien heb ik een man gezien, ik weet het niet meer zeker. Toen ik klaar was met het gesprek met jou, was hij verdwenen.'

'Een man?'

Clare knikte. 'Lang, bleke huid. Donker haar, geloof ik.'

'Weet je dat zeker, Clare?'

Clare staarde Jessie aan, maar schudde toen langzaam haar hoofd. 'Nee, niet echt. Ik was te boos.'

'Maar je denkt dat je dat hebt gezien?'

Irene kneep in Clares hand.

'Ja,' antwoordde ze zachtjes. 'Hij zag eruit als een geest.'

Jessie keerde terug naar het politiebureau om met Frances Leonard te praten. Ze verwachtte een vrouw die woedend was omdat ze onder valse voorwendselen was weggelokt van haar tempel. Prachtig uitgedost en geen prins om te ontmoeten. In plaats daarvan zat Frances stilletjes in een hoekje met haar jurk netjes opgevouwen op haar schoot.

'Daar bent u weer,' zei Frances met een glimlach. 'Het spijt me zo dat ik met uw motor heb geknoeid. Wanneer ik kwaad ben, schijn ik geen controle meer te hebben over wat ik doe. Ik wilde u niet laten verongelukken. Krijg ik er moeilijkheden mee?'

'Dat is nu niet belangrijk,' zei Jessie, en trok een stoel bij. 'Maar u moet nu wel die vragen beantwoorden.'

'Dat weet ik. P.J. heeft het me gezegd. Hij was heel aardig en hij heeft een heleboel dingen uitgelegd. Ik moet hem met rust laten, hij heeft persoonlijke dingen op te lossen. Maar mijn hemel, wat was het fijn om met hem te praten.'

Jessie knikte op een manier die naar ze hoopte vrijblijvend was. Als ze zich verbeeldde dat P.J. Dean haar had opgezocht, des te beter, dan zou Frances nu praten. Jessie had op één vraag heel snel een antwoord nodig. Ze haalde een foto van Henrietta Cadell en haar zoon te voorschijn en liet hem aan Frances zien. Frances knikte.

'Ja,' zei ze. 'Dat is hem. Hem heb ik gezien.'

Ze werd dus warmer, dacht Jessie. 'Wat hebt u hem zien doen, Frances?'

'Hij ging naar het huis in Barnes. Hij deed het met Verity.'

'Maar dat was niet alles, toch?'

Frances vertrok haar gezicht, maar zei niets.

'Frances, u zei dat u hebt gezien wie Verity Shore vermoordde, weet u dat nog? Iemand heeft haar op haar hoofd geslagen. Was hij dat?'

Frances kauwde op haar lip.

'Frances?' zei Jessie, die boos begon te worden. 'U zei...'

'Dat weet ik, het spijt me. Ik heb hem één keer gezien. Maar ik weet niet precies of hij het was. Hij zag er anders uit.'

'Maar het was een man?'

'Ik geloof het wel.'

'U *gelooft* het wel?'

'Het spijt me, ik wilde P.J. zien. Ze liegen altijd en ze zeggen altijd dat hij komt, maar hij komt nooit, dus waarom zou ik geen leugens vertellen. Maar u nam me serieus. U hebt P.J. echt naar me toe gestuurd.'

De vrouw gebruikte gemakshalve haar fantasie om haar uit de problemen te helpen waarin ze zich had gewerkt. 'Frances, ik ben heel boos op u. Ik dacht dat u betrouwbaar was. U hebt me niets gegeven waar ik iets aan heb. P.J. zal ook heel boos op u zijn. Hij wil net zo graag dat de moordenaar wordt gepakt als ik.'

'Ik heb die man daar gezien,' zei Frances smekend. 'En die vrouw ook. Niet in Barnes. Bij de kerk in Richmond. Ze had enorme ruzie met Eve Wirrel.'

'Wanneer was dat?'

'Een paar dagen voor haar dood.'

315

'Frances, degene die Verity op haar hoofd sloeg, was hij lang, net als deze man?'

'Ja. Hij had ook donker haar.'

Jessie stond op. Ze legde Frances uit dat de mensen die na haar de kamer zouden binnenkomen haar zouden helpen. Frances glimlachte. Dat wist ze, zei ze, P.J. had haar er alles over verteld. Jessie passeerde de psychiatrische medewerker terwijl ze naar de binnenplaats rende.

De garage leverde juist haar gerepareerde motor af. Ze konden het ding wat haar betreft niet snel genoeg losmaken van de oplegger.

Jessie ging terug naar huize Cadell, hield haar vinger op de bel totdat Henrietta zelf de deur opendeed en daarop stormde ze naar binnen.

'Waar is Joshua?'

'Heb je geen manieren?'

'Ik sta op het punt u te arresteren, dus ik raad u aan mijn vragen te beantwoorden.'

'Niemand slaat zo'n toon tegen me aan. Als je ook maar enig bewijsmateriaal tegen me had, zou je me al hebben gearresteerd, dus beledig mijn intelligentie alsjeblieft niet met je dreigementen.'

'Waarom had u ruzie met Eve Wirrel? Was het omdat u had ontdekt dat ze uw zoon naaide? Ze heeft ook een naaktschilderij van hem gemaakt – het hangt nu op het politiebureau. Het is nogal een opvallend werk ook.'

'Weten dat die meid een omhooggevallen, talentloze exhibitioniste was, is één ding. Moord is heel iets anders.'

'U zei dat u haar niet kende.'

'Ik ken haar ook niet. Ik probeerde Joshua te beschermen. Ze was een sensatiegeile hoer. Joshua is te lief, hij kijkt daar niet doorheen. Ze zou naar de pers zijn gestapt en mijn naam door het slijk hebben gesleurd om zelf een beetje bekendheid te krijgen. Wel, dat kon ik niet laten gebeuren. Joshua moest het weten.'

'Uw zoon heeft vier mensen vermoord. Niet zo lief als u denkt, dus.'

'Doe niet zo belachelijk.'

'Waar is hij?'

'Verdwijn uit mijn huis!'

Jessie begon de hal door te lopen en klopte op de muur onder de trap.

'Wat doe je in hemelsnaam?'

'Een van de kenmerken van deze moorden was geheimzinnigheid. Verborgen deuren, geheime tunnels. Erg middeleeuws, vindt u niet? Waar denkt u dat de moordenaar een dergelijk idee vandaan heeft gehaald?'

'Ik heb het veel te druk voor deze flauwekul.'

'Wanneer hebt u het souterrain gescheiden van de rest van het huis, Henrietta?' Jessie liet haar hand langs de onderkant van de traptrede glijden. Ze voelde een koude koperen knop en drukte erop. Voor haar ogen ging een paneel open.

'Je hebt geen huiszoekingsbevel.'

'U hebt me zelf binnengelaten. We zijn nog steeds in uw huis.' De trap verdween in het souterrain.

'Als je nog één stap zet, bel ik je superieuren.'

'Wat hebt u te verbergen?'

'Niets. Dit is een inbreuk op mijn privacy en dat weet je best.'

'Ach, ik ben maar een snel omhooggevallen rechercheur, dus het is onvermijdelijk dat ik wat fouten maak.'

Het appartement in het souterrain was haast griezelig netjes. Alle pennen op het bureau lagen in een rechte lijn. De boeken stonden precies gelijk. De kussens vertoonden geen ingedeukte plekken en de vloerbedekking was in rechte strepen gestofzuigd. Christopher Cadell zat in een leunstoel naast een onaangestoken, maar keurig klaargelegd vuur.

'Wat doe jij in jezusnaam in Joshua's huis?' vroeg Henrietta op hoge toon.

Christopher keek met een melancholieke blik naar zijn vrouw en zuchtte luid. 'Denken,' antwoordde hij.

'Wel, maak dat je wegkomt. Je weet dat hij het niet prettig vindt wanneer jij hier komt.'

'Nee, Henrietta, hij vindt het niet prettig wanneer wie dan ook hier komt.' Christopher keek Jessie aan. 'Joshua heeft me aan Verity voorgesteld. Niet mijn vrouw.'

'Dat dacht ik al,' zei Jessie. Henrietta zou Verity Shore nog niet vereren met een knikje, laat staan met een introductie bij haar losbol van een echtgenoot.

317

'Houd je mond, Christopher. Je deugt nergens voor, maar probeer alsjeblieft niet opzettelijk destructief te zijn.' Henrietta wendde zich weer tot Jessie. 'Hij is altijd jaloers geweest op Joshua. Het was niet mijn schuld dat hij meer van mij hield.'

'Waar is hij?' vroeg Jessie, haar blik op Christopher gericht.

'NIET JOUW SCHULD!' brulde Christopher terwijl hij overeind kwam. 'Ik had je je affaires kunnen vergeven, ik had je kunnen vergeven dat je de hele wereld liet weten dat ik geen echte man was, maar het aan Josh vertellen toen hij nog maar een kind was, dat is onvergeeflijk.'

'Doe niet zo belachelijk. Hij wilde weten waarom zijn pappa niet van hem hield. Hij had er recht op de waarheid te weten. Je bent zijn pappa niet. Daarna begreep Joshua het.'

'Je hebt een monster gecreëerd, Henrietta, en je staat jezelf niet toe dat in te zien. Christopher keerde zich tot Jessie. 'Ze speelde spelletjes met hem...'

'Houd je mond!'

'Ze vertelde hem afschuwelijke verhalen en sloot hem dan op op plekken waar hij niet uit kon komen. Hij gilde en schreeuwde tot ze hem ten slotte kwam redden...'

'Dat waren maar spelletjes!'

'Die arme jongen vergat dat jij het was die hem daar had ingestopt...'

'Als je nog één woord zegt, laat ik me scheiden. En ik zal ervoor zorgen dat je geen cent krijgt. Geen club meer, geen alcohol meer, geen kleine meisjes meer. Ik zal je kapotmaken.'

En daar ging het om, besefte Jessie. Zo verried Henrietta zich. Hoe dichter iemand bij de waarheid achter het imago kwam, hoe pestiger Henrietta werd.

'Dit is een moordonderzoek, als u me niet alles vertelt wat u weet over uw zoon, dan arresteer ik u allebei op grond van het belemmeren van de rechtsgang. Dat zou er niet mooi uitzien op de voorpagina's, nietwaar?'

'Ik ga mijn advocaat bellen,' zei Henrietta ten slotte.

'Mooi,' zei Jessie. 'Nu komen we tenminste ergens.' Ze leunde naar achteren tegen Joshua's bureau, waardoor ze per ongeluk op de muis drukte en de slapende computer gonzend in actie liet komen. Jessie liet haar ogen over de screensaver dwalen.

'Oh nee...'

'Wat nu?' zei Henrietta snibbig. 'Heb je nog nooit een foto van een naakt meisje gezien?'

Jessie legde haar hoofd in haar handen. Ze was zo stom geweest. Al die tijd die ze had verspild op de begraafplaats en op het politiebureau.

'Waar is ze?' Jessie deed een dreigende stap in de richting van Henrietta.

'Breed uitgemeten in een of ander tijdschrift. Je moet toch toegeven dat het ordinair is. Laat me los! Wist je niet dat je huisgenote gewoon een akelige kleine exhibitioniste was?'

'Ik garandeer u dat u nooit meer het daglicht zult zien als u het me nu niet onmiddellijk vertelt. Waar heeft hij Maggie heen gebracht?'

'Hebt u de boeken van mijn vrouw gelezen?' vroeg Christopher.

'Houd je mond!' schreeuwde Henrietta.

'Nee.'

'Dat had u moeten doen,' vervolgde hij. Net zoals zijn zoon had gezegd op het feestje van L'Epoch. Joshua had de hele tijd met haar gespeeld. Christopher stuurde Jessie met zijn ogen naar de boekenkast. 'Ze heeft over smokkelaars in de achttiende eeuw geschreven. Er leefde toen een beroemde vrouwelijke smokkelaar, zo wreed als je maar kunt bedenken. En dan was er nog het verhaal van de priesterschuilplaats en de kreupele man die jarenlang in dat hol werd vastgehouden. Hij was de laatste priester die weigerde naar de anglicaanse dienst te gaan die werd opgehangen.'

Jessie begon verwoed boeken van Henrietta Cadell uit de kast te trekken. Hoe had ze zo blind kunnen zijn? De Isabella Plantation – het had haar al dagen toegeschreeuwd. 'Wat is het volgende boek?'

Henrietta schudde haar hoofd. 'Jullie zijn gek, allebei. Zoiets zou mijn Joshua nooit doen. Beseffen jullie wel hoe intelligent hij is?'

'Hij had alles kunnen doen, alles kunnen worden,' zei Christopher. 'Maar jij hebt hem tegengehouden. Jij zorgde ervoor dat zijn boeken niet werden uitgegeven.'

'Hoe durf je! Ik heb hem altijd gesteund. Aan wie had hij zijn contacten überhaupt te danken, denk je? Wie zorgde dat hij die columns kreeg?'

'Lieg toch niet zo. Kijk liever eens naar wat je hebt aangericht.'

'Ik? Ik? En waar was jij verdomme al die tijd? Dronken. Zoals altijd. Wel, gefeliciteerd hoor. Je bent net zo schuldig als ik. We steken hier samen in.'

Christopher liet zich weer in de stoel vallen en boog zijn hoofd. Henrietta had gewonnen. Alweer. Het huilen stond Jessie nader dan het lachen. Er waren te veel boeken. Te veel essay's. Joshua had zich omringd met zijn moeders zwaarwichtige woorden. Die moesten elke dag op hem hebben gedrukt en hem eraan hebben herinnerd hoe nutteloos hij zelf was geworden. En toch waren er overal om hem heen al die vrouwen – Verity, Eve, Cosima en nu Maggie. Spetterend op de pagina's van tijdschriften, beroemd zonder enige reden, naakt op het glanzende papier – hem tergend. Hij had in zijn moeders schaduw geleefd, hij was afhankelijk van haar, op zijn hoede voor haar, rancuneus tegenover haar, geobsedeerd door haar...

'Welk boek is het, verdomme!' schreeuwde Jessie, en trok er weer een uit de kast.

Christopher schudde zijn hoofd. Henrietta stond onbeweeglijk. 'Dit is volslagen krankzinnig,' zei ze, maar haar stem klonk niet langer zelfverzekerd.

'Als ze doodgaat, als ze doodgaat, verdomme, dan zal ik...'

'Wat? Wat zou jij iemand als ik nu in hemelsnaam kunnen aandoen?'

Jessie sloot een ogenblik haar ogen omdat het bloed door haar hersenen racete. Ze voelde hoe ze uitzette van woede. Ze ademde opzettelijk langzaam, zoals ze in de crypte tegen Mark had gezegd. De crypte had haar van het spoor af gebracht. Joshua was niet geïnteresseerd in Ray St. Giles – natuurlijk was hij dat niet, er was geen enkele verbinding, geen enkele aanwijzing. Hij was niet de mysterieuze man geweest die op de begraafplaats stond.

Cosima en Maggie hadden een of ander geheim in hun verleden, daarom was Maggie zo lichtgeraakt wanneer zij in de buurt was. Wat waren de andere aanwijzingen, wat had ze gemist?

'De pest,' zei Jessie plotseling. 'De pest, hebt u iets geschreven over de pest?'

'Nee,' zei Henrietta.

'Ja,' zei Christopher.

Henrietta bewoog zich ongelooflijk snel voor een vrouw van haar omvang. Jessie was echter sneller en greep Henrietta's arm net voordat ze de lamp op het hoofd van haar echtgenoot wilde laten neerkomen. Christopher sprong opzij. 'Je kunt hem niet langer beschermen. Ze is nu over de pest aan het schrijven, over de effecten ervan op Londen. Ze werkt er momenteel aan. Josh heeft het gelezen.'

'Jij klootzak, nu vergeeft hij je helemaal nooit meer.'

'En terecht,' zei Christopher. 'Ik was te slap om jou tegen te houden. Ik zal het mezelf nooit vergeven.' Hij liep naar de andere kant van de kamer en opende een lade in Joshua's bureau. 'Moorfields. Daar was een groot massagraf. Het is nog steeds een onbebouwd terrein, midden in de stad. Joshua is er geweest. Het is een parkeerterrein en dealers gebruiken het om de jongens in de City te voorzien...'

Jessie luisterde niet naar de rest van de lezing. Wat haar betreft mochten de Cadells elkaar aan flarden scheuren. Maggie moest sterven op een onbebouwd terrein in het centrum van de stad, omringd door mensen die het te druk hadden om te blijven staan, en dat allemaal omdat Jessie niet had willen zien wat Clare Mills had gedaan.

De eerste politieman die zich naar de plek had gehaast, meldde per radio wat hij had aangetroffen. Een zwarte Volkswagen-kever stond geparkeerd naast het hek van gaas aan de achterkant van het terrein. Er zaten twee mensen in. Een man en een vrouw. Ze praatten. Jessie huilde van opluchting. Tegen de tijd dat zij arriveerde, was het parkeerterrein omsingeld.

Jessie ging er alleen op af, ze wilde de situatie niet laten escaleren. Ze trok de deur aan de bestuurderskant open. Het was moeilijk te zeggen wie er verbaasder was haar te zien, Maggie of Joshua. Joshua maskeerde het beter, maar dat verbaasde Jessie niet.

'Jessie! Wat doe jij hier?' riep Maggie uit, en leunde over de handrem.

'Joshua, Maggie,' zei Jessie, 'zouden jullie allebei even uit willen stappen?'

'Hé,' kreunde Maggie. 'Wat is er aan de hand?'

'Geen probleem,' antwoordde Joshua.

'Toe nou, we doen toch niets...' Maggie ving de blik in Jessies ogen op en zeurde niet verder. 'Christus, Barnaby, wat ben jij tegenwoordig vervelend.' Maggie struikelde over haar woorden. Haar oogleden bleven dichtvallen. Joshua volgde Jessies ogen naar de bijna lege fles die tussen Maggies benen zat geklemd.

'Oh, maak je geen zorgen,' brabbelde Maggie onduidelijk. 'Ik reed niet. Het was weer een van die dagen, je weet niet wat...' Ze stapte uit de auto en haar benen klapten dubbel onder haar. De fles viel in scherven op de grond. Maggie scheen het niet te merken. Ze bleef praten terwijl ze langzaam omlaag zonk.

'Christus,' mompelde ze. 'Ik voel me niet zo lekker.' Ze werkte zich weer overeind en zocht haar weg naar de achterkant van de auto, waar ze op het samengeperste steengruis ineenzakte.

'Je vriendin drinkt graag,' zei Joshua, terwijl hij uit de auto stapte. Jessie bewoog zich niet. De sleutels zaten nog in het contactslot van de auto. Hij was er dichter bij dan zij.

'Ze denkt dat ik haar kan helpen met haar carrière, maar dat kan ik niet. Ze drinkt te veel, dat weet iedereen. Ze is goed in haar vak, maar ze zal niet opklimmen tenzij ze ophoudt met drinken. Maar dat weet jij al, nietwaar? Het is moeilijk mensen om wie je geeft te vertellen op te houden, vind je niet? Diep vanbinnen wil je liever hun goedkeuring en weet je dat ze je zullen afwijzen omdat je hun zwakheden blootlegt. Maak jezelf niets wijs, de boodschapper wordt altijd doodgeschoten. En ik neem aan dat jij nodig hebt wat zij te bieden heeft – de opwinding, de feestjes, de beroemde mensen. Voor jou geen biertje en een zak chips.'

'Joshua Cadell, ik arresteer je op verdenking van de moord op Verity Shore, Eve Wirrel, Cosima Broome en van poging tot moord op Maggie Hall.'

Hij trok een van zijn wenkbrauwen op. 'Dat is een beetje overdreven, vind je niet. Ze vermoordt zichzelf. Dat moet je mij niet verwijten.'

'Maggie Hall zal wakker worden wanneer de Rohypnol in dat drankje is uitgewerkt. Ze zal zich niets herinneren totdat ik haar vertel dat je van plan was haar slagader door te snijden en haar hier achter te laten om te sterven boven deze oude menselijke beerput.'

Joshua grijnsde wolfachtig en grinnikte. 'Oh, dus zelfs jij wist niets van de pillen?' Jessie trapte er niet in. 'Ach, kom nou,' vervolgde Joshua. 'Je dacht toch niet dat die plotselinge stemmingswisselingen hormonaal waren. Het gebeurde onder je neus. Het ene ogenblik diep neerslachtig op de grond in een verduisterde kamer, het volgende een en al glimlach. Hemel, wat knapte ze op na zo'n inzinking.'

Jessie voelde hoe het koude zweet haar uitbrak.

'Ze is stervende. Nu op dit moment. Jouw koppigheid werkt in mijn voordeel. Toch? Hoe langer we wachten, hoe minder je hebt. Je bent zo zelfverzekerd dat je niet eens een zendertje draagt. Dat is niet bij je op gekomen, nietwaar? Altijd de touwtjes in handen. Laat mij je dan eens iets vertellen, juffrouw Driver. Na de dood van Cosima hoefde ik echt niet nog eens een ader door te snijden, want iedereen zou hebben geweten dat ik het was, of mijn handtekening er nu onder stond of niet. Uiteindelijk houden alle grote kunstenaars op hun werk te signeren, want het is herkenbaar genoeg. Maggie Hall, weer een tragisch slachtoffer dat een zielige junkie blijkt te zijn.' Joshua stapte opzij. 'Als je me niet gelooft wat de pillen betreft, kijk dan maar eens in haar tasje. Denk je dat ze op mijn uitnodiging hierheen is gekomen? Er worden heel wat pillen verkocht op deze parkeerplaats. Maggie heeft er te veel geslikt, dat is alles. Ze was dol op haar tranquillizers. Geloof me maar,' vervolgde hij, 'je zult geen spoortje Rohypnol vinden in haar bloed en het sectierapport zal een kapotte lever aantonen als gevolg van overmatig gebruik van voorgeschreven medicijnen.'

Er was iets in zijn stem waardoor ze hem geloofde. Joshua had aldoor zwakheden aan het licht gebracht. Van Verity, van P.J., van Eve, het geheim van de familie Broome, van zijn eigen moeder en nu van haar. Persoonlijke eigenaardigheden die hem recht in de kaart speelden. Ze bewoog zich naar de achterkant van de auto waar Maggie lag, enkele centimeters van de achterbumper. Er gaapt een wereld van verschil tussen bewusteloos zijn en worstelen voor je leven. Maggie zag blauw. Haar ogen waren naar achteren gerold en er stond schuim op haar mond. Jessie wurmde haar vingers in Maggies keel, rolde haar op haar zij en keek hoe de maaginhoud van haar huisgenote op de vastgestampte aarde stroomde.

Toen de motor van de auto plotseling tot leven kwam, nam haar instinct het over. Jessie liet Maggie vallen, haalde haar pistool te voorschijn en schoot zonder waarschuwing door de achterruit. Vervolgens bewoog ze zich naar de rechterkant van de auto, schopte de deur wijd open en staarde naar versplinterd glas op de oude leren zitting. Joshua zat er niet in. Ze schreeuwde om versterking en begon te rennen, waarbij ze als bezeten de andere auto's controleerde. Joshua was aldoor van plan geweest om het parkeerterrein te verlaten, de vraag was alleen hoe.

Binnen enkele seconden stroomden de agenten door het hek en controleerden elke auto die ze passeerden. Jessie blafte bevelen: 'Doe de hekken op slot! Kijk onder de auto's! Vind hem!' De ambulance arriveerde en Jessie bracht hen naar de Volkswagen. Daarna keek ze toe hoe ze Maggies slappe lichaam wegdroegen van de auto en op een brancard legden. Maggie zag grijs. Ze ademde niet meer.

'Wat is er gebeurd?' vroeg Jessie, terwijl ze onophoudelijk om het ambulancepersoneel heen draaide.

'Ze is gestikt.'

'Oh mijn God,' riep Jessie. 'Ik heb haar laten liggen, ik...' Ze viel op haar knieën en begon te bidden toen een van de mannen Maggies shirt openscheurde en haar hart begon te masseren, terwijl de ander mond-op-mondbeademing toepaste. De apparatuur werd geladen en iedereen ging achteruit toen 200 joules elektriciteit door het lichaam van haar vriendin stroomden. Jessie bleef bidden terwijl er handmatig zuurstof in Maggies longen werd gepompt. De arts voelde naar een hartslag, de wereld kromp ineen en de tijd stond stil. Soms denkt Jessie dat ze nog altijd op haar knieën tot God ligt te bidden op een stuk grond waarin ongelukkige pestslachtoffers werden gegooid. Als Maggie stierf, zou ze Joshua vermoorden. Daar zou ze wel een oplossing voor bedenken. Op de een of andere manier. Maar toen knikte de man. Hij had een hartslag gevonden. Ze zetten de brancard op zijn hoogste stand en duwden Maggie weg over de ruige, ongelijke begraafplaats.

De agenten waren inmiddels opgehouden met hun verwoede zoektocht. Joshua Cadell was verdwenen.

Vanaf het eerste moment dat ze hem had zien staan met mistvlagen om zijn enkels op de ochtend waarop de beenderen van Verity Shore werden gevonden, had Jessie aangevoeld dat er iets heel bijzonders was met Niaz Ahmet. En ze had gelijk gehad. Dat was tenminste iets waarbij ze het bij het rechte eind had gehad. Terwijl de politie elke auto op het parkeerterrein doorzocht, was Niaz naar de achterkant van de omheining geglipt op zoek naar Joshua's vluchtweg. Hij wist dat dit stuk grond werd gebruikt door dealers en hij had uitgeknobbeld dat veilig vervoer van de illegale goederen alleen 's nachts kon plaatsvinden, wanneer het terrein leeg was. Nadat het hek werd gesloten. Het parkeerterrein werd van de achterkant van de omringende gebouwen gescheiden door een hoog hek van gaas en een smal gangetje. Het gaas was enige maanden daarvoor doorgeknipt. Je hoefde alleen maar te weten waar en welke stukjes gaas je moest losdraaien om ongezien door de achterkant van een van de gebouwen te ontsnappen naar een doolhof van smalle straatjes die in zuidelijke richting naar Old Street leidden met zijn zeven ingangen tot de ondergrondse, in oostelijke richting naar een grote woonwijk, in noordelijke richting naar Kings Cross of in westelijke richting terug naar Bethnal Green.

Niaz vond de fiets die achter een paar vuilnisbakken was gezet. Hij stond niet op slot. Hij verwijderde de bouten die de wielen op hun plaats hielden en maakte het zadel los. Toen Joshua op de fiets sprong en op de trappers duwde, blokkeerde het voorwiel. Het frame schoot naar voren en het zadel zakte met een klap zo'n vijftien centimeter omlaag, met tijdelijke, maar zeer pijnlijke consequenties. Onder normale omstandigheden zou Niaz niet sterk genoeg zijn geweest om Joshua te overmeesteren, maar nu zijn tegenstander krimpend van pijn op de grond lag, hoefde hij alleen maar achter hem te gaan staan en hem met zijn standaard-gummiknuppel op het hoofd te slaan.

Jessie hoorde het bekende geschraap van metaal tegen metaal en zag het grote bruine oog naar haar staren. De uitdrukking ervan was echter veranderd. Jessie had niet anders verwacht.

Jones' vasthoudendheid had eindelijk resultaat gehad: Frank was gevonden. Het spoor had geleid naar ene dokter John Gurney, die had geregeld dat rijke, kinderloze echtparen die niet aan de toenmalige regels voor adoptie voldeden een kind uit een tehuis konden krijgen. Tegen een flinke prijs, uiteraard. Het kind in kwestie had geen broers of zusters en geen directe familie. Namen werden veranderd, dossiers raakten zoek, overlijdensverklaringen werden vervalst. Er werden drie stenen begraven en een kind ging een nieuw en hopelijk gelukkig leven tegemoet. Jones ontdekte geen cirkel van pedofielen, hij ontdekte een excentrieke, oudere filantroop die geloofde dat hij de kinderen redde van een verschrikkelijk leven in tehuizen.

Getrouw aan haar belofte aan Veronica om Frank weg te houden van St. Giles had Irene hem overgedragen als Trevor White. White was de meisjesnaam van Trevors moeder. Daarom waren er twee auto's gearriveerd op de dag na Veronica's dood.

Op papier was kleine Frank de perfecte kandidaat voor dokter Gurney's plannen. Een kind zonder familiebanden. Trevor White werd Gareth Blake en Gareth Blake stierf op papier en werd herboren als zoon en erfgenaam van meneer en mevrouw

Tennant. Niemand hield echter rekening met Clare en haar niet-aflatende vasthoudendheid. Irene had altijd geloofd dat ze had gefaald en dat Ray Frank had gevonden en meegenomen. Wat er werkelijk was gebeurd, had ze nooit kunnen verzinnen. Daarom hield ze haar geheim voor zich, jaar in, jaar uit, en dacht dat ze Clare beschermde tegen de waarheid. Nu wist Clare de waarheid, maar dat was niet de reden van de triomf in het grote bruine oog dat Jessie aanstaarde door de spleet van de deur.

'Mag ik binnenkomen?'

'Het is geen goed moment.'

Jessie schudde haar hoofd. 'Ik wil dit rustig oplossen, Clare. Laat me niet om versterking moeten bellen. Ik moet met Alistair praten.'

Clares ogen gingen wijder open.

'Laat haar binnen,' zei een stem vanuit de flat.

Ze zaten rond de salontafel en dronken thee met een ferme scheut whisky erin: Clare, Alistair en Irene. Irenes blauwe plek was inmiddels geel.

'Hoe wist je dat Joshua Cadell mensen vermoordde, Alistair?'

Drie monden vielen open als guppy's in een aquarium.

'Laten we dit niet moeilijker maken dan nodig,' zei Jessie.

'Vertel haar niets...' zei Clare.

'Het is oké,' stelde Alistair haar gerust. 'Je zei al dat ze slim was.' Hij keek naar Jessie. 'Ik volgde die vrouwen in opdracht van Ray. Ik had geen idee wat er zou gaan gebeuren.'

'Waarom heb je niets tegen ons gezegd?' vroeg Jessie. 'Je had kunnen voorkomen dat die vrouwen werden vermoord.'

'Eerlijk waar,' antwoordde Alistair, 'pas na de dood van Cosima wist ik zeker dat hij het was. Ik had gezien hoe ze samen wegreden na een feestje. Hij was gekleed als chauffeur. Zij zat in het complot – zo ontsnapte ze aan een of andere opdringerige kerel.'

Jessie sloeg haar armen over elkaar.

'Ik denk dat je op de hoogte was van Joshua's werkwijze en dat je je kans afwachtte tot je Ray kon vermoorden en het er laten uitzien alsof de nullenlijst-moordenaar opnieuw had toegeslagen.'

'Zo was het niet,' zei Clare.

'Het was mijn schuld,' viel Irene in. 'Ik dacht dat hij Frank was. Ik ben naar hem toe gegaan om hem te zeggen dat hij Ray moest waarschuwen dat de politie hem op de hielen zat. Zo bang was ik dat Clare er achter zou komen. Ik dacht dat Frank dat zou begrijpen. Alles wat ik heb gedaan, was Alistair de reden vertellen waarom zijn vader nooit iets om hem of zijn moeder had gegeven. Ray had alleen maar oog voor Veronica, het kon hem niets schelen wie hij daarbij pijn deed.'

'Over al die vrouwen had ik smerigheden opgeduikeld, maar ik kon niets vinden over Ray. Ik had zelfs nog nooit gehoord van Veronica en Frank. Ik dacht dat Trevor een bendelid was geweest. Ray had mijn moeder alleen maar gebruikt om Veronica jaloers te maken. Het kon hem geen donder schelen dat hij haar leven had verwoest. En het mijne. De hufter. Waarschijnlijk zou hij mijn moeder ook hebben vermoord als ze er heibel over had gemaakt, maar ze ging terug naar het platteland en is er nooit overheen gekomen. Toen Irene me over Veronica vertelde, knapte er iets in me. Ik sloeg haar op haar hoofd, liet haar bewusteloos achter op de grond en ging naar de begraafplaats. Die verrekte rozen.'

'Ik ook. Ik was daar ook,' zei Clare. 'Alles wat ik je heb verteld was waar. Ik lag op mijn knieën, ik dacht dat hij me ging vermoorden, maar toen dook deze jongen op. Ray glimlachte tegen hem en zei dat hij me moest afmaken. Hij tilde zijn arm op, ik bad tot mamma om me te redden en het werkte. Alistair sloeg Ray in zijn nek. Hij viel als een blok op de grond. We brachten hem naar de crypte, waar Alistair me alles vertelde wat Irene hem had verteld. Samen konden we het ontbrekende snel invullen...'

'Clare heeft niets gedaan,' onderbrak Alistair haar. 'Ik was het... en het kan me niet schelen dat ik ervoor zal moeten zitten.'

'Alistair...'

'Alsjeblieft, Clare. Jij bent het beste wat uit deze hele vuile troep te voorschijn is gekomen.'

'Ik laat je dit niet alleen dragen.'

'Clare, alsjeblieft, we hebben hierover gepraat.'

'Alistair, als jij Joshua als de schuldige identificeert, sluit ik een deal dat we de aanklacht afzwakken tot doodslag. Toen wij opdoken, ben je teruggegaan naar Irene en heb je haar bijgebracht. Je hebt haar gezegd terug te gaan naar de begraafplaats en je vertelde haar wat ze tegen Clare moest zeggen. Er was geen lange, spookachtige gedaante op de begraafplaats, maar je wees me in de juiste richting en waarschijnlijk heeft dat het leven van Maggie Hall gered. Ik zal je helpen.'

'Hoe wist je het?' vroeg Clare.

'Het bloed aan je vingers,' antwoordde Jessie. 'Dat kwam niet van je hoofd. Je bent nooit bewusteloos geweest. Jij was het die de pen van Ray's ader wegduwde.' Clare deed haar mond open. 'Maar dat kan ik niet bewijzen en ik wil het ook niet. De patholoog heeft de pen verderop in zijn been gevonden. Het ding kan zijn weggegleden.'

'Ik zal je vertellen...'

'Het ding is weggegleden,' zei Alistair. 'Dit is mijn schuld. Ik heb Ray vermoord.'

'Nee, het is mijn schuld,' verklaarde Irene.

'Niet waar,' kwam Clare ertussen. 'Het is de schuld van mijn moeder, omdat ze een verhouding met hem is aangegaan.'

'Wees niet te hard voor haar, Clare,' zei Jessie. 'Het was je moeder die de politie vertelde waar ze Ray konden vinden.'

Irene en Clare staarden haar vol ongeloof aan.

'Ik heb het telefoonnummer getraceerd. Het was de munttelefoon in het ziekenhuis. Ik denk dat ze probeerde iets goed te maken.' Jessie stond op. 'Ga je met mij mee, Alistair? Ik wil graag dat je iemand identificeert.'

'Ik had het echt pas door na Cosima. Anders zou ik die vrouwen niet hebben laten sterven – zoiets zou hij hebben gedaan en ik lijk absoluut niet op hem.'

'Ik geloof je,' antwoordde Jessie.

'Hij heeft mij gered,' verklaarde Clare.

'En dat zal zeker in zijn voordeel werken. En hoe zit het met Tarek? Waar is hij?'

'Channel Five, voorzover ik weet. Ik wilde hem waarschuwen weg te gaan. Tarek had zijn krediet opgebruikt, als hij nog meer moeilijkheden veroorzaakte, wilde Ray hem opruimen, voorgoed. En als u nog eens achter hem aan kwam, had hij u aangeklaagd. Zo zou u ongewild een held hebben geschapen. Ray St. Giles – een held? Dat slaat nergens op, toch?'

'Nee,' antwoordde Jessie, 'ik dacht het niet.'

'Ik kom je opzoeken,' zei Clare toen Jessie Alistair meenam naar de deur.

'Dat zou ik leuk vinden. En jullie moeten ook mijn grootvader opzoeken, hij is nu haast familie.' Clare sloeg haar armen om hem heen. Eindelijk had ze een broer. Een echte broer. Veronica had ongelijk gehad. Slechte familie was beter dan geen familie.

'En wat ga je nu met Frank doen?' Jessie keek Clare aan.

'Ik weet het niet,' antwoordde Clare. 'Ik breng wel een heel verhaal mee.'

'Ik ontken alles,' zei Joshua. 'Ik heb absoluut niets te maken met de misdaden waarvan je me beschuldigt. Vraag maar aan Maggie of ik die pillen door haar strot heb geduwd. Nee, dus.'

'Maggie kan momenteel nog niets zeggen.' Haar maag was leeggepompt, haar bloed was gespoeld met een zoutoplossing en ze had adrenaline-injecties gekregen om te voorkomen dat haar bloeddruk weer zakte. De eerste onderzoeken hadden geen Rohypnol in haar bloed aangetoond, maar Sally had sporen gevonden van veel andere middelen.

'En wat heb je voor bewijzen?'

'We hebben iemand die jou bij het huis in Barnes kan plaatsen. Je hebt je eigen bewijzen nagelaten bij Eve Wirrel en wanneer Cosima's jurk grondig is onderzocht, zullen we ongetwijfeld iets vinden wat je hebt achtergelaten.'

'Als naar bed gaan met Verity en Eve een misdaad is, zul je half Londen moeten arresteren. Inclusief mijn eigen oude vader.'

'Bovendien ben je gezien toen je Cosima naar Haverbrook Hall reed op de avond van haar dood.'

'Toe nou, Jessie, je denkt toch niet echt...'

'Het is geen "Jessie".'

'Hoezo niet. Bij P.J. werkte het,' antwoordde Joshua scherp.

Jessie leunde over de tafel. 'En ik heb je zelf onze flat zien verlaten nadat je met Maggie had geslapen.'

'Ja, en? Vrouwen zijn dol op me.'

'Ze zijn dol op je moeder. Op haar status.'

Joshua deinsde terug.

'Ik heb vanochtend met de uitgever van je moeder gesproken. Ik ben bang dat Henrietta hem jouw werk heeft getoond met de uitdrukkelijke boodschap dat hij je geen deal mocht aanbieden. Zij was het die je carrière heeft verwoest.'

'Dat is niet waar.'

'Ik ben bang van wel. Net zoals ze je vroeger in je eentje opsloot op donkere plekken en zoals ze je bloeddorstige verhalen vertelde en je dan troostte wanneer je nachtmerries had. Geweld en affectie zijn met elkaar verstrengeld in jouw geest, Joshua.'

'Kletspraat! Amateuristisch psychogebabbel. Dat werkt vast wel bij lagere stervelingen, maar...'

'Je methodes waren ingenieus, maar de boodschappen aan je moeder waren overduidelijk toen ik eenmaal doorhad waar ik moest zoeken.' Jessie duwde de vier titels in zijn richting: *Een smokkelaarsgeschiedenis; Vader Bernard – een opstandige priester; Isabella van Frankrijk*; en het manuscript over de grote pest in Londen. 'Henrietta heeft je verteld dat loyale moeders zoals zij in de diepe massagraven sprongen om bij hun dode kinderen te kunnen zijn. Daarboven werden steeds meer lichamen opgestapeld tot de moeders stierven door verstikking. Maar in je hart weet je heel goed dat ze alleen maar loyaal is aan zichzelf. In deze put zal ze heus niet springen. Ze moet immers aan haar reputatie denken.'

'Waarom? Waarom zou ik al die vrouwen vermoorden?'

'Omdat ze beroemd waren en jij niet en daar werd je gek van. Jij wist hoe ze werkelijk waren achter de schitterende foto's op glossy papier en alle publiciteitsonzin.'

'Nee. Je bluft. Ik ken je.'

'Niet zo goed als je denkt.' Jessie trok langzaam haar leren jasje uit en toonde hem de minidiscspeler die tegen de binnenkant was bevestigd. 'Ik heb een goed stuk muziek opgeofferd aan het opnemen van jouw woorden.' Ze drukte op 'play' en Joshua's stem vulde de kamer.

'...Na de dood van Cosima had ik geen slagader meer hoeven doorsnijden, want iedereen zou hebben geweten dat ik het was, of mijn handtekening er nu onder stond of niet. Uiteindelijk houden alle grote kunstenaars op hun werk te signeren...'

Jessie zette het apparaat stop en keek naar Joshua. 'Alles bij elkaar opgeteld vormt het geen slechte zaak tegen je,' zei ze.

'Ik wil mijn moeder,' zei hij.

'Die moest op tournee om haar boeken te signeren.'

'Ik wil mijn moeder,' zei Joshua opnieuw, luider nu.

'Christopher is hier. Hij wil je zien.'

Plotseling stond Joshua op en rende naar de deur die op slot was. 'NEE! IK WIL MIJN MOEDER! IK WIL MIJN MOEDER! MOEDER! MOEDER!' Hij keerde zich weer om naar Jessie. 'Uiteindelijk komt ze altijd, altijd...'

Jessie pakte hem bij zijn arm en bracht hem terug naar zijn stoel. 'We zullen zorgen dat je hulp krijgt.'

'Ze houdt van me,' zei Joshua. 'Ze kan niet zonder me. Ze heeft me nodig, zie je. Ik ben alles wat ze heeft, begrijp je dat niet...'

Jessie deed zachtjes de deur dicht terwijl Joshua voor zich uit bleef mompelen.

EPILOOG

Jessie hield de plastic zak omhoog waarin de sigaret met witte filter zat die buiten haar huis was gevonden en staarde vol ongeloof naar de getypte gegevens op het bijbehorende verslag. P.J. Dean. Hij was het die buiten haar huis had gestaan. Waarom? Het was het enige wat niet klopte.

'Waarschijnlijk kwam hij uitleg geven over de aanklacht.'

Jessie keek op en zag Niaz in de deuropening staan. Ze glimlachte, stond op, liep om haar bureau heen en sloeg haar armen om zijn hals.

'Je hebt je de moordbrigade meer dan waardig betoond. Ik vroeg me af of je soms bij ons wilt blijven. Dat hangt natuurlijk wel af van de uitkomst van het onderzoek in de Dean-zaak. Misschien ben ik hier zelf niet meer...'

'Hij zet de aanklacht niet door, chef.'

Ze was blij met zijn vertrouwen, maar zelf voelde ze het niet. 'Het zal lange dagen betekenen, Niaz, en examens afleggen.'

Zijn hoofd schudde op zijn lange nek. 'Geeft niet. Mijn vrouw zal er geen bezwaar tegen hebben.'

Jessie schrok. Ze hadden samen een complete zaak afgewerkt en ze wist zelfs niet dat hij getrouwd was.

'Het spijt me dat ik daar nooit naar heb gevraagd, Niaz. Ik wil haar graag eens ontmoeten.'

'Dat mag, wanneer ik haar heb gesproken. En wanneer dat gebeurt, zal ze geen bezwaar hebben tegen de lange dagen. Dat voel ik.'

Ze had een bijna onbedwingbare neiging om Niaz te zoenen.

'Oké dan, Niaz, ik zal er direct met Jones over spreken.' Jessie keek weer naar de sigaret. 'Denk je werkelijk dat hij daar stond om het uit te leggen?'

'Absoluut.'

'Hoe weet je dat zo zeker?' Jessie maakte haar archiefkast open en legde de stukken over de zaak er voorzichtig in.

'Omdat hij hier is.'

'Dat is niet grappig, djinn. En zou je met het oog op die overplaatsing niet liever naar het spontane feestje gaan dat Burrows heeft georganiseerd in plaats van hier te blijven staan en me te plagen met die verrekte P.J. Dean?' zei ze, terwijl ze de lade zorgvuldig sloot en op slot deed.

'Nee echt, hij is hier, chef. Hij staat naast me.'

Jessie keek op. En daar stond hij. Niaz trok zich terug met de stille glimlach om zijn mond die zo kenmerkend voor hem was. Jessie beleefde een snelle opeenvolging van gevoelens. Opgelatenheid, schuld, vernedering, maar woede kreeg de overhand.

'Jij begint een rechtszaak tegen me. Als je leven je lief is, kun je maar beter verdwijnen,' zei ze.

'Dat heb ik niet gedaan, dat was de platenmaatschappij – flauwekul om de schade te beperken. Hoe dan ook, ik heb het stopgezet.'

P.J. wees naar de plastic zak met de sigaret. 'Van mij?'

Jessie knikte

'Ik kwam naar je huis om het uit te leggen, maar ik had de moed niet,' zei hij. 'Toen ben ik hierheen gegaan, maar je had het druk.'

'Hier? Heb je gepraat met…?'

'Frances Leonard, ja. Weer zo'n probleem dat ik al lang geleden had moeten aanpakken. We hebben over alles gesproken. Ze is niet gek, alleen maar eenzaam. Ik denk dat ik bij nadere beschouwing iets van de glans heb verloren die ik volgens haar had.' Hij zweeg even. 'En ze is niet de enige in wier achting ik ben gedaald, nietwaar?'

Jessie ging er niet op in. Ze ruimde haar bureau op en keek hem niet aan.

'Hoe dan ook, ik wilde zeggen dat het me spijt. Wat er in de tuin is gebeurd.'

Jessie liet zich vermurwen. 'Dat was mijn schuld.'

'Hoe kan dat wanneer ik degene was die heeft gelogen, die Bernie achterliet bij die man, en die negeerde hoe ongelukkig Verity zich voelde zodat ik de illusie van een gezinnetje om me heen in stand kon houden? Als ik je eerder over Eve had verteld, zou ze misschien nog leven. En dat heb ik gedaan om de meest onvergeeflijke reden.'

Jessie wachtte.

'Ik wilde niet dat je slecht over me dacht.'

Jessie glimlachte vaag. 'Achteraf gezien was met Eve Wirrel naar bed gaan waarschijnlijk niet je grootste probleem.'

'Ach ja, beroemde mensen, hè – weinig overzicht, veel egoïsme, blinde ambitie, onzekerheid, geld en ellende.'

Jessie hield haar hoofd schuin. Ze had nog steeds de metalen platen die een hoog voltage door Maggies borst schoten op haar netvlies. 'Waarom doet men het dan?' vroeg ze ernstig. 'Als het toch zo vaak in verdriet eindigt.'

P.J. leunde tegen de deurpost. 'Om te ontsnappen, vermoed ik.'

'En lukt dat?'

'Nee.' P.J. zweeg en zijn groene ogen bestudeerden haar. Jessie staarde hem recht aan. 'Tenzij je geluk hebt en iemand tegenkomt die niet gelooft in die hype.'

'Maar P.J., jij bent de hype. Jij hebt de hype gecreëerd.'

'Dat is de aard van het beestje.'

Jessie schudde haar hoofd en stond op. 'Zal ik je eens wat zeggen? Ik heb al veel te veel van dat beestje gezien en ik weet dat je dolgraag nog uren over jezelf wilt praten, maar ik heb dorst. Er is een pub vol mensen die op me wachten om mij te verrassen vanwege mijn succes. Waarschijnlijk zal ik heel erg dronken worden, misschien ga ik zelfs wel op een paar tafels dansen en in mijn glas janken. Het is ook mogelijk dat ik zo rond een uur of elf ga kotsen, want ik kan me niet herinneren wanneer ik voor het laatst heb gegeten.'

P.J. glimlachte haar toe. Die reactie had ze niet verwacht.

'Dus als je het niet erg vindt, wil ik nu graag naar de pub.'

'Mag ik je tenminste op weg helpen en je een drankje aanbieden?'

Misschien had ze nee moeten zeggen, maar dat deed ze niet. 'Dan mag je wel opschieten, want ik ben een populair meisje op het moment.'

'Dat verbaast me niet,' zei P.J. met een twinkeling in zijn ogen.

'Je moet gewoon in de rij gaan staan, ook al ben je bij Top of the Pops geweest.'

Hij salueerde. 'Ja, baas.'

'En geen handtekeningen uitdelen.'

'Nee, baas.'

'En verwacht niet dat ik je tegen de jongens zal beschermen. Ze kunnen heel genadeloos zijn.'

'Ik heb geen moment gedacht dat je dit gemakkelijk voor me zou maken.'

'Bij het eerste spoor van een fotograaf doe je wat je moet doen en verdwijn je.'

'Ik beloof niets.' P.J. hield de deur open. 'Kom nu, je fans staan te wachten.'

Jessie trok haar leren jasje aan. 'Geen fans.'

'Nee. Geen fans. Collega's. Mensen die je bewonderen. Mensen die naar je opkijken. Mensen die respect voor je hebben omdat je goed bent in je werk. Plus een verdwaalde volgeling die graag een keer voor je wil koken, rode wijn met je wil drinken en scrabble wil spelen.

'Scrabble?' vroeg ze plagend.

'Geen scrabble dan. Wat je maar graag doet, maakt niet uit – als je me maar niet nu al afschrijft.'

'Ik houd van dansen,' zei ze en ritste haar jasje dicht.

P.J. legde zijn hoofd in zijn handen en kreunde.

'Wat? In die videoclips sta je altijd te swingen.'

Hij keek naar haar door zijn vingers. 'Ik dacht dat je nooit naar mijn liedjes luisterde.'

'Hoort bij mijn werk,' zei Jessie braaf.

'Vind je ze leuk?'

Ze stond tegenover hem in de smalle deuropening. 'Verander niet van onderwerp. Kun je dansen?'

P.J. schudde langzaam zijn hoofd van links naar rechts.

'En die videoclips dan?'

'Dubbelgangers.'

'Ik geloof mijn oren niet. Je bent een bedrieger, Paul John Dean.'

P.J. lachte luid en pakte haar arm. 'Eindelijk,' zei hij. 'Een vrouw die me begrijpt.'